Bien manger en famille

Dr JEAN-MICHEL COHEN
Dr MYRIAM COHEN

Bien manger en famille

Bienêtre

Pour Jean-Michel, qui sait me donner autant que je voudrais lui donner.

Pour Myriam, à qui j'offre ma moitié de livre pour lui montrer que nous ne faisons un qu'en étant tous les deux.

Pour nos enfants, Stéphanie, Jennifer et Laura, nos petits trésors, sans qui cet ouvrage n'aurait pu voir le jour et dont elles sont les adorables actrices même si elles pensent être des cobayes (ce qui nous venge des animaux qu'elles nous ont obligés à nourrir... avec aaaaamour).

À la mémoire de mon père, qui nous a nourris d'amour et de tendresse.
À ma mère, dont je suis si fière.
À Charly, Martine et Brigitte, mes complices de toujours.
À Jonathan et Johanne pour les goûters à la campagne.
À mes beaux-parents qui me pardonneront de leur avoir volé quelques recettes.
À toute ma famille, en souhaitant avoir encore de nombreux repas à partager.

Myriam

À mes parents pour m'avoir si bien nourri (il a fallu vingt ans pour que je le dise).
À ma sœur, Annie, pour son affection et sa tendresse « nourricière ».
À Michel, Judith, Jonas, Léa pour les chatouilles, bisous, et réflexions piquantes.
À toute ma belle-famille, et surtout ma belle-mère, pour enrichir en permanence mon patrimoine alimentaire.

Jean-Michel

INTRODUCTION

Par Jean-Michel Cohen

Ça m'a réveillé comme une alarme en pleine nuit. J'étais confortablement installé dans un fauteuil en train de lire lorsqu'une voix, tout droit sortie du poste de télévision, a retenti brusquement dans mon oreille : « Pro-activ ! 1 par jour ! »

Je ne suis bien sûr pas le seul à avoir entendu cette publicité, mais je pense avoir été particulièrement sensible à ce message. Pourquoi ? Parce qu'il touche à mon activité de médecin, à ma spécialisation de nutritionniste et, enfin, à la curiosité qui me pousse, chaque soir, à essayer de comprendre l'évolution de l'alimentation contemporaine et son impact sur notre santé.

Or l'habile auteur de ce slogan n'avait pas lésiné sur la portée symbolique de son message. « Pro » comme professionnel, « activ » comme action, « 1 par jour » comme la prescription du médecin. La nature même du produit, une boisson lactée, évoquait la nourriture des premiers mois de la vie. J'en étais sûr : cet amalgame de termes et de symboles n'était pas étranger à ma montée d'adrénaline. Dès lors, on peut aisément deviner mon agacement lorsque, quelques jours plus tard, arriva à mon cabinet un dépliant vantant ce même produit, assorti de photos et de commentaires de plusieurs confrères en louant les mérites. Pour résumer l'ambiguïté de la situation, j'avais affaire à une spécialité laitière enrichie en substances thérapeutiques, en vente dans les supermarchés mais dont les principaux prescripteurs étaient des médecins !

Il ne s'agit pas ici de critiquer un produit isolé, sans aucun doute plus malin que les autres, mais de réfléchir au pourquoi et au comment d'une nouvelle orientation alimentaire ; ceux qui ont déjà lu l'un de mes ouvrages connaissent mon esprit frondeur et ma capacité à me révolter lorsque je constate qu'on s'éloigne de la vérité. Et dans cette histoire, c'était bien le cas : on mélangeait tout et son contraire et on faisait perdre aux gens leurs derniers repères !

Comme beaucoup d'hommes de mon âge, j'ai à la fois la chance et la malchance d'appartenir à deux générations : à celle qui a goûté la cuisine des grand-mères et à celle qui connaît la nourriture rationnelle et équilibrée de l'homme de demain, tout aussi imparfaite évidemment que celle d'autrefois. Seulement, une chose est sûre : ma grand-mère ne m'a jamais proposé une tartine de confiture en me parlant comme un médecin. Et je n'ai, jusqu'à présent, jamais eu d'ordonnance pour faire mes courses.

Ce qui m'étonne le plus dans les dérives de l'alimentation actuelle, c'est en fait la docilité du consommateur qui accepte de se retrouver prisonnier de l'étau que resserrent jour après jour les Diafoirus modernes porteurs de tabliers de cuisine. Assez naïvement, j'ai toujours pensé que l'on n'additionnait pas les pommes avec les poires, su que les tentatives récentes de pacte avec le diable se solderaient fatalement par des catastrophes, comme on l'a vu dans l'alimentation des animaux – avec les conséquences tragiques que l'on connaît – ou dans les expérimentations de médicaments dits « novateurs ».

D'autre part, en tant que gourmet et gourmand, je m'interroge aussi sur l'éventualité de me retrouver un jour – si on continue comme aujourd'hui – à commander dans un restaurant une tranche d'oméga 3 à la sauce vitamine D, suivie d'un pavé d'acide aminé au calcium, puis de finir par des boules de glucides complexes farcies aux protéines calciques nappées d'une fine couche d'acides gras saturés[1]. Et quand ce jour arrivera, il ne faudra pas oublier de payer les médecins avec de l'huile de

1. À savoir, du saumon fumé avec de la crème fraîche, un filet au poivre et des profiteroles au chocolat.

foie de morue et de régler les additions en kilocalories ! Je plaisante mais en fait je fulmine. Car j'estime qu'il y a une limite au ridicule et que ceux qui vendent les aliments sous le label de la bonne santé oublient que la nourriture est avant tout une affaire de goût, qu'elle nous rapproche de nos parents, de nos enfants et du reste de la société au travers des coutumes et des recettes familiales, ethniques ou régionales. Et ce depuis la nuit des temps.

Récemment, j'ai eu le plaisir d'être l'un des invités des Gastronomades d'Angoulême. Avec bonheur, j'y ai découvert la tradition locale, les recettes du terroir, les vins de pays... et qu'il existait encore des gens aimant la nourriture pour la nourriture. À table, par exemple, je me suis trouvé à côté d'un vigneron qui mangeait avec plaisir et tranquillité, finissant toutes ses assiettes soigneusement et goulûment. Le festin avait commencé par plusieurs mises en bouche, dont l'une au foie gras, suivies d'un épais pavé de viande servi avec de vraies pommes de terre frites et d'une tarte aux pommes, mais cet homme de la terre, à la différence d'autres convives, dégusta le tout calmement, avec une régularité de métronome, sans jamais lever le nez de son assiette. Le pire, si je puis dire, c'est que mon voisin... était mince ! Les Parisiens autour de la table aussi mais eux ne parlaient que de nutrition et de régimes tandis que lui savourait son plaisir.

Une fois le digestif et le café avalés, le vigneron posa sa serviette et, tout en déclarant avoir fait un excellent repas, avoua que c'était bien dommage pour le soir parce qu'à la suite d'un déjeuner aussi copieux, il allait se contenter d'une soupe. Sur le moment, j'ai été amusé par sa remarque, pensant qu'il me donnait avec humour un cours de nutrition, mais, en vérité, ce n'était pas le cas, il me répétait simplement les conseils qu'il avait reçus de ses aïeuls : après un bon repas le midi on s'abstient de manger le soir ou on prend un potage. Traduction du nutritionniste : quelques nutriments à base de glucides, des vitamines, des minéraux et surtout beaucoup d'eau... En résumé, un bon moyen de rassasier pour peu de calories !

L'homme a toujours mangé de la soupe. Je sais bien que je n'ai pas fait la découverte du siècle, mais à l'ère de l'alimentation sous contrôle, le pittoresque est devenu sensationnel. À partir de cet instant, j'ai donc passé mon week-end à observer les assiettes des participants à cette manifestation. Les enfants consommaient des ragoûts, faits maison et plus souvent accompagnés de pommes de terre bouillies que de frites, et un grand nombre de personnes se délectaient de légumes et de fruits. Nous détenions un scoop.

Intrigué, j'ai continué à discuter avec ces passionnés de nourriture, en les interrogeant sur les recettes locales. Et j'ai obtenu quelques secrets pour vivre vieux et en bonne santé. Une charmante dame, par exemple, m'a expliqué qu'il fallait choisir les carottes en fonction de leur couleur, car, me disait-elle : « Plus c'est rouge, meilleur c'est pour la santé ! » Or le bêta-carotène, pigment naturel des carottes et assimilé à la vitamine A, s'efface à l'air. Donc, plus la carotte est rose, plus elle contient de vitamine A ! Cette femme avait donc raison, sans avoir eu besoin de m'expliquer à quoi servait la vitamine A et pourquoi il fallait en consommer. Une autre personne m'affirma que rien ne valait le pissenlit pour se sentir en forme et éviter la grippe, un troisième ne jura que par le fenouil... Quant au dernier, il m'expliqua que, parmi tous les abats, seul le foie de veau grillé pouvait restaurer les forces des malades. Peu à peu, j'ai accumulé une série de renseignements qui, vous le verrez dans le dernier chapitre de ce livre, reflètent exactement les connaissances scientifiques actuelles.

Qu'on ne se trompe pas, je n'imagine pas un instant faire un retour en arrière et dire que tout ce qui est naturel, écologique ou provient de la terre se révèle meilleur que le reste. Non, je souhaite simplement attirer l'attention du lecteur sur le fait que, parallèlement au discours scientifique, subsistent des traditions orales et anciennes, nourries de l'expérience des hommes, qui continuent de se transmettre même si elles ne sont pas traduites en jargon savant.

Tout cela me fait penser à une expérience vécue lors d'un congrès de nutrition, il y a une vingtaine d'années, alors que je m'occupais d'alimentation parentérale [1]. Lors d'une longue conversation avec Kenneth Jeejeeboyh, autorité mondiale en la matière, je lui avais raconté la difficulté que j'avais à apprécier l'amélioration de l'état nutritionnel de mes patients lorsqu'ils étaient réalimentés avec des perfusions d'acides aminés, de graisses, de glucoses et d'eau, et à quel point il était compliqué d'obtenir rapidement des bilans azotés [2]. Il m'avait regardé avec un œil malicieux, en me répondant que rien ne saurait remplacer le critère le plus évident. Je m'attendais alors à l'évocation d'un examen sophistiqué et élaboré, mais il me parla tout simplement du sentiment personnel que le patient va mieux. Il voulait me dire par là que le bon état nutritionnel d'un sujet s'apprécie à travers un ensemble de facteurs subjectifs – comme la vivacité de la réponse musculaire, la couleur de la peau, l'état des cheveux, la cadence de la respiration... – dont on ne peut faire l'analyse en temps réel mais qui se synthétisent dans l'esprit de façon naturelle avant de donner naissance à une appréciation globale...

En somme, le message est clair : revenons à des valeurs simples. Notre époque souffre d'un excès d'information, d'une surmédicalisation du repas et d'un mépris de la nourriture. Chaque jour, le public reçoit en masse des informations dramatisées qui génèrent des angoisses aboutissant fréquemment à une recherche effrénée de prévention. Or quand chaque bouchée devient un stress, il n'est pas excessif de parler d'hypocondrie de la nourriture !

Face à cette dérive, des Dr Miracle en tout genre nous inventent des solutions providentielles. Il peut s'agir du dernier magazine à la mode qui propose une recette pour avoir la peau plus douce, d'un médecin qui vient de découvrir une solution pour maigrir rapidement, d'un fabricant qui assure que la consommation de son produit améliore la santé...

1. Alimentation introduite dans l'organisme par une autre voie que le tube digestif.
2. Examen complexe permettant d'apprécier l'état de renutrition du patient.

À vous d'éviter les pièges !

Au bout du compte, nous sommes dans une situation totalement paradoxale où l'alimentation ne s'exerce plus en fonction de critères instinctifs, hédonistes ou biologiques mais selon des schémas étudiés, calculés et rationalisés.

Ainsi, tout nutritionniste que je suis, je n'ai jamais participé aussi activement que mon épouse à l'alimentation de ma famille, même si je m'enorgueillis d'avoir trois filles et une femme aussi sveltes que musclées.

Il n'est pourtant pas simple de nourrir les siens...

Au retour des vacances, ma femme Myriam et moi sommes allés dans un supermarché où j'avais pour mission de prendre des fromages. Comme un grand, je me suis alors retrouvé devant un rayon riche d'une multitude de produits, ne sachant pas quelle quantité acheter pour une famille de cinq personnes, ni à combien de repas cela pouvait correspondre. Face à ce dilemme, j'ai eu le choix entre choisir selon mon goût ou selon ceux de mes enfants ou de ma femme, entre l'option de prendre des produits plutôt diététiques ou d'autres plus gras... Bref je me retrouvais égaré en pleine jungle. Perdu, j'ai préféré délaisser les fromages à la coupe, pour éviter de devoir préciser les quantités à la vendeuse, et j'ai opté pour ceux déjà emballés, en utilisant comme repère ce que j'avais déjà vu dans le réfrigérateur familial.

Pendant que je tergiversais, ma femme avait déjà parcouru trois rayons, choisi des quantités précises de chaque produit selon nos modes alimentaires, les goûts des enfants, les miens, les siens. Elle avait programmé le nombre de repas qu'elle devait nous servir, envisagé la possibilité que des amis ou de la famille passent à l'improviste... Bref, elle avait accompli une tâche qui semble peu noble aux yeux de certains mais qui, en réalité, s'apparente à un véritable travail parce qu'elle nécessite concentration, expérience et efficacité.

De la théorie à la pratique, il y a donc un cap à franchir. J'ai demandé à Myriam comment elle faisait pour concilier les deux. Elle m'a expliqué s'inspirer de mes conseils, associés aux repères acquis chez ses parents, auprès des miens, dans les journaux, avec ses amis. Tout en me précisant aussi qu'un instinct de globalisation lui permettait, même si chaque repas n'était pas parfait, d'assurer une moyenne journalière de bonne qualité.

Je me suis alors dit qu'il s'agissait là de l'alchimie mystérieuse sans doute à la base de l'harmonie de bon nombre de tables françaises.

On le voit, notre alimentation est le reflet de notre société à un moment donné auquel chaque famille apporte sa modeste pierre. Faut-il alors accepter que la nourriture prenne une dimension à la fois médicale et, parfois, légèrement angoissante ? Un peu, c'est certain, mais trop serait grave. Dans l'avenir, il sera donc, à mon sens, important de conserver un équilibre entre les apports de la science et la valeur subjective, affective et intellectuelle de l'alimentation, pour que la nourriture humaine demeure à jamais celle des hommes.

Reste qu'il est important d'expliquer au public en quoi consiste cet équilibre. Et surtout comment y parvenir, comment concilier les traditions familiales et la nourriture moderne, comment bien manger ensemble ?

C'est de ce postulat qu'est né cet ouvrage à quatre mains : proposer aux familles un mode d'emploi pratique, habile, intelligent et évolutif de l'alimentation. Et qui mieux que le duo que je compose depuis des années avec mon épouse pouvait aider à mettre en pratique notre expérience ? Qui, mieux que notre couple alliant les savoirs d'un nutritionniste et d'une mère, tous deux universitaires de surcroît, pouvait décoder dans un livre, âge par âge, les règles à suivre afin de nourrir une famille en conciliant bonheur et équilibre, alimentation et plaisir ?

L'ennui, c'est que si cette idée me semblait évidente – comme à mon éditeur –, Myriam, elle, hésitait.

Finalement, après lui avoir promis que nous n'irions pas faire la promotion de l'ouvrage dans les émissions qui ne lui convenaient pas, après que notre éditeur lui eut confirmé la possibilité de s'exprimer sans s'inquiéter de mes réactions, après l'avoir rassurée sur le fait que je ne serais pas son professeur de nutrition, après lui avoir garanti que, pendant cette période, notre famille ne se montrerait pas trop exigeante à l'égard des repas familiaux, nous nous sommes mis au travail.

Un travail de longue haleine, riche en découvertes, dont voici le résultat. Un travail fruit d'enquêtes, de recherches et même de déplacements.

Ces derniers mois, ma femme et moi avons ainsi beaucoup voyagé pour observer les pratiques alimentaires des pays étrangers. Après avoir sillonné les États-Unis, l'Italie et l'Espagne, nous sommes revenus avec une certitude, celle de posséder en France une exception alimentaire, et je dis bien exception « alimentaire » et non « culinaire », tenant à rester à ma place de nutritionniste. En effet, nous avons constaté que nous possédions dans l'Hexagone la plus grande variété de légumes, de laitages, de viandes, de poissons. Cette exception, que nous devons à la nature géographique de notre territoire, à la fois proche des mers et relié à un continent aux climats différents, nous pousse à être vigilants, car elle risque d'être menacée par les effets pervers de la mondialisation. Dès lors, nous n'avons aujourd'hui qu'une solution pour préserver une alimentation saine et équilibrée : associer les bénéfices de la nutrition aux secrets de la cuisine familiale, ce que j'appelle simplement et avec conviction « savoir bien manger en famille ».

Aussi, dans ce livre, à travers les recettes d'une maman et les conseils d'un nutritionniste, vous partagerez l'expérience d'une famille désireuse de partager sa volonté de décrisper le débat autour de l'alimentation et de rassurer les inquiets. Pour nous, « bien manger en famille » c'est à la fois « manger bon » et « manger sainement », apprendre à ses enfants à se nourrir mais aussi éprouver du plaisir, se réunir autour de la table et jouir de toutes les possibilités que nous offre le monde moderne.

INTRODUCTION

Par Myriam Cohen

Plaisir, équilibre, harmonie. Voilà les trois mots qui me viennent à l'esprit lorsque j'observe attentivement la jeune famille qui illustre la couverture de ce livre. Ne vous semblent-ils pas heureux ce père, cette mère, ces deux enfants qui savourent la vie en la croquant à pleines dents ? N'avez-vous pas envie de partager leur énergie, leur gaieté, leur plaisir de se réunir après une longue journée ? Eh bien, cette famille au bonheur communicatif n'a pas de recette miracle, son seul secret est de se souvenir chaque jour que bien manger est source de plaisir, d'équilibre et d'harmonie.

Récemment, mon mari et moi avons participé à un repas de quartier organisé par les colocataires d'un grand ensemble d'immeubles. Que le voisinage soit modeste ou plus favorisé, nous aimons particulièrement ce type d'initiative qui permet de mieux se connaître tout en partageant un bon repas. Ce soir-là, la convivialité était à l'honneur. Chacun avait fait des efforts d'élégance et de nombreux bénévoles avaient participé à l'élaboration des plats. À la fin du repas, un bingo fut même organisé pour distraire les plus jeunes. À ma grande surprise, une petite fille de huit ans était là, seule. Elle avait traversé une rue de grande circulation sans l'assistance d'aucun adulte et personne jusque-là ne s'était aperçu qu'elle n'était pas accompagnée. Tristement, j'ai réalisé que dans le foyer de cette fillette, comme dans les familles qui laissent leur enfant petit-déjeuner en solitaire devant la télévision, la notion de partage du repas, faute de temps ou de moyen, avait été tout simplement gommée. Sombre constat : nos vies modernes ne nous laissent pas toujours le temps de bien alimenter nos enfants. Pourtant, savoir nourrir sa famille est un acte essentiel, au même titre que partager, prendre du temps, écouter et aimer.

Chaque jour, en parents responsables, nous essayons d'être attentifs à ces différentes valeurs. Mais ce n'est pas sans difficulté, car, même si les connaissances en matière de nutrition ont progressé tant chez les médecins que chez les consommateurs, nous associons trop souvent un aliment à un seul nutriment alors qu'il doit être considéré pour la totalité des apports qu'il fournit. Et, dans les médias, le flot d'informations, parfois contradictoires, ne nous facilite pas la tâche. Dans un univers où la culture télévisée tend à réduire nos sens à la vue et à l'ouïe, l'art du bien manger semble donc en péril.

Ainsi, comme le bon équilibre alimentaire est avant tout une affaire de dégustation, vous trouverez dans ce livre des exemples de menus équilibrés et des recettes pour tous les âges, des premiers repas à l'adolescence, que nous avons organisés selon les cycles scolaires. Car même si, aujourd'hui, on trouve des recettes un peu partout dans la presse, parfois avec des cotations caloriques, il est souvent difficile d'établir un menu juste et parfait, pour les enfants comme pour les adultes.

Lorsque j'entends : « Avec un mari nutritionniste, c'est facile de bien manger » ou lorsque l'on dit à mes filles ou à moi-même : « C'est normal que vous soyez mince, il n'y a rien à manger chez vous », je ne décolère pas.

Oui, j'ai un mari nutritionniste et alors ? Cela ne m'empêche pas d'adorer le chocolat, j'en connais même toutes les gammes, qu'il soit à la nougatine ou aux raisins, et quand j'en mange trop, comme tout le monde, je grossis.

Oui, mes filles ont un père nutritionniste, mais elles ne sont pas nées en aimant les légumes, ni en étant programmées pour ne pas manger entre les repas. Mes enfants ont les mêmes envies que les autres et subissent, comme toute leur génération, la mode du grignotage et l'envahissante pression de la publicité.

18

Alors, puisque je n'ai jamais eu l'audace ou le courage de répliquer à ces réflexions, je profite de ce livre pour briser un lieu commun : avoir un mari nutritionniste ne confère malheureusement aucun avantage sur la silhouette et ne fait pas de vos enfants des créatures exemplaires qui raffolent des épinards. Cela vous confère plutôt des devoirs, si vous avez de l'amour pour lui, et un bon nombre de contraintes dans la mesure où tout le monde regarde dans votre assiette !

Dès lors, tout au long de ces années, j'ai essayé de faire preuve de tendresse et d'écoute envers mes enfants pour tenter de les satisfaire tant dans leurs besoins affectifs qu'alimentaires. Mais si j'ai bénéficié des conseils avisés de mon mari ainsi que des recettes ancestrales de ma mère, de la pratique à la réalité il y a souvent un fossé difficile à franchir. Dès lors, si mes achats n'avaient pas été guidés par mon propre instinct mêlé à une expérience étoffée au fil des années, je n'aurais jamais eu le privilège de garder une silhouette mince et n'aurais sans doute pas permis à mes enfants de développer harmonieusement leur corps et leur esprit. Notre message est clair : c'est à vous de construire votre équilibre alimentaire et celui des vôtres, tout en vous appuyant sur les principes fondamentaux que vous trouverez dans ce livre, même si vous n'avez pas de nutritionniste dans votre entourage.

Savoir bien manger, c'est en fait avoir le courage de mettre en pratique ces différents conseils. Toutes les mères de famille, qui font les courses ou prévoient des menus trois cent soixante-cinq jours par an, le savent bien : si les magazines sont capables de nous offrir des régimes sur quinze jours, sur des périodes plus longues, en revanche, il nous revient de solliciter notre imagination pour accompagner ceux qui nous sont chers dans leur désir de maigrir, dans leur volonté de maintenir leur poids, de manger agréablement, de découvrir de nouvelles saveurs... Un exercice finalement assez compliqué. C'est cette modeste expérience, et la difficulté de s'y atteler, que je voudrais partager, avec en prime les conseils de mon nutritionniste de mari à l'écoute, plus souvent qu'on ne le croit, du savoir-faire d'une maman.

Première partie

DE LA NAISSANCE À 9 ANS

De la naissance à 1 an

L'avis du nutritionniste

Les premiers jours. Les premières semaines... C'est la période où presque tous les parents, qu'ils soient nutritionnistes, informaticiens ou plombiers, s'abandonnent aux délices de la littérature, mi-rassurante mi-angoissante, consacrée au seigneur bébé.

C'est aussi le moment où le pédiatre se substitue au père nourricier, le rythme des consultations étant proportionnel à l'état de stress de la maman, au nombre de compliments distribués et, pour les méchantes langues, au physique du médecin.

C'est enfin une étape de l'alimentation de l'enfant essentiellement pratique et arithmétique puisque l'on calcule des portions, des quantités..., qui correspondrait donc plutôt à la mentalité masculine alors que, aujourd'hui encore, peu de jeunes pères s'y investissent.

À la lecture de l'ensemble des données dont j'ai pu disposer, je me suis rendu compte que, même s'il existe des querelles d'experts extrêmement pointues – à propos de la diversification plus ou moins précoce des aliments, de la nécessité ou non de donner des produits sucrés, de l'utilisation de certains laits ou de certains petits pots ou encore de l'âge où il devient raisonnable d'imposer une certaine fermeté à l'enfant... –, les approximations semblent plus relever d'un choix personnel que de certitudes scientifiques. Au final, tout le monde s'accorde à conseiller approximativement les mêmes rations et, s'il existe en fonction des méthodes quelques débats, rien ne menace réellement l'équilibre alimentaire de l'enfant. Aussi, pour y voir plus clair, vous trouverez ci-dessous les valeurs caloriques et les quantités de macronutriments recommandées pour les enfants. Bien entendu, toutes ces valeurs sont liées à l'évolution du poids du bambin.

Tableau des apports nutritionnels journaliers recommandés pour un nourrisson jusqu'à 1 an

Âge	Poids	Eau	Énergie	Protéines	Lipides	Glucides	
	kg	ml/kg/24 h	kcal/kg/24 h	g/24 h	g/24 h	g/24 h	
0 à 3 mois	2,25 à 7	150	120	2,2	15-40	27-85	
3 à 6 mois	4,25 à 9	120	115	1,7	25-55	50-103	
6 à 8 mois	5,5 à 10,5	120	110	1,2	30-63	55-115	
9 à 12 mois	6,5 à 12	120	105	1	37-70	70-125	
		Moyenne	Moyenne	Moyenne	Moyenne	Moyenne	Eau à ajouter
0 à 3 mois	2,25 à 7	340-1 000 ml	270-840	5,0-15	25	70	70-160 ml
3 à 6 mois	4,25 à 9	510-1,1 l	490-1035	7,2-15,3	40	75	20-70 ml
6 à 8 mois	5,5 à 10,5	650-1,25 l	550-1150	6,6-12,6	45	85	100 ml
9 à 12 mois	6,5 à 12	780-1,45 l	680-1260	6,5-12	50	100	100-200 ml

Les valeurs indiquées ci-dessus montrent clairement la nécessité d'une relation proportionnelle entre l'alimentation et la croissance de l'enfant. La quantité de calories absorbées doit en effet toujours s'ajuster à l'augmentation du poids et vise à assurer le développement des os et de l'ensemble des organes et des glandes dont le nourrisson aura besoin à l'âge adulte. Ainsi, le poids reste-t-il la meilleure appréciation de l'état de croissance générale de l'enfant et l'évolution de sa fameuse courbe, que l'on retrouve dans tous les carnets de santé ou que l'on contrôle chez le pédiatre, en dehors de toute maladie, constitue le meilleur garant d'une bonne santé et d'une alimentation correcte.

De toute façon, avant l'âge de six mois, que les bébés soient nourris au lait maternisé ou au sein, il y a peu de possibilités de modifier les repas, la règle consistant à les laisser manger à leur faim avec le lait comme seul aliment. Ce n'est que plus tard, au moment de la diversification, que l'on pourra se soucier d'une plus parfaite adéquation entre alimentation et croissance.

À cet âge, les deux points importants sont d'une part l'absolue nécessité d'une ration calorique adaptée à la faim et au poids et, d'autre part, le respect d'une consommation de liquide suffisante. Ainsi, alors que pour un enfant plus âgé on conseille environ 35 % de lipides par jour, à cet âge-là, en raison d'une perte de chaleur importante, on préfère augmenter cette ration jusqu'à 50 % mais donner un peu moins de glucides. En ce qui concerne le besoin liquide, l'eau contenue dans le lait ou dans les aliments doit être comptabilisée. C'est pour cette raison que, à côté de la dose d'eau moyenne à délivrer chaque jour, j'ai indiqué la ration moyenne permettant de faire le complément, même si les mamans le font instinctivement en ajoutant des biberons d'eau.

À la lecture de ce tableau, on se rend bien compte que l'adjonction d'un biberon d'eau sucrée ou d'une dosette de jus de fruits ne pèse pas lourd dans le bilan énergétique. Donner un peu plus de sucre que ce qui est conseillé peut-il dès lors modifier les goûts de l'enfant ? Jusqu'à ce jour, le sucre ou le saccharose n'étant pas considérés comme une drogue, je ne vois pas pourquoi, pour de faibles quantités, il faudrait en priver les bébés et diminuer le confort des mamans.

Il est dès lors temps de le dire : les recommandations faites aux adultes ne s'appliquent pas nécessairement aux enfants. Alors qu'il est important de surveiller la quantité de matières grasses dans l'alimentation des parents, chez l'enfant en revanche on vérifiera plutôt que la ration d'acides gras s'avère suffisante. Ainsi, il ne faut surtout pas hésiter à ajouter du vrai beurre au moment de la diversification pour garantir tous les besoins en acides gras et en vitamine A.

En ce qui concerne les protéines, le facteur important consiste à les choisir de bonne valeur biologique et à les diversifier suffisamment pour que l'enfant consomme à la fois des protéines animales et végétales. Car, depuis la préhistoire, c'est la consommation de protéines d'origine variée qui a transformé et assuré l'évolution de l'homme. Aujourd'hui, les deux meilleures protéines demeurent le lait et le blanc d'œuf.

Laissons de côté les débats sans fin à propos de l'introduction de la pomme ou de la poire ou de la nécessité de choisir entre le lait maternel ou maternisé : le critère fondamental de 0 à 1 an reste la croissance de l'enfant dans des conditions harmonieuses, c'est-à-dire avec un équilibre alimentaire le plus correct possible, sans excès de minutie, et surtout avec des rations caloriques suffisantes. C'est en effet en évitant l'acrobatie alimentaire qu'on élimine les risques de carence et qu'on améliore l'alimentation du bébé.

Nourrir suffisamment son bambin, lui apporter assez d'acides gras essentiels et de protéines, varier les sources d'acides aminés, voilà le vrai début de la diversification. Éduquer son enfant à l'environnement dont il dispose, c'est lui apprendre à mettre peu à peu dans sa bouche des aliments de plus en plus solides tout en lui faisant découvrir la grande variété de produits disponibles sur cette terre. C'est à ce titre que nous avons tenté de comparer la plupart des laits maternisés, ainsi que les dosettes, les céréales, les petits pots, les biscuits, les eaux minérales et les jus de fruits. En dehors de laits spécifiques, liés à certaines situations, ces produits présentent peu de différences. Dès lors, l'appréciation du pédiatre reste le meilleur critère de choix.

Cependant, rendons à César ce qui est César. Depuis la nuit des temps, la grande majorité des mamans qui ont peuplé cette planète ont nourri leurs enfants de façon instinctive, en leur donnant à manger selon leurs propres connaissances mêlées à celles de leurs mères, ou selon les réclamations des enfants. Souvent, la tétée simplifie les choses et demeure un phénomène psychologique assez important à observer dans l'alimentation des hommes, dans la mesure où la satiété est le garant de la bonne alimentation des enfants, sauf en cas de maladie.

Pour atteindre cette satiété, l'enfant rythme le nombre de ses repas selon le volume de son estomac. Ainsi, plus il grandit plus il augmente la quantité de lait qu'il peut ingérer et plus il diminue le nombre de ses repas. C'est donc la taille de son estomac qui oblige à lui donner une nourriture extrêmement fractionnée au début de sa vie et moins fractionnée par la suite. À l'âge de 1 an, l'enfant débutera véritablement dans son rôle de petit être humain. Son alimentation, même si elle reste « infantile », c'est-à-dire propre, naturelle, faite d'aliments non-manufacturés, pourra être composée de la quasi-totalité des aliments. C'est à partir de cet âge également que les fonctions éducatives des parents vont beaucoup plus s'exercer.

Intentionnellement, j'ai fortement insisté sur la notion instinctive de satiété dans l'alimentation de cette période pour signifier qu'il n'y a pas lieu de s'angoisser. En dehors des consignes majeures qui sont de donner à un enfant à manger autant qu'il en a besoin ou autant qu'il le réclame, et à s'assurer que ses besoins en lait sont quotidiennement assurés, notamment dans la première partie de sa vie, l'inquiétude dans les pays occidentaux procède plus souvent du désir de faire le mieux possible que de la crainte de mal faire. Bien entendu, les pédiatres donnent à chaque consultation de nouveaux conseils, mais ils sont surtout là pour vérifier la bonne croissance de l'enfant. C'est pour cette raison que le lecteur trouvera, dans le tableau n° 1, les poids moyens des enfants, par catégorie d'âges, ainsi que les fourchettes de poids à l'intérieur de chaque catégorie.

Aujourd'hui, il existe un débat sur la nécessité de diminuer les apports en protéines tout en augmentant ceux en acides gras essentiels dans l'alimentation des enfants. En réalité, c'est bien souvent la mesure de précaution qui impose de leur donner plus à manger qu'il ne faut afin de couvrir au mieux l'ensemble de leurs apports. L'utilisation, par exemple, des laits infantiles à la place du lait de vache est essentiellement liée au fait que ce dernier est une fois et demi plus riche en protéines que les autres laits et donc moins adapté aux besoins en protéines du nourrisson du troisième millénaire. D'autant que, dans les laits maternisés, on peut choisir les répartitions en acides aminés.

La psychologie du repas

Sur le plan psychologique, de la naissance à 1 an, l'enfant est en symbiose totale avec la personne qui le nourrit. Dans la plupart des cas, la maman saisit avec beaucoup plus d'acuité que quiconque les réactions de faim, de douleur digestive, de plaisir, de rejet ou de dégoût d'un aliment. C'est une période d'apprentissage quasiment animale où, malgré les notions scientifiques d'apports nutritionnels, la mère est extrêmement proche du bébé et saisit la plupart de ses réactions. Pourtant, on ne parle pas assez des implications entre cette phase d'apprentissage et le comportement alimentaire des adultes. Ainsi, il est tout à fait possible de percevoir des liens, dès le plus jeune âge, entre le bien-être et l'alimentation, entre l'alimentation et le tube digestif et, selon ce raisonnement, entre le bien-être et le tube digestif.

Ce n'est un secret pour personne : le lait est le tissu affectif qui relie l'enfant à sa mère, que ce soit via une tétine ou un mamelon. Il est certes difficile de connaître les pensées d'un bébé, mais la difficulté d'un enfant à prendre le sein ou le biberon reflète parfois l'état de stress de la maman. Dès lors, pourquoi un enfant qui éprouverait une sensation de plénitude lors de la dégustation d'un aliment sucré ne pourrait-il pas, à l'âge adulte, développer le même sentiment afin d'associer le bien-être à l'alimentation ? Pourquoi, suite à une scène de ménage entre ses parents lors d'un repas, un enfant n'associerait-il pas une image négative à un aliment donné ? Ce n'est pas le sujet de ce livre, mais l'environnement de l'enfant pendant son alimentation occupe un rôle primordial dans sa conduite alimentaire d'adulte... tout comme il est possible de percevoir le comportement alimentaire des parents à travers leur manière de donner à manger à leur enfant. Il est donc important de ne pas sous-estimer les conditions psychologiques de l'éducation alimentaire du petit enfant. Or aujourd'hui, il n'est pas rare de croiser des enfants obèses, à cause de problèmes de stress ou d'angoisse, ou des adultes victimes de compulsions alimentaires liées à leur petite enfance. On ne le répétera jamais assez : il est aussi important de s'intéresser au choix des aliments qu'à la façon de les donner.

Pour ou contre les préparations industrielles ?

La majorité des produits industriels destinés à cet âge, y compris les jus de fruits et les eaux minérales, sont extrêmement encadrés par la législation sanitaire. Pourtant, c'est le sujet d'un vaste débat entre ceux qui veulent seulement entendre parler de produits préparés à la maison et ceux qui ne jurent, pour des raisons de sécurité alimentaires et sanitaires, que par les produits industriels.

Scientifiquement, la vérité se situe entre les deux. La notion d'équilibre, omniprésente dans cet ouvrage, est extrêmement importante dans l'alimentation tout comme dans les rapports que nous entretenons avec les produits que nous achetons. Pour l'enfant, il est conseillé de varier équitablement l'origine des produits afin de lui garantir les apports indispensables et lui faire tester des goûts différents. À l'heure actuelle, la préoccupation des industriels reste de fournir des aliments parfaitement équilibrés et d'introduire, dans les petits pots notamment, des nutriments dont l'enfant pourrait être carencé. Ainsi, les laits maternisés sont-ils devenus de plus en plus incontournables parce qu'ils permettent d'offrir une alternative aux femmes dont le lait ne serait pas assez efficace pour assumer la croissance de l'enfant.

Que les choses soient claires : il n'y a aucune vertu particulière à éviter systématiquement les petits pots, tout comme il n'y a aucune raison de stigmatiser les parents qui en donnent à tous les repas. Encore une fois, l'équilibre consiste à utiliser ces produits industriels, que l'enfant va de toute façon retrouver sa vie durant, pour consacrer un peu de temps au reste. Mieux vaut une maman qui donne des petits pots et qui a le loisir de jouer avec son enfant qu'une mère qui passe des heures à cuisiner des purées bio sans s'occuper de l'éveil de son bébé !

Faim ou pas faim ?

Un des grands problèmes concernant les enfants en bas âge consiste à savoir s'il faut leur donner à boire ou à manger lorsqu'ils le réclament. En supposant qu'il y ait une priorité, il est sans doute préférable de s'inquiéter des besoins en eau avant de commencer à s'inquiéter des besoins en calories. Voilà pourquoi, en cas de pleurs, si l'enfant a pris correctement ses biberons, il convient d'abord de commencer par lui donner à boire de l'eau pure avant d'ajouter du sucre ou du lait.

La diversification alimentaire

La diversification garantit la meilleure alimentation possible à l'enfant en assurant une large variation de nutriments.

Croiser les protéines végétales et animales assure l'ensemble des besoins en acides aminés essentiels. L'alimentation doit apporter suffisamment de graisses pour fournir les acides gras essentiels et une ration d'eau qui répond à la soif de l'enfant. Les carences en vitamines, minéraux et oligoéléments, lorsque l'alimentation est équilibrée, sont rares. En revanche, les quantités de vitamine D, de calcium, de phosphore et de fer peuvent faire l'objet d'une attention particulière et d'un complément. Vous trouverez ci-dessous un tableau résumant les valeurs recommandées.

Tableau des apports journaliers en minéraux et vitamines recommandés pour un nourisson jusqu'à 1 an

Minéraux	Calcium	Phosphore	Fer	Magnésium	Iode	Cuivre	Zinc	Sélénium
	mg/24 h	mg/24 h	mg/24 h	mg/24 h	µg/24 h	mg/24 h	mg/24 h	µg/24 h
0 à 2 mois	500	300	7	50	0,07	0,6	3 à 5	20
3 à 5 mois	500	300	7	50	0,07	0,6	3 à 5	20
6 à 8 mois	500-600	300	7	50	0,07	0,6	3 à 5	20
9 à 11 mois	500-600	300	7	50	0,07	0,6	3 à 5	20
Vitamines	Vit A	Vit B9	Vit C	Vit D	Vit E	Vit B1	Vit B6	
	µg/24 h	µg/24 h	mg/24 h	µg/24 h	mg/24 h	mg/24 h	mg/24 h	
0 à 2 mois	300	70	50	20	6	0,2	0,3	
3 à 5 mois	300	70	50	20	6	0,2	0,3	
6 à 8 mois	300	70	50	20	6	0,2	0,3	
9 à 11 mois	300	70	50	20	6	0,2	0,3	

En fait, la diversification alimentaire conduira progressivement l'enfant à une nourriture d'adulte en s'adaptant à l'évolution de son tube digestif, de sa vésicule biliaire, de ses capacités de synthèse, elles-mêmes largement dépendantes de la croissance de son foie. C'est pour cela que l'introduction des aliments par étapes, en respectant ses capacités de mastication, est particulièrement importante pour assurer une bonne digestion du bébé.

Dans les tableaux ci-dessus, pour plus de commodité, vous ne trouverez pas l'ensemble des vitamines et oligoéléments, mais seulement celles ou ceux qui nécessitent une préoccupation particulière. De plus, il est important de se souvenir qu'un aliment n'amène pas seulement une ou deux vitamines mais plusieurs dans la majorité des cas. Dans chaque produit, il existe de nombreux nutriments et la meilleure garantie d'en consommer le plus grand nombre consiste bien évidemment à manger un peu de tout. Ainsi, assurer une alimentation de qualité consiste à donner un peu de chaque fruit et de chaque légume, en fonction des goûts et des aptitudes de l'enfant.

Il est important encore de fractionner cette diversification dans le temps, car l'enfant n'a pas dès sa naissance la capacité d'assimiler l'intégralité de l'aliment qu'on lui donne. C'est pour cela que les doses vont en croissant progressivement, en partant de rations plutôt petites pour chaque nouvelle classe d'aliments. Il faut se souvenir que, pour l'enfant, le lait reste l'élément de référence, le socle de son alimentation. Aussi, lors de l'introduction de nouvelles protéines, le lait sera-t-il mélangé avec la viande, le poisson, les œufs.

Et, dans ce temps de diversification, rassurons les jeunes parents : une petite erreur est toujours vite rattrapée.

Le lait

Si, dans un premier temps, il n'est pas nécessaire d'aller trop vite dans cette diversification, c'est parce que le lait est un aliment tellement complet qu'il permet de couvrir presque tous les besoins. En effet, le lait de vache est constitué de protéines, de lactose, de triglycérides, de phosphore, de calcium et de vitamines (B2, A, et surtout D). On soulignera particulièrement sa richesse en calcium et en lysine, l'acide aminé le plus souvent absent des protéines végétales. Quant à son taux de protéines, il est compris entre 3 et 3,7 %. Ainsi, en moyenne, un quart de litre de lait contient environ 9 g de protéines, l'équivalent de 40 g de fromage, de trois yaourts, de 50 g de camembert ou de 50 g de viande. En résumé, les protéines de lait ont une valeur biologique égale ou supérieure à celle de la viande.

Dans les protéines du lait, caséines et lacto-albumine se complètent. On veillera aussi à ne pas faire bouillir le lait trop longtemps afin de ne pas détruire la lysine, absente des régimes végétariens, qui est un acide aminé fragile détruit par l'ébullition.

Le lait de vache contient en moyenne 4 % de lipides pour 100 ml. Cependant, c'est dans ces lipides que l'on trouve ce qu'on appelle les caroténoïdes, c'est-à-dire le carotène et la vitamine A, absolument indispensables à l'enfant. Quant à la vitamine D, elle se trouve toujours à l'intérieur des lipides, et on considère qu'il y a environ 0,1 à 0,2 µg de vitamine D pour 100 ml de lait, ce qui est peu. Un petit bémol cependant concernant le lait de vache, il est carencé en acide linoléique et en contient 50 fois moins que le lait maternel !

Le lait de vache contient environ 5 % de glucides, essentiellement sous forme de lactose. C'est un sucre très important chez l'enfant car il est à la fois un facteur de croissance et d'entretien de la flore digestive lactique. De surcroît, il favorise l'absorption du calcium. Pourtant, plus souvent que des allergies au lait de vache, on observe parfois des intolérances au lactose causées par un défaut d'enzyme, que l'on appelle lactase chez l'adulte. Dans ce cas, il est recommandé de consommer du fromage blanc frais et des yaourts, une partie de ce lactose étant transformée en acide lactique sous l'influence des bacilles lactiques.

L'apport énergétique du lait est compris entre 60 et 65 calories pour 100 g, soit environ 100 ml pour les laits standardisés. De plus, il est assez riche en substances minérales, en phosphore, en calcium et en sodium. Le phosphore et le calcium sont donc les principaux éléments minéraux du lait, avec 90 mg de phosphore pour 100 ml et 125 mg de calcium pour 100 ml. Le rapport calcium sur phosphore qui conditionne son absorption est, lui, de l'ordre de 1/30 à 1/40. Par souci d'équivalence, 250 ml de lait contiennent environ 300 mg de calcium, soit autant que 30 g de gruyère, deux yaourts, ou quasiment un demi-camembert !

Mais la valeur du lait ne s'arrête pas là, il est riche en minéraux comme le soufre, le sodium, le fer, le cuivre à l'état de trace, et d'autres oligoéléments comme le zinc, le magnésium, le manganèse et l'iode. De plus, toutes les vitamines sont présentes dans le lait, à l'exception de la vitamine B12, 0,1 à 0,2 µg de vitamine D, 2 mg de vitamine C pour 100 ml. Ainsi que la vitamine A selon des taux variables.

Toutes ces valeurs sont, bien entendu, sensiblement différentes pour les laits maternisés. Mais il était important de les souligner pour le lait de vache car c'est un aliment que l'enfant va continuer à consommer toute sa vie.

Les protéines

En ce qui concerne la qualité des protéines, deux aliments sont de très haute valeur biologique : le lait, encore et toujours, mais aussi le blanc d'œuf. Cependant, jusqu'à l'âge de 9 ou 10 mois, il n'y a aucune nécessité de consommer du blanc d'œuf, car, comme nous l'avons constaté, le lait se suffit à lui-même. On trouvera d'autres protéines dans des aliments auxquels on habitue progressivement l'enfant : cela va de soi, les laitages, mais aussi les viandes et les poissons. Réussir la diversification ne passe donc pas forcément par une course effrénée à l'introduction définitive et absolue de l'ensemble des aliments.

Il serait par ailleurs stupide de vouloir à tout prix faire découvrir à un bébé le goût du crabe, des moules ou du homard. Mieux vaut réussir l'introduction des aliments fondamentaux que sont la viande, le poisson, les laitages et les œufs. Mais c'est aussi le moment de lui apprendre à distinguer le goût de l'agneau, du veau, du bœuf et, dans chaque catégorie de viande ou de volaille, différents morceaux, l'enfant étant plus souvent sensible aux viandes grasses. Les critères « maigre » ou « gras » ne sont pas aussi importants qu'à l'âge adulte et, comme l'enfant mange la plupart du temps ses repas sous forme hachée, il peut en outre être parfois intéressant d'utiliser des morceaux un peu plus gras. Le goût du rumsteck peut sembler bien fade à notre nouveau gastronome comparé à celui de l'entrecôte ou d'un morceau persillé.

Il en est de même pour les poissons. Compte tenu de l'importance qu'a pris depuis quelque temps la consommation d'acides gras, il est assez intéressant de proposer à l'enfant aussi bien du colin que du saumon, en fonction des moyens dont on dispose et du désir que l'on a de varier une alimentation qui se rapprocherait de celle d'un petit adulte.

La consommation de fruits et légumes, le cauchemar des mamans, doit évoluer selon le goût de l'enfant, mais seul l'usage permettra de lui faire apprécier tel ou tel fruit ou légume. Il n'est donc pas nécessaire de s'angoisser parce qu'un enfant n'aime pas les haricots verts : il pourra peut-être les apprécier plus tard.

Ce qui est important, à ce stade, c'est de lui apprendre à aimer le plus grand nombre de produits.

Aujourd'hui, l'introduction des céréales peut se faire à l'aide de produits tout préparés. Mais il est intéressant de savoir que nos ancêtres, depuis l'antiquité, les introduisaient soit à l'intérieur de purées pour les rendre plus agréables à consommer et faciles à digérer, soit sous forme de potage dans lequel étaient trempées des miettes de pain ou de gâteaux secs.

Enfin, les jus de fruits servent, quant à eux, à apporter du sucre, appelé fructose ou saccharose. Les quantités de vitamines que l'on trouve dans les jus de fruits ne sont pas significatives par rapport aux autres aliments et les compotes initient probablement plus l'enfant à la consommation de fruits que les jus qui ne sont au fond qu'un produit sucré. Empêcher d'en consommer est inutile, mais les recommander n'est pas fondamental. À l'heure où certains s'insurgent contre la consommation de sodas, il serait presque incohérent de recommander l'introduction de fruits sous forme liquide. Cependant, il y a des aliments qui incarnent des valeurs affectives et le jus de fruits en fait partie. Il est donc surtout recommandé d'en donner quand l'alimentation est exclusivement lactée pendant une période trop longue.

Il faut savoir encore que la diversification alimentaire demeure une étape affective, car, la plupart du temps, les enfants qui posent d'excessifs problèmes au moment des repas sont avant tout dans une démarche de contestation.

Pour finir, n'oubliez jamais que l'enfant, au travers de sa consommation, exprime un peu des goûts de son père et de sa mère ainsi que de son histoire familiale. Voilà pourquoi, il ne faut pas hésiter à utiliser les recettes de sa famille à cette étape de l'alimentation. Souvenez-vous de ce que vous mangiez enfant : c'est sans doute la meilleure façon pour partager l'affection, le goût et la tradition.

DE LA NAISSANCE À 1 AN

Les conseils de la maman

Préparer l'arrivée du bébé

Avez-vous déjà vu le film *Trois hommes et un couffin* ? Vous souvenez-vous de la scène où l'un des trois papas se rend dans une pharmacie pour acheter le nécessaire et se retrouve finalement face à un choix cornélien entre les différents types de biberon, les tétines à plusieurs vitesses, les multiples marques de lait, les dizaines de variétés de couches ? Pour ne pas vivre ce cauchemar, je vous encourage à préparer la venue de votre bébé et à vous documenter durant la grossesse.

Nourrir son bébé étant un moment privilégié, un rapport intime entre la mère et son enfant, pour ne pas gâcher ce moment de tendresse et en profiter au maximum il faut se tenir prêt à accueillir le nouveau-né. Pour cela, il est important de choisir avant sa venue entre l'allaitement au sein ou au biberon. Dans les deux cas, il est recommandé de s'informer et de préparer le matériel nécessaire, de choisir entre un système de stérilisation, à chaud, à froid, électrique... il n'y a pas de mauvais choix, c'est à chaque couple de décider selon ses préférences. Vous aurez le temps, par la suite, d'acheter des mixers ou des appareils à crêpes qui serviront en outre à toute la famille. L'enfant grandit lentement et vous laisse le temps de parfaire votre apprentissage culinaire.

Pour le choix du lait et des rations, rassurez-vous, le pédiatre vous guidera et répondra à toutes vos questions sur l'alimentation et les éventuels problèmes que vous pourrez rencontrer. Dans un premier temps, il n'est pas désagréable d'être entre les mains de spécialistes.

Au niveau des biberons et des tétines, comme ils se modernisent en permanence, je vous laisse le soin de choisir vous-même la forme ou les motifs décoratifs qui vous conviennent, l'important étant de privilégier l'hygiène et principalement la stérilisation. Lavez-vous les mains avant de prendre votre enfant et usez de diplomatie pour que les visiteurs venus vous voir à la maternité ou chez vous en fassent autant.

N'oubliez pas que le lait est un véritable bouillon de culture, aussi nettoyez soigneusement les biberons et les tétines avant chaque stérilisation. Personnellement, malgré l'incompréhension de mon mari, j'ai stérilisé les biberons jusqu'à 6 mois et plus – on n'est jamais trop prudent – alors que notre bébé mettait déjà des objets non stériles à la bouche. Et cela dans un souci d'éviter une source supplémentaire de contamination. Pensez également à avoir toujours avec vous des biberons stérilisés si le chérubin réclame de l'eau entre les biberons.

Précédemment, mon mari vous a exposé de manière scientifique les besoins d'un enfant, mais vous vous rendrez vite compte que le bébé n'est pas une machine, que chacun a son rythme et que vous devrez vous adapter l'un à l'autre. Lors des premiers tête-à-tête, il est tout aussi important de le nourrir que d'établir les liens affectifs fondamentaux.

Ayant allaité mes enfants, j'ai été confrontée à l'éternelle question : mon enfant mange-t-il assez ? Pour me rassurer, j'ai utilisé le pèse-bébé avant et après chaque tétée et j'ai constaté que les portions ingérées variaient d'une tétée sur l'autre, mais que, finalement, la somme quotidienne correspondait aux rations conseillées par mon pédiatre. Nous-mêmes, n'avons-nous pas un appétit variable ? Et pour me rassurer davantage, le visage endormi et souriant de mon bébé me confirmait mieux que tout au monde qu'il avait suffisamment mangé.

Les horaires ne devant pas vous obséder, trouvez un compromis entre votre timing et le sien. S'il est conseillé de nourrir un bébé toutes les quatre heures, amenez-le en souplesse à des horaires réguliers, plus compatibles avec une organisation familiale, surtout si vous avez d'autres enfants. Enfin, n'interrompez pas toute activité dès qu'il se met à pleurer.

Si le réveil de milieu de nuit correspond à un besoin de manger, à partir de 3 mois la plupart des bébés dorment la nuit – et vous aussi ! Tentez donc de lui inculquer de bonnes habitudes en laissant de la lumière dans sa chambre dans la journée et en respectant l'obscurité la nuit. Dites-vous qu'il ne pleure pas toujours pour manger. Essayez de lui donner un peu d'eau, un câlin, pour que les pleurs ne soient pas systématiquement associés au moment du repas.

Maintenant que votre bébé commence à avoir des horaires réguliers, que vous vous habituez l'un à l'autre, ne croyez pas rentrer dans une routine ! Commence le sevrage, si vous allaitez, et la diversification des aliments.

Le sevrage

Si le sevrage vous donne la liberté de faire garder votre nouveau-né et vous offre une porte de sortie vers le monde extérieur, ce monde dont vous avez été coupée pendant quelque temps, c'est avant tout un événement émotionnel pour vous comme pour votre bébé. En outre, le plus souvent, ce sevrage correspond aussi à la reprise d'une activité professionnelle, véritable séparation entre une mère et son bébé.

Le passage du sein au biberon est donc un véritable changement de nourriture mais aussi une mutation affective. Au même titre que l'accouchement, je dois reconnaître que j'ai vécu ce moment comme une rupture. Ainsi, il ne faut jamais oublier de considérer son enfant comme un être distinct. Usez de tendresse et de patience, tout en procédant progressivement. Commencez par remplacer le repas du milieu d'après-midi, il vous permettra par la suite de vous échapper... et de savourer pleinement ces escapades.

Procédez au sevrage par paliers de plusieurs jours, en remplaçant progressivement chaque tétée par un biberon afin de permettre au bébé de s'habituer au nouveau goût et à vous d'obtenir une diminution progressive de votre sécrétion lactée. Si vous le désirez vous pouvez garder quelque temps les tétées du soir ou du matin. Pour que le sevrage se passe bien, câlinez davantage votre enfant, caressez-le, prenez plus de temps pour lui donner le bain et parlez-lui. Dites-vous que vous allez démarrer avec lui une nouvelle série d'aventures alimentaires nécessaires à son développement.

Au cas où votre enfant refuserait le biberon, ne vous inquiétez pas outre mesure : recommencez au repas suivant. Choisissez le moment où il a le plus faim, changez de tétine et usez de patience. Mettez quelques gouttes de votre lait sur la tétine. S'il est suffisamment âgé, passez directement à la cuillère ou demandez à son papa d'essayer. Peut-être sera-t-il plus chanceux ?

La diversification

Petits pots, légumes frais, surgelés ? Pendant quelque temps, je me suis refusée à servir des petits pots à mon bébé. Étant d'une famille où l'art culinaire est fondamental, donner ces nourritures insipides à mon propre enfant me semblait inconcevable. Cependant, après avoir brûlé plusieurs casseroles pour récolter une cuillère à café de purée, je me suis vite rangée à cette commodité.

J'y ai trouvé plusieurs avantages. Je gagnais du temps et je servais rapidement des purées passant parfaitement à travers la tétine, tout cela avec une large diversité de goûts. De plus, je dois avouer qu'il n'était pas déplaisant pour moi de finir les petits pots de fruits.

Jusqu'à l'âge de 4 mois révolus, seul le lait maternel (ou un lait 1er âge) est indispensable ; il suffit pour couvrir les besoins de bébé. Il est recommandé de ne pas introduire d'autres aliments avant au moins le quatrième mois. La diversification doit alors être progressive et étalée sur plusieurs mois. Elle commence par de la farine infantile sans gluten (au début pas plus d'une cuillère à café par jour), puis par de petites quantités de légumes ou de compotes de fruits. Dites-vous bien que votre enfant n'est pas un adulte en miniature, ses besoins évoluent en fonction de son âge et varient d'un enfant à l'autre, tout comme sa capacité d'assimilation. Variez son alimentation avec des périodes de pause, et surtout ne soyez pas pressée d'introduire de nouveaux aliments. Avez-vous tellement envie de lui apprendre à traverser la route tout seul ?

N'essayez pas non plus d'être parfaite, le menu de votre bébé ne sera pas tous les jours excellent sur le plan nutritionnel. Si vous trouvez qu'il y a trop de sucres, trop de protéines ou trop de graisses saturées dans une de vos recettes, jugez plutôt sur la journée ou sur la semaine. Faites au mieux et ne dramatisez pas parce qu'il aura refusé des légumes ou aura moins d'appétit à un repas.

Lorsque bébé grandit, son alimentation se diversifie. Il tord souvent le nez devant ses purées et il est difficile de s'y retrouver parmi les nombreuses préparations et autres petits pots. Quels menus lui préparer ? Comment développer son goût ? Comment faire pour qu'il découvre le plaisir de manger ? Voici quelques petits secrets...

Les épinards et les poireaux sont plutôt laxatifs alors que les carottes ont un effet plus constipant. Les légumes verts n'apportent rien de plus que les fruits et rares sont les enfants qui en raffolent. En réalité, leur richesse en fer est un mythe moderne dont de nombreux bambins font les frais.

Les repas peuvent être à base de produits tout préparés, entièrement réalisés à la maison ou un peu des deux. Ne vous culpabilisez pas si vous ne cuisinez pas. Dans le contexte actuel, la nutrition infantile est au cœur des débats, mais je ne crois pas que le jeune bébé fasse la différence entre les plats maison et les petits pots. Les industriels ayant parfaitement su pallier à notre manque de temps ou de savoir-faire, je ne prendrais pas parti pour l'une ou l'autre de ces solutions. Le plat préparé est parfait en dépannage, l'important étant également d'être disponible et détendue. Le « fait maison » est mieux contrôlé, correspond mieux aux habitudes alimentaires familiales et vous aurez sûrement, comme je l'ai éprouvé, une satisfaction à voir votre progéniture manger vos petits plats. À vous donc de choisir...

Quoi qu'il en soit, l'introduction de ces nouveaux aliments doit se faire en douceur et en petites quantités, le tube digestif de bébé demeurant fragile. C'est d'autant plus important qu'une diversification progressive permet d'éviter les allergies. Ne brûlez pas les étapes. L'essentiel est de permettre au bambin d'élargir sa palette gustative, à son rythme, pas à pas, et de lui procurer de bonnes habitudes alimentaires, réflexes essentiels qu'il conservera sa vie entière.

Bien sûr, bébé restant encore un nourrisson, et pour de nombreux mois encore, le lait maternel ou infantile constitue la base de son alimentation. C'est lui qui fournira l'essentiel des éléments nutritionnels indispensables à la croissance : protéines, lipides, glucides, sels minéraux et vitamines. N'est-ce pas, docteur Cohen ?

Mais de nouveaux aliments vont commencer à apparaître :

• Les **céréales infantiles** vont couvrir les besoins énergétiques toujours plus importants, en apportant au bébé des glucides lents pour le tonus, mais aussi des vitamines et du fer pour être résistant. Mes trois enfants n'ont eu aucun problème dans cette nouvelle introduction : j'ai simplement varié les doses en fonction de leurs petits bourrelets.

• Les **fruits**, sources de vitamines, sont utiles au transit intestinal. Mais si le goût sucré plaît beaucoup aux enfants, attention néanmoins aux petits pots trop sucrés !

• Les **légumes** ont des qualités nourricières et bénéfiques pour la croissance. Pour introduire dans l'alimentation des bébés cette catégorie d'aliments, j'ai commencé à préparer moi-même les purées mais j'ai très vite alterné avec des petits pots. Une demi-cuillère à café dans le biberon pour commencer, puis accroissement des doses petit à petit. Le bébé a pu ainsi s'habituer progressivement au goût des légumes et moi apprendre tranquillement à faire les purées.

Introduction des aliments solides

Dès l'âge de quatre mois, les nourrissons peuvent déglutir des aliments en purée et sont également capables de distinguer certains goûts et textures. La plupart des autorités sanitaires recommandent des céréales sans gluten (le riz est souvent utilisé), des légumes, des fruits et de la viande comme aliments-types susceptibles d'être, les premiers, intégrés dans le régime alimentaire de l'enfant. La meilleure manière de proposer ces aliments est à la petite cuillère, ou de les mélanger à des liquides si l'enfant refuse la cuillère. Il lui faut à la fois s'habituer à un nouveau goût et à une nouvelle consistance. Soyez patiente.

Les purées ou compotes peuvent être faites maison. L'avantage potentiel des petits pots réside dans un contenu souvent enrichi en fer, mais faites attention à la teneur en sucre de leur contenu.

La dernière transition conduisant à l'abandon des aliments finement passés s'effectue au cours du deuxième âge (c'est-à-dire entre 6 et 12 mois), lorsque l'enfant apprend à mâcher, à gérer la texture plus granuleuse, comme par exemple de la viande hachée... et à manger avec les doigts. Parmi les aliments qu'il pourra prendre avec les doigts, pensez à la croûte de pain mais aussi aux morceaux de fruits, aux légumes cuits et à la viande cuite.

Premier bébé, premiers essais. Par expérience, je vous conseille vivement de ne pas servir une bouillie lorsque vous êtes prête à sortir : l'habit doit être adapté à la circonstance et le repas donné si possible dans la cuisine. Et n'oubliez pas le bavoir ! Quoi de plus amusant pour l'enfant que de recracher, en faisant du bruit, la purée qu'il avait dans la bouche. Sans oubliez sa petite main qui peut rencontrer malencontreusement son assiette quand vous ne vous y attendez pas. Pour mon premier enfant, j'avais tellement le souci d'avoir un bébé toujours impeccable que le premier mot de ma fille ne fut pas « papa » ou « maman » mais le mot « tache ». Rassurez-vous, la maniaquerie n'a pas été de mise pour mes autres filles !

Introduisez les nouveaux aliments un par un et à intervalle de 3 à 7 jours. Cette façon de faire permet à votre bébé de s'habituer au nouvel aliment et à vous de déceler plus facilement d'éventuelles réactions allergiques. Et n'oubliez pas que les aliments solides complètent le lait, mais ne le remplacent pas.

Il est possible que votre bébé réagisse négativement à certains aliments, mais ne vous inquiétez pas : il les acceptera sans doute plus tard. Il a avantage à goûter les aliments un par un. Vous et votre bébé devez donc être calmes au moment de l'introduction de ces nouveaux aliments.

Vous avez la responsabilité, en tant que parents, d'offrir des aliments nutritifs et de texture adéquate à votre enfant. Ne déprimez donc pas outre mesure si le jeune enfant manque parfois d'appétit, s'il n'apprécie pas certains aliments que vous estimez nutritifs, s'il dévore son déjeuner et mange très peu aux repas suivants. Comme nous, il a ses aversions et ses préférences ! L'appétit varie également d'un jour à l'autre et d'un enfant à l'autre. Sachez que la suralimentation est facile chez un jeune bébé. Il est donc important de respecter son appétit : s'il ferme la bouche, se renfrogne, tourne la tête ou pleure, il a sans doute assez mangé.

À partir de 5 mois

Introduction des légumes

Elle se fait deux à trois semaines après l'introduction des céréales.

Les légumes fournissent des vitamines, des minéraux, quelques protéines et surtout de l'eau, ainsi que des fibres qui aideront bébé à avoir des selles régulières. Il est important d'en offrir tous les jours. Vous pouvez servir des courges, des courgettes, des pois verts, des haricots jaunes et verts et des carottes. Servez les légumes cuits sans sel et réduits en purée lisse.

Introduction des fruits

Quelques variétés suffisent avant 6 mois : la pomme, la pêche, la prune, la poire, l'abricot. Ces fruits doivent être servis cuits et en purée. La banane bien mûre peut être écrasée à la fourchette. N'ajoutez pas de sucre, ces fruits en contiennent suffisamment.

Vers 6-7 mois

Introduction des jus de fruits

Les jus de fruits n'étant pas essentiels, ils devraient remplacer le moins possible les fruits frais. L'introduction doit idéalement se faire lorsque votre enfant consomme déjà des fruits. Il est préférable de débuter par le jus de pomme ou le jus de raisin et d'attendre plus tard pour les mélanges.

Il n'est pas nécessaire d'acheter les jus spécialement conçus pour les bébés, inutilement plus chers et identiques aux jus ordinaires. Faites attention : ne donnez pas non plus de jus de fruits avant le repas, cela pourrait diminuer l'appétit de votre enfant et le priver d'aliments beaucoup plus nutritifs.

À partir de 6 mois 1/2

Introduction des viandes

On se lance deux à trois semaines après l'introduction des fruits.

La viande est une source majeure de protéines. Elle procure aussi des vitamines et des minéraux (fer et zinc). Pendant la première année de sa vie, l'enfant a besoin d'une petite quantité de viande. Vous pouvez commencer par offrir de l'agneau, du poulet et de la dinde. Introduisez ensuite le veau, le bœuf, le porc (en petits pots) et un peu de foie (une fois par semaine), tous mélangés à des légumes. Jusqu'à 9 mois, il est préférable de servir la viande en purée lisse. On recommande environ un demi à un petit pot de purée de viande et/ou de volaille par jour. Évitez toutefois les viandes épicées, les saucisses (fumées ou non), le jambon, le salami, etc. parce que ces produits contiennent beaucoup de gras, de sel, d'épices, de nitrates et d'autres ingrédients nuisibles à l'enfant.

Introduction du jaune d'œuf

Trois semaines après l'introduction de la viande. C'est un des aliments les plus intéressants sur le plan des apports en vitamines.

Il doit être servi bien cuit, jamais cru ou coulant, et de façon progressive. Commencez par un demi-jaune, équivalant à deux cuillères à thé. Pour séparer facilement le jaune du blanc, vous pouvez le cuire à la coque.

Vers 7-8 mois

Introduction des yaourts

Vous pouvez introduire le yaourt nature fait de lait entier, auquel vous ajoutez des morceaux de fruits frais ou de la purée de fruits. Les yaourts sans matières grasses ou allégés sont à éviter.

Vers 8-9 mois

Offrez à l'enfant des aliments en morceaux : des fruits mûrs, des légumes bien cuits, de la viande hachée, de la volaille, du poisson sans arêtes, des rôtis, des pâtes, du riz à grains ronds, du fromage. Même sans dents, ses gencives deviennent de plus en plus efficaces. En plus, il adore mâchouiller.

Conseil sur les purées

Vers 7 ou 7 mois et demi, commencez à lui servir des purées moins lisses. À compter de 8 ou 9 mois, essayez des aliments mous en petits morceaux. Vous pouvez donner des purées maison ou en petits pots.

Ne faites pas trop de provisions à l'avance, de façon à avoir toujours des produits frais. Si cette période est un peu contraignante, elle est relativement courte.

Pour les purées achetées dans le commerce, vérifiez toujours la date d'expiration sur les contenants. De plus, vous devez entendre un bruit lorsque vous ouvrez les pots. Si ce n'est pas le cas, cela signifie souvent que le pot a été ouvert ou qu'il présente un défaut de fabrication. Dans ce cas, il est préférable d'en jeter le contenu. Pour éviter ces inconvénients, vérifiez bien l'état des petits pots que vous achetez, en surveillant, par exemple, la rouille sur les couvercles.

Les purées maison sont moins coûteuses que les purées commerciales et offrent l'avantage de pouvoir choisir les aliments que vous cuisinez. Si vous achetez vos ingrédients congelés, ils ne doivent pas contenir de sel ajouté, de sucre ajouté, de sauce, ou d'assaisonnements. Quant à la viande, elle doit être maigre, ou modérément grasse, et de bonne qualité. En revanche, vous devez éviter les légumes, les viandes et les poissons en conserve à cause de leur haute teneur en sel. Choisissez les fruits mis en conserve dans leur vrai jus, sans sucre ajouté. Tous les légumes et les fruits frais doivent être lavés et pelés avant la cuisson. Enfin, n'oubliez pas d'enlever les cœurs, les noyaux, les pépins et les graines.

LES MENUS

Pour mieux vous aider dans cette traversée de l'alimentation de l'enfance, voici quelques menus types et recettes aussi goûteux que sains et équilibrés

Menu type à 5 mois (6ᵉ mois) : répartition en 5 repas

Matin : Biberon 180 à 210 ml d'eau + 6 à 7 mesures de lait + 3 cuillères à café de farine sans gluten (matin ou soir)
Matinée : 40 ml de jus de fruits
Midi : 75 g de légumes verts mixés + biberon 120 à 150 ml + 4 à 5 mesures de lait
Goûter : Biberon 180 à 210 ml + 6 à 7 mesures de lait
Soir : Biberon 180 à 210 ml + 6 à 7 mesures de lait + 3 cuillères à café de farine sans gluten (matin ou soir)

Purée de légumes : frais, surgelés ou en pot.
Bettes, courges, haricots verts, potirons, salades cuites, tomates épluchées, carottes.
Fruits : jus, compote ou fruits crus (frais, très mûrs, surgelés, mixés).
Poires, raisin épluché épépiné, bananes, pommes.

Menu type à 6 mois (7ᵉ mois) : répartition en 5 repas

Matin : Biberon 210 ml d'eau + 7 mesures de lait + 3 à 5 cuillères à café de farine sans gluten

Matinée : 50 ml de jus de fruits

Midi : 2 cuillères à café de viande ou de poisson ou un demi-jaune d'œuf

100 g de légumes verts + 25 g de féculents + 5 g de beurre

75 g de fruits + eau

Goûter : Biberon 210 ml + 7 mesures de lait

Soir : Biberon 210 ml + 7 mesures de lait + 3-5 cuillères à café de farine

Vous pouvez remplacer la viande par 3 à 4 cuillères à café de fromage blanc ou une grosse pincée de fromage râpé. Vers 7/8 mois, vous pouvez ajouter des pâtes fines, de la semoule, des pommes de terre dans la composition des purées ou des potages.

Menu type à 9 mois : répartition en 5 repas

Matin : Biberon 240 ml + 8 mesures de lait + 8 cuillères à café de farine ou biscuits

Matinée : 50 ml de jus de fruits +1 biscuit

Midi : 2 cuillères à café de viande ou poisson ou un jaune d'œuf

100 g de légumes verts + 50 g de féculents + une noisette de beurre ou une cuillère à café d'huile

100 g fruits écrasés + eau

Goûter : Biberon 240 ml + 8 mesures

Soir : 150 g de légumes (potage ou purée)

1/2 yaourt + 5 g de sucre ou de fruits (selon midi)

Viandes : rouge ou blanche, poulet, jambon.
Présentez des fromages en fines lamelles et faites manger du lait sous forme d'entremets.

Menu type à 1 an : répartition en 4/5 repas

Matin : 260 ml de bouillie (8 mesures de lait + 10 cuillères à café de farine) ou 230 ml de lait de croissance ou lait UHT entier + biscuits ou pain sec

Matinée : 50 ml de jus de fruits + 1 biscuit ou pain à grignoter

Midi : 3 cuillères à café de viande variée ou poisson ou 1/2 œuf (blanc et jaune)

100 g de légumes ou 50 g de féculents + 1 noisette de beurre ou 5 ml d'huile

100 g de fruits ou de yaourt + 2 cuillères à café de sucre ou de confiture

Pain à grignoter + eau

Goûter : Biberon 250 ml ou moins et biscuits et/ou fruits

Soir : 100 g de légumes ou 50 g de féculents (pommes de terre ou vermicelle)

(soupe ou purée) + 5 g de beurre ou 5 ml d'huile

Yaourt + 2 cuillères à café de sucre ou de confiture ou 100 g de fruits (selon le midi) + eau

Initiation aux crudités : concombre, avocat.

Vous pouvez largement varier les menus : purée de courgettes, brocolis, jardinière mixée, purée d'épinards, rôti de porc, poulet, foie d'agneau, cabillaud, daurade, pommes, fraises, ananas, pêches, semoule, pâtes, etc.

N'hésitez pas à vérifier avec les doigts s'il ne reste pas d'arête dans le poisson.

Attention aux yaourts aromatisés ou aux petits-suisses aux fruits qui excitent la gourmandise et habituent au goût sucré.

Il est conseillé d'avoir une vaisselle spéciale bébé, car la taille correspond mieux aux rations que vous devez donner.

LES RECETTES

Recettes pour bébés de 5 mois

Blanc de poulet aux petits légumes
(Pot-au-feu de bébé)

Préparation : 15 minutes
Cuisson : 2 heures
Ingrédients : 20 g d'escalope de poulet, 1 carotte, 1 navet, 1 poignée de haricots verts extra-fins, 1 poignée de petits pois, 1 branche de persil, 1 noisette de beurre, sel

Peler la carotte et le navet. Les laver puis les couper en dés. Effiler les haricots verts. Les laver et les couper en petits morceaux. Laver le persil. Mettre tous les légumes dans une casserole d'eau froide avec une pincée de sel et faire cuire 2 heures à feu doux en ajoutant le poulet 10 minutes avant la fin. Mixer ensuite le contenu de la casserole avec la noisette de beurre. Ajouter un peu de lait pour servir dans le biberon ou donner à la cuillère.

Soupe de potiron (Halloween à la maison)

Préparation : 10 minutes
Cuisson : 30 minutes
Ingrédients : 200 g de potiron, 1/3 litre de lait de suite reconstitué, 1 jaune d'œuf écrasé, 1 noisette de beurre

Éplucher et enlever les pépins du potiron. Le couper en dés puis le faire cuire 15 minutes à l'eau bouillante. Égoutter et mixer. Mélanger à la purée de potiron le lait et le jaune d'œuf. Remettre à cuire sur feu doux environ 15 minutes. Ajouter la noisette de beurre au moment de servir.

Crème d'artichaut

Préparation : 5 minutes
Cuisson : 20 minutes
Ingrédients : 2 fonds d'artichauts congelés, 30 ml de lait de suite reconstitué, 1 cuillère à soupe de farine, 1 noisette de beurre, 1 pincée de sel

Cuire les fonds d'artichauts à l'eau bouillante légèrement salée pendant 15 minutes puis les mixer. Diluer la farine dans le lait et incorporer à la purée d'artichauts. Porter le potage à température. Servir aussitôt en ajoutant la noisette de beurre.

Velouté aux 4 légumes (La soupe Harry Potter)

Préparation : 15 minutes
Cuisson : 25 minutes
Ingrédients : 50 g de petits pois écossés, 50 g de carottes, 50 g de haricots verts, 4 feuilles d'oseille, 1 branche de persil, 1 noisette de beurre

Laver les légumes. Éplucher la carotte et la couper en fines rondelles. Ciseler les feuilles d'oseille. Effiler les haricots verts en cassant les pointes. Cuire le tout dans 75 cl d'eau bouillante pendant 25 minutes. Laisser tiédir, mixer et ajouter la noisette de beurre.

Purée de potiron au jambon
(D'une pierre deux coups)

Préparation : 15 minutes
Cuisson : 10 minutes
Ingrédients : 100 g de jambon blanc, 200 g de potiron, 60 ml de lait, 5 g de beurre

Éplucher puis laver le potiron coupé en morceaux. Le faire cuire 10 minutes dans de l'eau non salée. L'égoutter puis le mettre dans le mixer avec le lait, le jambon et le beurre. Mixer jusqu'à obtenir une crème homogène. Réchauffer avant de servir.

Recettes pour bébés de 6 mois

Purée de courgette citronnée (La purée acidulée)

Préparation : 10 minutes
Cuisson : 15 minutes
Ingrédients : 150 g de courgettes, 20 g de fromage blanc, 1 cuillère à soupe de jus de citron, 1 pincée de sel

Peler la courgette. La cuire 15 minutes à l'autocuiseur à la vapeur. Passer au

mixer, en ajoutant le sel et le jus de citron puis incorporer en fouettant le fromage
blanc. Servir dans l'assiette de bébé.

Purée de céleri rave aromatisée à l'oignon
(La purée découverte)

Préparation : 15 minutes
Cuisson : 25 minutes
Ingrédients : 100 g de céleri rave, 50 g de pommes de terre, 10 g d'oignons,
1 noisette de beurre
Éplucher et laver le céleri rave. Le faire cuire à l'eau bouillante 10 minutes.
Le couper en lamelles. Peler et laver la pomme de terre. Couper l'oignon et la
pomme de terre en fines tranches. Mettre le tout à cuire 15 minutes. Égoutter
puis passer au moulin à légumes. Ajouter une noisette de beurre au moment de
servir.

Riz cantonnais (Pourquoi pas chinois ce soir)

Préparation : 10 minutes
Cuisson : 10 minutes
Ingrédients : 4 verres de riz à cuisson rapide, 3 œufs, 200 g de petits pois
surgelés, 300 g de jambon
Faire cuire le riz, l'égoutter. Battre les œufs, ajouter une cuillerée à soupe
d'eau. Faire cuire l'omelette à la poêle.
Pour le bébé : Verser dans un bol mixeur 120 ml d'eau de cuisson du riz,
ajouter 30 g de riz cuit, 50 g de petits pois et 15 g de jambon. Mixer et verser
dans le biberon.
Pour le reste de la famille : assaisonner, saler et poivrer.

Bœuf au caviar d'aubergines
(Manger comme un grand)

Préparation : 10 minutes
Cuisson : 5 minutes
Ingrédients : 150 g d'aubergine, 20 g de viande de bœuf, 50 ml de lait
Laver l'aubergine et la partager en deux. Placer les 2 morceaux dans la
Cocotte-Minute. Faire cuire 4 minutes à partir de la mise sous pression. Faire
revenir la viande dans une poêle antiadhésive. Lorsque l'aubergine est cuite,
gratter l'intérieur avec une petite cuillère puis placer dans le mixer la chair d'au-
bergine, le lait et la viande. Mixer le tout jusqu'à obtenir une purée homogène.

Crème de poulet (Le suprême plaisir)

Préparation : 15 minutes
Cuisson : 40 minutes
Ingrédients : 20 g de blanc de poulet cru, 4 feuilles de laitue, 30 g de carottes, 30 g de navet, 50 g de courgettes, 5 cuillères à soupe de lait, 30 ml d'eau
Bien laver les légumes et les éplucher. Couper la carotte, le navet et la courgette en rondelles. Ciseler les feuilles de laitue. Mettre le tout à cuire sur feu doux pendant 35 minutes À mi-cuisson, ajouter le blanc de poulet coupé en petits morceaux. Laisser tiédir et mixer. Incorporer le lait et chauffer à température.

Purée d'artichauts au poulet
(Même les poulets naissent dans les artichauts)

Préparation : 15 minutes
Cuisson : 13 minutes
Ingrédients : 150 g de fonds d'artichauts, 1 cuillère à soupe de citron, 15 g d'escalope de poulet, 50 ml de lait, 5 g de beurre
Faire cuire les fonds d'artichauts dans de l'eau très chaude non salée additionnée d'une cuillère à soupe de jus de citron. Faire cuire 10 minutes puis ajouter l'escalope de poulet. Laisser cuire encore 3 minutes. Placer l'escalope, les fonds d'artichaut et le lait dans le mixer jusqu'à obtenir une purée homogène. Réchauffer le tout et ajouter le beurre avant de servir.

Purée de potiron à l'œuf (Douceur de potiron)

Préparation : 30 minutes
Cuisson : 10 minutes
Ingrédients : 150 g de potiron, 1 jaune d'œuf extra-frais, 50 ml de lait
Éplucher le potiron, enlever toutes les graines, le laver à l'eau puis le couper en morceaux. Disposer les morceaux de potiron dans une casserole contenant un peu d'eau. Laisser cuire 10 minutes puis placer les morceaux avec le lait dans le mixer. Mixer jusqu'à obtenir une purée homogène. Faire cuire un œuf dur. Enlever la coquille et séparer le jaune du blanc. Écraser le jaune à la fourchette et parsemer la crème de potiron avec le jaune d'œuf émietté.

Flan vert de poisson (Le monde de Némo)

Préparation : 40 minutes
Cuisson : 50 minutes
Ingrédients : 250 g de haricots verts, 100 ml de lait, 40 g de filet de merlan, 1 cuillère à café de Maïzena, 1 jaune d'œuf extra-frais, 1 branche de cerfeuil
Éplucher les haricots verts et les laver. Les faire cuire 15 minutes dans un peu d'eau frémissante non salée. Ajouter le poisson et continuer la cuisson 4 minutes.

Égoutter les haricots puis mixer pour obtenir une petite julienne disposée ensuite dans deux ramequins. Mixer ensuite le poisson et ajouter le lait, le jaune d'œuf, la Maïzena et le cerfeuil. Lorsque tout est mixé, ajouter le mélange dans les ramequins de haricots verts et faire cuire au four au bain-marie (thermostat 6 soit 180 °C).

Crème de poireau pommes de terre (Pomme de vert à l'eau)

Préparation : 15 minutes
Cuisson : 40 minutes
Ingrédients : 30 g de blanc de poireau, 120 g de pommes de terre, 1 branche de persil, 1 noisette de beurre, 1/4 de litre d'eau, 1 pincée de sel
Bien nettoyer le poireau, puis le couper en julienne. Laver et éplucher les pommes de terre. Les découper en rondelles. Dans une casserole, faire suer l'eau de végétation du poireau, puis mouiller avec l'eau. Dès que l'eau est frémissante, ajouter le persil et les rondelles de pommes de terre. Cuire à feu doux pendant 35 à 40 minutes. Passer au moulin à légumes. Avant de servir, ajouter une noisette de beurre.

Recettes pour bébés de 8 mois

Bar au fenouil (Bar à l'anis)

Préparation : 10 minutes
Cuisson : 35 + 5 minutes
Ingrédients : 25 g de filet de bar, 150 g de fenouil, 1 filet de jus de citron, 1 noisette de beurre
Éplucher soigneusement le bulbe de fenouil. Le laver, le couper et le faire cuire à la vapeur pendant 35 minutes. Réduire le fenouil en purée et ajouter une noisette de beurre. Cuire le poisson au court-bouillon 5 minutes puis l'émietter. Arroser avec le jus de citron. Servir dans une assiette la purée de fenouil et parsemer avec le poisson.

Purée de carottes mimosa (Purée bon teint)

Préparation : 10 minutes
Ingrédients : 2 sachets de purée aux carottes, 2 cuillères à soupe de fromage blanc, 1 jaune d'œuf, 160 ml de lait demi-écrémé, 160 ml d'eau
Faire cuire les œufs 10 minutes à l'eau bouillante. Écailler les œufs et extraire le jaune d'œuf cuit dur. L'écraser à la fourchette. Préparer la purée aux carottes comme indiqué sur l'emballage. Ajouter le fromage blanc et saupoudrer avec le jaune d'œuf écrasé.

Potage à l'oseille (Pommes de terre acidulées)

Préparation : 10 minutes
Cuisson : 35 minutes
Ingrédients : 50 g de feuilles d'oseille, 150 g de pommes de terre, 1 cuillère à soupe de lait, 1 pincée de sel

Laver les légumes. Ciseler les feuilles d'oseille. Peler et couper les pommes de terre en rondelles. Mettre le tout dans une casserole avec 30 ml d'eau. Couvrir et cuire à feu doux 35 minutes. Passer au moulin à légumes. Remettre dans la casserole, ajouter le lait et porter à température.

Bébé couscous

Préparation : 10 minutes
Cuisson : 15 minutes
Ingrédients : 1 sachet de légumes congelés pour couscous, 3 blancs de poulet, 4 verres de semoule de blé précuite, 1 noisette de beurre, pois chiches

Verser 1 litre et demi d'eau dans une casserole. Plonger les légumes dedans (enlever les poivrons s'il y en a à cause de la peau dure) et laisser cuire 15 minutes. Verser la semoule dans un saladier et verser dessus deux louches de jus de légumes. Laisser gonfler. Égrainer à l'aide d'une fourchette ou avec les doigts et ajouter une noisette de beurre.

Pour le bébé : Verser 120 ml de bouillon dans un bol mixer. Ajouter 30 g de semoule, 50 g de légumes et 20 g de blanc de poulet. Mixer puis verser dans le biberon.

Pour le reste de la famille : Ajouter un bouillon-cube dans l'eau de cuisson des légumes, et des pois chiches, des merguez, des côtes d'agneau ou des boulettes de viande.

Soupe au lait (Classic food)

Préparation : 20 minutes
Cuisson : 20 minutes
Ingrédients : 8 cuillères à soupe de farine instantanée Céréales 5 légumes, 60 g d'escalope de poulet, 1 branche de céleri, 3 tiges de persil, 500 ml de lait demi-écrémé, 150 ml d'eau, 1 cuillère à café d'huile de tournesol, 1 pincée de sel

Faire revenir dans une poêle l'escalope de poulet découpée en petits morceaux. Ajouter le céleri, l'eau et une pincée de sel. Couvrir la poêle et laisser cuire à feu doux 10 minutes. Retirer le céleri. Mixer les morceaux de poulet puis les remettre dans la poêle. Verser le lait et laisser chauffer 5 minutes. Éteindre le feu et ajouter les céréales 5 légumes. Remuer, laisser reposer quelques minutes puis servir.

Croquettes de poisson au chou-fleur
(Oreilles de poisson)

Préparation : 15 minutes
Cuisson : 4 minutes
Ingrédients : 2 petits pots de mousseline au chou-fleur, 80 g de cabillaud, 1 tranche de pain de mie, 2 feuilles d'estragon, jus de citron, sel, lait demi-écrémé

Laver puis mixer le poisson. Mettre le poisson mixé dans un bol et ajouter le pain de mie préalablement trempé dans du lait et pressé, l'estragon ciselé et le jus de citron. Mélanger l'ensemble de façon à obtenir une préparation homogène. Ajouter une pincée de sel. Former des rouleaux. Servir ensuite avec la mousseline au chou-fleur réchauffée.

Gratin de fenouil (Fromage à l'anis)

Préparation : 20 minutes
Cuisson : 9 minutes
Ingrédients : 150 g de fenouil, 100 ml de lait, 1 cuillère à café de Maïzena, 10 g de gruyère râpé

Éplucher soigneusement le bulbe de fenouil. Le laver, le couper et le placer dans la Cocotte-Minute. Faire cuire en comptant 9 minutes à partir de la mise en pression. Préparer pendant ce temps une sauce blanche : délayer à froid dans une casserole la Maïzena avec le lait. Faire épaissir à feu doux tout en remuant et ajouter le gruyère râpé. Couper le fenouil cuit en petits morceaux. Disposer les morceaux de fenouil et la sauce dans un plat.

Foie d'agneau aux carottes (Agneau mironton)

Préparation : 10 minutes
Cuisson : 20 minutes
Ingrédients : 25 g de foie d'agneau, 150 g de carottes, 1 noisette de beurre, 1 pincée de laurier en poudre, 1 pincée de sel

Peler et laver les carottes. Les couper en dés. Les cuire dans un peu d'eau pendant 20 minutes. Écraser à la fourchette et incorporer le laurier en poudre et la noisette de beurre. Griller le foie sans graisse dans une poêle à revêtement antiadhésif. Passer rapidement à la moulinette et servir aussitôt.

Papillote de lapin a la sauge
(Lapin aux herbes en cage)

Préparation : 5 minutes
Cuisson : 10 minutes

Ingrédients : 30 g de lapin, 1 filet de jus de citron, 2 feuilles de sauge

Couper le lapin en tout petits morceaux. Le disposer dans une papillote d'aluminium. Verser le filet de jus de citron et les feuilles de sauge hachées finement. Fermer la papillote soigneusement. Cuire à four chaud (thermostat 8) pendant 10 minutes. Ouvrir la papillote et hacher la viande.

Flan aux carottes (Le gâteau orange)

Préparation : 10 minutes
Cuisson : 20 + 20 minutes
Ingrédients : 150 g de carottes, 15 g d'oignon, 1 jaune d'œuf, 1 noisette de beurre

Peler et laver les carottes. Les couper en rondelles. Hacher l'oignon. Cuire les légumes 20 minutes à la vapeur. Laisser tiédir et mixer. Incorporer le jaune d'œuf et la noisette de beurre. Mettre dans un ramequin. Cuire à four moyen (thermostat 6) au bain-marie pendant 20 minutes.

Brandade d'épinards (Épinards oméga 3)

Préparation : 30 minutes
Cuisson : 20 minutes
Ingrédients : 80 g de pommes de terre, 100 g d'épinards hachés surgelés, 50 ml de lait écrémé, 20 g d'escalope de saumon, 5 g de beurre

Éplucher et laver la pomme de terre. La couper en dés. Ajouter les épinards décongelés et 100 ml d'eau dans une casserole. Faire cuire à feu très doux pendant 20 minutes. Ajouter le morceau de poisson et continuer à faire cuire 4 minutes. Égoutter l'ensemble. Placer les légumes, le poisson et le lait dans le mixer. Mixer jusqu'à obtenir une purée homogène. Ajouter une noisette de beurre.

Recettes pour bébés de 9 mois

Potage aux lentilles (Popeye soup)

Préparation : 10 minutes
Cuisson : 1 heure
Ingrédients : 50 g de lentilles, 1 branche de persil, 20 g de carottes, 1 cuillère à soupe de lait, 1 pincée de sel

Trier et laver les lentilles. Peler, laver et couper la carotte en petites rondelles. Laver le persil. Mettre tous les ingrédients sauf le lait dans une casserole avec 1/2 litre d'eau. Porter à ébullition sur le feu vif. Réduire le feu et cuire 1 heure à feu doux. Saler à mi-cuisson. Mixer. Verser le lait au fond de l'assiette puis le délayer peu à peu avec le potage. Profitez des lentilles, c'est excellent pour vous aussi.

Potage de tapioca à la tomate
(Soupe de manioc à l'occidentale)

Préparation : 20 minutes
Cuisson : 20 + 10 minutes
Ingrédients : 100 g de tomates, 180 ml de lait, 3 cuillères à café de tapioca
Laver la tomate puis la plonger quelques secondes dans de l'eau bouillante afin de lui enlever sa peau. La couper en deux. Retirer les pépins. La disposer dans une papillote et faire cuire 20 minutes au four (thermostat 7 soit 210° C). Mixer la tomate avec le lait jusqu'à obtenir un liquide homogène. Verser le tout dans une casserole et verser en pluie le tapioca. Laisser cuire 10 minutes à feu doux sans cesser de remuer.

La tomate peut être remplacée par d'autres légumes afin de varier les goûts : épinards, courgettes, haricots verts, poivron, etc.

Potage de riz aux carottes (Potage Jeannot Lapin)

Préparation : 15 minutes
Cuisson : 40 minutes
Ingrédients : 100 g de carottes, 1 gousse d'ail, 20 g de riz, 25 ml d'eau, 1 pincée de sel
Laver et éplucher les carottes. Les râper finement. Peler et piler la gousse d'ail. Dans une casserole, mouiller les carottes et l'ail avec l'eau et porter à ébullition. Réduire et verser le riz en pluie. Ajouter une pincée de sel. Couvrir et laisser mijoter 40 minutes.

Truite à l'estragon (Symphonie à l'iode)

Préparation : 5 minutes
Cuisson : 8 minutes
Ingrédients : 1 filet de truite de 40 g, 3 feuilles d'estragon, 1 cuillère à café de jus de citron, 1 noisette de beurre
Laver les feuilles d'estragon puis les ciseler. Dans une papillote, mettre le filet de truite et l'estragon. Bien fermer la papillote. Cuire 10 minutes à four chaud (thermostat 8). Au moment de servir, ajouter une noisette de beurre et le jus de citron.

Recettes pour bébés de 10 mois

Riz au jambon (Riz cochon)

Préparation : 10 minutes
Cuisson : 20 minutes

Ingrédients : 40 g de riz, 25 g de jambon, 1 petite pincée de sel, 1 cuillère à café de farine, 50 ml de lait

Porter 1 litre d'eau légèrement salée à ébullition et cuire le riz pendant 20 minutes. Délayer la farine avec du lait. Mettre dans une casserole, porter à ébullition sans cesser de remuer puis retirer du feu. Égoutter le riz, puis le disposer en forme de couronne dans une assiette. Mettre le jambon haché au milieu de la couronne. Napper le riz avec la sauce blanche.

Bœuf ficelle à la courgette (Bœuf mode bébé)

Préparation : 10 minutes
Cuisson : 20 + 5 minutes
Ingrédients : 30 g de filet de bœuf, 120 g de courgettes, 1 noisette de beurre, 50 ml de bouillon de légumes (reste du midi), cerfeuil haché

Porter le bouillon de légumes à ébullition et mettre le filet de bœuf à pocher pendant 5 minutes. Le passer à la moulinette. Bien laver la courgette, puis la couper en petits dés. Mettre dans une casserole. Couvrir et cuire à feu doux pendant 20 minutes. Écraser les légumes et ajouter une noix de beurre.

Filet de dorade à la purée d'haricots verts (Haricots de la mer)

Préparation : 10 minutes
Cuisson : 20 minutes
Ingrédients : 1 sachet de purée de pommes de terre instantanée, 80 ml de lait demi-écrémé, 80 ml d'eau, 60 g de filet de dorade, 60 g de haricots verts, 10 g de persil, sel

Laver, éplucher puis faire cuire les haricots verts 20 minutes à la vapeur. Enlever les arêtes du filet de dorade. Faire pocher le poisson 8 minutes dans l'eau bouillante. Retirer et égoutter le poisson. Préparer la purée de pommes de terre comme indiqué sur l'emballage. Ajouter les haricots verts mixés et le persil ciselé. Incorporer délicatement à la purée le filet de poisson émietté.

Flan à la courgette (Fromage vert)

Préparation : 10 minutes
Cuisson : 10 + 20 minutes
Ingrédients : 150 g de courgette, 1 noisette de beurre, 1 petite pincée de sel, persil haché, 1 œuf, 2 cuillères à soupe de fromage blanc

Nettoyer la courgette. La peler puis la couper en rondelles. Cuire 10 minutes à la vapeur. Laisser tiédir et mixer. Battre l'œuf en omelette, incorporer le fromage blanc et la purée de courgette. Rajouter le persil haché. Saler légèrement.

Mettre le tout dans un ramequin beurré. Cuire au bain-marie 20 minutes au four (thermostat 7).

Recettes pour bébés de 1 an

Œufs aux 7 légumes (Jardinière de la poule)

Préparation : 8 minutes
Cuisson : 5 minutes
Ingrédients : 1 petit pot de jardinière aux 7 légumes, 2 œufs, ciboulette, cerfeuil, 1 noisette de beurre, 1 pincée de sel

Laver les herbes avant de les ciseler. Réchauffer le petit pot de jardinière 7 légumes au micro-ondes. Battre les œufs en omelette et ajouter une pointe de sel et quelques gouttes d'eau. Faire fondre le beurre dans une poêle antiadhésive à feu très doux et faire cuire les œufs 3 minutes en remuant sans arrêt pour obtenir une consistance crémeuse. Retirer du feu et ajouter le petit pot de jardinière de légumes sans cesser de remuer. Parsemer avec le cerfeuil et la ciboulette. Servir.

Petites crêpes à la tomate et au fromage (Chandeleur méditerranéenne)

Préparation : 10 minutes
Repos : 1 heure
Cuisson : 10 minutes
Ingrédients : 1 brique de soupe moulinée de tomates, 2 portions de fromage type Kiri, 40 g de farine, 50 ml de lait demi-écrémé, 1 œuf, ciboulette

Verser la farine dans un saladier. Ajouter l'œuf, le lait et 150 ml de soupe moulinée de tomates. Mélanger la pâte et laisser reposer 1 heure... Faire cuire dans un appareil électrique à minicrêpes permettant de faire cuire les petites crêpes par 6. Garder au chaud. Tartiner les crêpes avec le fromage puis napper avec le restant de soupe. Parsemer avec la ciboulette. Servir les crêpes tièdes.

Riz cantonnais (Retour vers l'Orient)

Préparation : 10 minutes
Cuisson : 10 minutes
Ingrédients : 4 verres de riz à cuisson rapide, 3 œufs, 300 g de jambon

Faire cuire le riz, l'égoutter. Battre les œufs, ajouter une cuillerée à soupe d'eau. Faire cuire l'omelette à la poêle.

Pour le bébé : Prélever 50 g de riz, ajouter 2 cuillères à café d'omelette coupée en petits morceaux et 2 cuillères à café de jambon haché.

Pour le reste de la famille : vous pouvez ajouter des crevettes grises décortiquées, des petits pois en conserve. Assaisonner, saler et poivrer.

Soupe de légumes au pistou (Soupe Saint-Tropez)

Préparation : 30 minutes
Cuisson : 1 heure
Ingrédients : 30 g de haricots verts, 30 g de petits pois frais, 50 g de courgettes, 60 g de pommes de terre, 1 tomate, 3 feuilles de basilic

Nettoyer les légumes. Effiler les haricots verts et les couper en petits morceaux. Couper la courgette puis l'émincer, peler et couper la pomme de terre en dés. Mettre tous les légumes dans une casserole avec 50 ml d'eau. Faire bouillir et cuire pendant 1 heure. Pendant ce temps, émonder la tomate puis l'écraser à la fourchette. Mélanger avec le basilic haché. Ajouter au potage aux 3/4 de la cuisson. Mixer rapidement et servir.

Couscous (Taboulé chaud)

Préparation : 10 minutes
Cuisson : 15 minutes
Ingrédients : 1 sachet de légumes surgelés pour couscous, 3 blancs de poulet, 4 verres de semoule de blé précuite, 1 noisette de beurre, pois chiches

Verser 1 litre et demi d'eau dans une casserole. Plonger les légumes dedans (enlever les poivrons s'il y en a) et laisser cuire 15 minutes. Verser la semoule dans un saladier et verser dessus deux louches de jus de légumes. Laisser gonfler. Égrainer à l'aide d'une fourchette ou avec les doigts et ajouter une noisette de beurre.

Pour le bébé : Prélever 50 g de semoule, ajouter 70 g de légumes, quelques pois chiches écrasés à la fourchette et 30 g de blanc de poulet haché.

Pour le reste de la famille : Ajouter un bouillon-cube dans l'eau de cuisson des légumes, les pois chiches, des merguez, des côtes d'agneau ou des boulettes de viande.

Salade de carotte à la pomme (Initiation au sucré-salé)

Préparation : 10 minutes
Ingrédients : 60 g de carottes, 15 g de pomme, 1 petite pincée de sel, 10 gouttes de jus de citron, 1 cuillère à café d'huile de tournesol

Laver et peler la carotte et la pomme. Les râper finement. Saler et arroser de citron. Mélanger le tout et servir.

LISTES DES RECOMMANDATIONS DE 0 À 1 AN

Dans ces listes, nous avons tenté de rassembler des produits de goût appréciable et de bonne qualité nutritionnelle par rapport à ce que nous avons eu l'occasion de détailler précédemment. Bien entendu, vous pourrez compléter ces recommandations avec des produits achetés au supermarché, à la pharmacie ou en parapharmacie, pourvu qu'ils aient la même composition nutritionnelle.

Les eaux minérales

En règle générale, nous préférons utiliser des eaux en bouteille faiblement minéralisées pour ne jamais parasiter les apports en minéraux décidés en accord avec le pédiatre. Ceci est particulièrement important pour le fluor dont la carence, comme l'excès, est un problème.

- Thonon
- Plancoet
- Evian
- Valvert
- Volvic
- Bompart
- Valon
- Cristalline
- Nestlé Aquarel, source Acacias

- Nestlé Aquarel, source Fresnes
- Nestlé Aquarel, source des Pins

Les biscuits

Nous avons choisi des biscuits d'usage très courant. Les critères choisis sont la taille et la teneur en graisses, car l'apport en acides gras saturés, dit non-essentiels, n'a pas d'intérêt. Les biscuits sont très appréciés par les enfants, d'un stockage facile, et peuvent s'apparenter à une succion (élément intéressant au moment de la sortie des dents). Leur apport énergétique s'intègre parfaitement au reste de la nourriture.

- Langues de chat, LU
- Petits cœurs, LU
- Biscuits cuillère aux œufs frais, Auchan
- Boudoirs, Auchan
- Petits exquis, LU
- Petit LU au lait, LU
- Beurré nantais, LU
- Thé, LU
- Petits bruns extras, LU
- Véritable petit beurre, LU

Les boissons autres que le lait

Les boissons proposées dans le commerce se répartissent en cinq catégories. On les trouve en flacon, en minibiberon, en ampoules, en sachet ou en nectar. Au final, le principe reste le même, car, lorsque les produits sont vendus en ampoules ou en sachets, il faut les diluer pour obtenir des substances qui ressemblent aux autres.

Les ampoules semblent très concentrées mais finalement elles sont très peu caloriques, puisqu'elles sont diluées avant la consommation. De plus, elles se conservent mieux et permettent de choisir la dilution et ainsi la proportion de sucre et d'eau donnée à l'enfant.

Deux marques se partagent le marché : Blédina et Nestlé. Il y a très peu de différence entre chacune d'entre elles qui proposent des produits quasiment identiques. Toutefois, il semble que Nestlé ait fait le choix de ne jamais enrichir ses produits en vitamines, à l'exception de la vitamine C, alors que Blédina les renforce systématiquement. Les deux marques ont leurs arguments. Nestlé tente de coller systématiquement aux recommandations nutritionnelles tandis que Blédina considère que l'enrichissement peut participer à la possibilité d'éviter le moindre risque de carence chez les enfants. Aucun des deux n'est plus convaincant que l'autre.

Si je devais absolument choisir un produit, j'aurai tendance à utiliser les boissons en sachets dont les sucres sont le plus souvent du dextrose, ou de la dextrine maltose, qui présentent la particularité d'être des glucides complexes, contrairement au saccharose, mais les goûts sont particuliers.

De la même façon, j'aurais tendance à préférer les boissons sans sucre ajouté, dont le sucre provient seulement des fruits. C'est le cas des ampoules ainsi que des boissons pomme-framboise ou pomme-pruneau de Blédina et verveine-pomme, orange ou cocktail de fruits de Nestlé.

Enfin, le prix reste un facteur déterminant ainsi que le packaging des produits. Il semble que les produits qui contiennent 500 ml soient d'un usage plus difficile que des produits à contenance moindre ainsi que les ampoules ou les sachets. À vous de choisir.

- Nestlé, verveine-pomme (4 mois)
- Blédina, pomme-framboise (4 mois)
- Nestlé, orange (4 mois)
- Nestlé, cocktail de fruits (6 mois)
- Blédina, pomme-pruneau (4 mois)
- Blédina, Blédi à boire, pomme-poire (4 mois)
- Blédina, Blédi à boire, pomme (4 mois)
- Blédina, Blédi à boire, pruneau (4 mois)
- Milupa, Babysoif, 6 plantes
- Milupa, Babysoif, camomille
- Milupa, Babysoif, tilleul
- Milupa, Babysoif, fleur d'oranger

Les petits plats de légumes

Le concept petit duo de Nestlé est particulièrement intéressant car les légumes sont séparés et non mélangés, ce qui permet à l'enfant de bien distinguer le goût de chaque légume. Personnellement, je ne vois pas d'intérêt à ajouter des arômes dans certains plats, surtout dès 4 mois, qui risquent de cacher le véritable goût des légumes. En revanche, il est parfois préférable d'ajouter des matières grasses dans les petits pots de légumes pour garantir un apport de lipides un peu plus important. C'est pourquoi les petites coupelles « Mon potager » de Nestlé sont bonnes sur le plan nutritionnel, car elles ne contiennent ni sucre ajouté, ni arôme, ni enrichissement inutile. De plus, leur teneur en protéines est intéressante, en ce qui concerne les plats d'épinards, de petits pois et d'artichauts. Il est cependant nécessaire de rajouter une demi-cuillère à café de beurre ou d'huile pour garantir l'apport en acides gras. Les différentes textures moulinées, lisses ou avec morceaux permettent quant à elles de choisir le moment du passage progressif aux aliments plus solides

Chez Blédina comme chez Nestlé, certains plats complets de légumes sont associés à du lait, ce qui est particulièrement intéressant pour les mamans dont l'enfant refuse le biberon de lait le soir ou les laitages.

Au final, la quasi-totalité des produits est d'une excellente confection. Vous pouvez donc les prendre en toute sécurité. Cependant, nous n'avons retenu aucune « Petites assiettes » car un enfant de 12 à 18 mois a besoin d'autre chose que d'un plat tout prêt.

Pots de légumes (texture lisse)
- Nestlé, P'tit Duo, petits pois tendres-carottes (4 mois)
- Nestlé, P'tit Duo, tomates de Méditerranée-haricots verts (6 mois)
- Nestlé, P'tit Duo, tomates de Méditerranée-brocolis (6 mois)
- Blédina, épinards à la crème (6 mois)

Coupelles plastique de légumes (texture lisse)
- Nestlé « mon potager », potiron (4 mois)
- Nestlé « mon potager », carottes (4 mois)
- Nestlé « mon potager », petits pois (4 mois)

Pots de légumes (avec petits morceaux)
- Nestlé, P'tit duo maïs doux et semoule/carottes (8 mois)
- Blédina 7 légumes (8 mois)

Assiettes de légumes
- Carrefour Bio, purée carottes et blé (10 mois)
- Carrefour Bio, purée légumes verts et blé (12 mois)
- Blédichef, panaché de légumes et artichauts à la bretonne (10 mois)
- Blédichef, fondue de pommes de terre aux champignons (12 mois)
- Blédichef, gratin dauphinois des tout-petits (10 mois)

Bols plastique de légumes
- Nestlé, « Cœur de saveur », carottes-pommes de terre à la ciboulette (8 mois)
- Nestlé, « Cœur de saveur », potiron-tomates au thym (8 mois)

Plats de légumes avec du lait
- Blédîner (plat complet du soir), carottes-semoule (6 mois)
- Blédîner (plat complet du soir), artichauts-tomate semoule (6 mois)
- Blédîner (plat complet du soir), épinards-semoule (6 mois)
- Blédîner (plat complet du soir), courgettes-semoule (6 mois)
- Blédîner (plat complet du soir), légumes verts-riz (8 mois)
- Blédîner (plat complet du soir), légumes du Sud-blé (8 mois)

Les plats complets

L'idée des plats complets sous forme d'assiette est plutôt pratique et permet de stimuler l'autonomie des enfants. Cependant, l'apport de sucre ajouté m'a paru inutile. Comme d'habitude, Blédina a enrichi ses plats en vitamine, contrairement à Nestlé. Toutefois, ces préparations sont peu différentes les unes des autres, car leurs teneurs en lipides, glucides et protéines sont voisines. Notre préférence ira donc vers des plats naturels ou, au contraire, tellement originaux qu'ils sont difficiles à réaliser pour de petites portions.

Pots de légumes et viande ou poisson (texture lisse)
• Nestlé, jardinière maïs-poulet (6 mois)
• Blédina, carottes-dindonneau (6 mois)
• Nestlé, P'tit duo, carottes-poulet fermier (6 mois)
• Blédina, petits légumes-jambon (6 mois)
• Blédina, « Sélection du marché », petits pois-cuisse de canard (8 mois)

Avec des petits morceaux ou morceaux
• Nestlé, carottes-jambon-riz (8 mois)
• Blédina, jardinière de légumes-poulet (8 mois)
• Nestlé, légumes-colin-riz (8 mois)
• Blédina, courgettes-veau (8 mois)

Petites assiettes
• Nestlé, P'tit menu, petit navarin printanier (8 mois)
• Blédichef, duo légumes verts merlu blanc (8 mois)
• Blédichef, riz et filet de colin aux champignons (8 mois)
• Blédichef, fondue de carottes et agneau (8 mois)
• Nestlé, P'tit menu, épinards à la crème et cabillaud (8 mois)
• Carrefour Bio, riz et cabillaud (8 mois)

Bols plastique
• Blédina, « Les idées de maman », carottes-colin (8 mois)

• Nestlé, « Cœur de Saveur », artichauts-cabillaud au cerfeuil (8 mois)

Purées et potages

Il n'existe aucune différence entre les différentes purées vendues dans le commerce, même si Blédina a fait le choix d'enrichir ses préparations en vitamine B, ce qui est plutôt judicieux. Ces produits visent surtout à aider la maman dans la préparation de la nourriture. Il ne faut donc pas se priver de cette aide précieuse, surtout lorsqu'on sait que leurs valeurs nutritionnelles sont extrêmement proches de celles des produits frais !

En ce qui concerne les potages, il n'est pas intéressant de rechercher des arômes ajoutés. De plus, ils sont souvent déjà salés, il est donc inutile de les saler à nouveau. En revanche, on peut très bien y ajouter une cuillère à café de crème fraîche, d'huile ou de beurre, si on craint que l'enfant n'ait pas suffisamment à manger. Cependant, comme la quasi-totalité des marques sont équivalentes, il n'y a donc pas lieu de proposer des produits particuliers.

DE 1 À 6 ANS

L'avis du nutritionniste

Dans cette partie du livre, nous avons décidé de créer trois catégories d'âges : de 1 à 3 ans, de 3 à 6 ans et de 6 à 9 ans. Pourquoi ? Tout simplement parce que ces dates marquent des changements d'ordre social. En effet, de 1 à 3 ans l'enfant est le plus souvent en crèche ou en garde à la maison. De 3 à 6 ans, il va à l'école maternelle. Et à partir de 6 ans, il découvre les délices de l'école primaire.

À l'âge de 6 ans, son comportement par rapport à l'alimentation va radicalement changer, d'abord en raison d'un éveil intellectuel qui l'autonomise, mais aussi parce que son accès à la nourriture devient personnel. Nous envisagerons d'ailleurs les problèmes que cela pose autant à l'enfant qu'aux parents.

L'enfant de 1 à 3 ans

Jusqu'à l'adolescence, nous ne le répéterons jamais assez, seule la croissance de l'enfant est prioritaire. Dès lors, les régimes restrictifs sont plus dangereux que bénéfiques. Cela ne signifie pas une totale indifférence, mais plutôt un contrôle hygiénique de l'alimentation de la part des parents. Les besoins nutritionnels d'un enfant de cet âge sont beaucoup plus élevés qu'à tous les autres âges de la vie ; de plus les besoins énergétiques de l'enfant sont liés à ses activités physiques or, depuis que l'on connaît les problèmes liés à l'obésité, celle-ci est devenue un sujet de préoccupation majeur.

De 1 à 3 ans, l'apprentissage alimentaire continue à se poursuivre sur le mode de la diversification, car il faut continuer à faire connaître à l'enfant l'ensemble des aliments dont il dispose et dont il va avoir l'usage durant sa vie. Cependant, il demeure totalement dépendant de son environnement, puisque, à l'exception de quelques friandises, il est fort rare que l'enfant ait spontanément envie de se servir lui-même d'un aliment plus roboratif.

Pour un enfant, l'amour du sucre n'est pas une déformation. L'attirance vers les produits sucrés est à la fois universelle et naturelle, comme des études scientifiques l'ont prouvé, réalisées à partir d'observations des « mimiques » des nourrissons en contact avec des aliments sucrés, salés, amers ou acides, ou de tests pratiqués chez différentes peuplades.

Plusieurs explications sont proposées par ceux qui ont étudié ces mécanismes. Pour certains, cette attirance serait transmise génétiquement, les nouveau-nés répondant de façon positive aux stimuli sucrés et de façon négative aux stimuli salé, amer et acide.

Une autre explication consiste à dire qu'il s'agirait d'une spécificité de race, la préférence pour le goût sucré chez le nouveau-né s'expliquant par sa recherche en aliments riches en énergie, pour lui exclusivement incarnés par le lait qui possède une saveur sucrée. Les substances salées ou amères, quant à elles, seraient rejetées parce qu'elles auraient un potentiel toxique. L'appréciation du goût étant depuis le nouvel âge un gardien de l'organisme, celui-ci permettrait de départager le bon du mauvais dans l'alimentation. Il semble également que l'ensemble des perceptions du nourrisson l'incite à la consommation alimentaire : sa vue, son toucher, son odorat lui donneraient des sensations pouvant lui faire apprécier plus ou moins certains aliments.

En fait, comme il n'existe pas d'explication définitive sur ce sujet, de plus en plus on a tendance à mettre en avant des motifs sociologiques comme la culture, le psychisme ou l'origine géographique.

Dans un ouvrage précédent[1], j'ai eu l'occasion de parler de la carte d'identité alimentaire qui montre que notre façon de manger n'est pas exclusivement déterminée par nos goûts, mais aussi par les habitudes qui nous ont été conférées, selon notre origine géographique, notre tradition familiale, notre psychisme ou notre milieu socio-économique.

Comprenons bien que dans cette période, l'éducation alimentaire va être à la fois le reflet de trois préoccupations : la nécessité d'apprendre à l'enfant à devenir omnivore, c'est-à-dire manger de tous les aliments, mais aussi celle d'assurer un développement harmonieux ainsi que son appartenance à sa famille pour lui donner une identité sociale.

L'éducation d'omnivore est un devoir chez le parent parce qu'elle sert à protéger l'enfant et à lui fournir la meilleure alimentation possible pour sa croissance, tout en lui apprenant à éviter par la suite ses méfaits. Une quadrature du cercle puisqu'il s'agit, également, de ne pas renier l'esprit de la famille à laquelle il appartient et de faire passer grâce à la nourriture l'ensemble des paramètres alimentaires de sa tribu.

Dans les recettes de ce livre, Myriam a donné des noms à chacun de ses plats afin de montrer qu'il existe une poésie de la nourriture pour enfants complétant avec harmonie les repères du tableau nutritionnel. En effet, si nous nous contentions de donner aux plus jeunes une nourriture strictement adaptée à leurs besoins sans laisser une part de liberté à la maman, nous perdrions notre spécificité d'être humain. Car l'alimentation possède trois grandes particularités : elle sert à vivre (elle est biologique), elle sert à prendre du plaisir (elle est hédoniste), elle sert à exercer la convivialité (elle se prend en société).

Voilà pourquoi, dans le cadre de l'alimentation de l'enfant de 1 à 3 ans, la préoccupation majeure est de lui donner une alimentation la plus diversifiée possible, compatible avec les goûts de l'âge, et pas incompatible avec ses dégoûts. Elle consiste à lui servir les mets que la maman a envie de donner à manger parmi

_____
1. *Au bonheur de maigrir*, Flammarion, 2003.

un large choix pour lui faire tester les goûts dont elle l'a déjà imprégné dans son utérus.

Deux études menées sur des animaux ont été particulièrement révélatrices sur ce point. Dans la première, on a nourri des rates, pendant leur gestation, avec une alimentation enrichie en ail. Celles-ci ont donné naissance à des petits qui se sont montrés très clairement attirés par les goûts aillés. Dans la seconde, deux groupes de lapines ont été soumis à des régimes alimentaires contrastés. Et les lapines recevant une nourriture enrichie en baies de genièvre ont donné naissance à des lapereaux qui préféraient significativement cet arôme.

Ces exemples démontrent bien que la nature même de l'alimentation d'une femme tend à déterminer les goûts alimentaires du futur enfant. Pourquoi, à l'âge de deux ans, se priverait-on donc de faire manger à son enfant les aliments qu'on lui faisait consommer in utero ?

De 1 à 3 ans, notre mission sur le plan strictement biologique consistera donc à délivrer à l'enfant des rations alimentaires conformes aux données du tableau ci-dessous.

Tableau des apports journaliers recommandés pour un enfant de 1 à 3 ans

	Énergie	Protéines	Lipides	Glucides
	kcal/24 h	g/24 h	g/24 h	g/24 h
1 à 3 ans G	1 100-1 400	40-50	42-55	135-175
1 à 3 ans F	1 000-1 400	37-50	40-55	125-175

Minéraux	Calcium	Phosphore	Fer	Magnésium	Iode	Cuivre	Zinc	Sélénium
	mg/24 h	mg/24 h	mg/24 h	mg/24 h	µg/24 h	mg/24 h	mg/24 h	µg/24 h
1 à 3 ans G	600	350	8	100	0,07	0,8	6-10	20
1 à 3 ans F	600	350	8	100	0,07	0,8	6-10	20

Vitamines	Vit A	Vit B9	Vit B1	Vit B6	Vit C	Vit D	Vit E
	µg/24 h	µg/24 h	mg/24 h	mg/24 h	mg/24 h	µg/24 h	µg/24 h
1 à 3 ans G	400	100	0,4	0,6	60	10	6
1 à 3 ans F	400	100	0,4	0,6	60	10	6

Sur le plan pratique, l'enfant va puiser l'énergie dont il a besoin essentiellement à partir du lait, des laitages et des féculents. Le lait, en effet, reste jusqu'à la fin de la deuxième année un aliment essentiel à sa croissance autant à cause des calories qu'il contient que grâce aux protéines qu'il apporte. Les fruits et légumes seront la nouvelle source d'apport en vitamines, minéraux et oligoéléments. L'introduction des protéines animales contenues dans l'œuf, les viandes, poissons ou fromages permet de compléter cet apport, notamment parce qu'elles se croisent harmonieusement avec les autres protéines. Chaque aliment étant composé de plusieurs nutriments, la variété alimentaire permet dès lors d'éviter toute carence, y compris en micronutriments. De plus, il n'est pas inutile d'ajouter à cet âge un peu de matières grasses de façon à éviter une carence en acides gras essentiels. Un peu de beurre dans les petits pots ou dans les purées garantit à la fois une bonne ration énergétique et de bons apports nutritionnels. Cette recommandation, surprenante dans le contexte actuel de réduction de l'obésité, s'applique complètement à cette période de la vie, car les matières grasses contenues dans le lait ou le beurre sont intéressantes chez l'enfant.

De même, il ne sert à rien de vouloir obliger un enfant à manger des mets qu'il ne souhaite pas consommer : la variété des légumes et des fruits est si large que le convaincre d'en goûter quatre ou cinq par jour, comme c'est le bon usage désormais, se révèle beaucoup plus aisé que prévu. C'est pourquoi Myriam a utilisé pour les recettes les fruits et légumes que l'on peut donner aux enfants de cet âge pour lui proposer des goûts différents. Il est toutefois important de lui servir des aliments à la mesure de sa mastication, de sa compréhension personnelle et des désirs qu'il manifeste, n'étant pas interdit de lui laisser apprécier un produit plutôt qu'un autre.

Il est également raisonnable de lui apprendre à consommer quatre repas par jour : le petit déjeuner, le déjeuner, le goûter et le dîner. Tout comme il est primordial de lui inculquer le sens des rations, en évitant le trop peu et en contrôlant le trop quand il réclame exagérément. Et encore est-il possible de se poser des questions quant à cette démarche, puisqu'on ne peut ignorer une demande d'enfant correspondant peut-être à un besoin de croissance. Dès lors que le repas est pris à table avec des aliments choisis par les parents, toute requête supplémentaire doit être satisfaite : il s'agit là de points de croissance prioritaires qui n'ont pas à pâtir des phobies de l'adulte, celui-ci ayant souvent tendance à projeter ses propres angoisses sur sa progéniture.

Le seul besoin préoccupant des enfants de cet âge demeure la quantité de vitamines D, de calcium et d'acides gras essentiels qu'ils vont consommer. Pour la quasi-totalité des autres nutriments, quand est donnée une alimentation suffisante et suffisamment diversifiée à un enfant, il n'existe quasiment aucune possibilité de carence. Même le calcium et les acides gras essentiels, dans le cadre d'une alimentation diversifiée, vont se retrouver en nombre suffisant. En ce qui concerne la vitamine D, vous verrez dans la liste d'aliments des tableaux ceux qui en contiennent : il suffit donc simplement d'en faire manger un peu plus à son enfant pour couvrir ses éventuels manques.

Pour les besoins en sucre, il faut savoir que l'enfant en consomme dans tous les produits que l'on donne à cet âge, comme le chocolat, les confitures, le miel, les pâtisseries, les biscuits, certaines boissons au sirop, certains sodas, certains desserts lactés ou glaces. De ce fait, l'interdit strict des produits genre sucettes ou bonbons peut se révéler beaucoup plus dangereux que le fait de les lui laisser consommer, ce type d'interdiction risquant de développer des frustrations. À cet âge, la règle de la raison prévaut, puisque l'enfant dépend largement de celui qui lui sert à manger et qu'il est en période d'apprentissage. Selon le même principe de diversification, l'enfant doit donc avoir la possibilité de consommer des confiseries et, de la même façon que pour les autres produits, d'apprendre à le faire de manière raisonnable. Si son goût des confiseries est trop prononcé, c'est qu'il ne reçoit vraisemblablement pas son compte de sucre sous d'autres formes.

La diversification comprend aussi des produits qui peuvent être interdits à certains adultes ayant des problèmes. J'ai dès lors tenté de concevoir, à destination des parents particulièrement soucieux de l'alimentation de leurs enfants, un tableau récapitulant la gamme de produits que l'on peut trouver dans l'alimentation des enfants de cet âge, avec leurs teneurs moyennes en protéines, lipides et glucides. Bien entendu, l'idéal reste de piocher dans chaque classe d'aliments, mais, si l'enfant refuse de prendre un produit, il est possible de compléter ou de partager la ration en recourant à son voisin comme le signale le OU.

Pour vous aider et vous permettre de ne pas regarder les valeurs de chaque produit, voici d'abord une table récapitulative de la composition moyenne des aliments de cet âge.

Tableau de composition moyenne des aliments

	Teneur moyenne en g pour 100 g		
	Protéines	Lipides	Glucides
Groupe glucides complexes			
Biscuit (1 biscuit = 10 g)	1	1,7	70
Pain et dérivés	7	0,8	55
Céréales	8,5	7,1	72,5
Féculents	1 à 3	1 à 2	40-60
Groupe glucides simples			
Produits sucrés (bonbons-confiseries)	0	0 à 3	70
Sucre-confiture	0	0	100
Jus de fruits	0	0	10
Groupe protéines			
Volaille/viande	20	10 à 15	0
Œuf (pour 1)	8	7	0
Poisson	17	1 à 4	0
Yaourts/laitages	4	4 à 7	4 à selon
Fromages	10 à 20	20 à 32	2 à 6
Lait entier	3,2	3,6	4,8
Lait de suite	2,6	2,6 à 4,6	5 à 10
Groupe micronutriments-fibres			
Légumes ou crudités	2	0,1	8
Potage	2	0,1	8
Fruits	1	0,1	10
Groupe matières grasses			
Beurre ou huile	0	80 à 100	
Crème fraîche	2	35	3

Cet autre tableau illustre l'alimentation idéale pour un enfant par jour. À cet âge, les parents choisissent la répartition des aliments selon les habitudes de leur progéniture.

Tableau des apports alimentaires conseillés

Aliments de 1 à 3 ans	Quantité par jour	Énergie (kcal)	Protéines/g
Lait entier OU	Minimum 350 ml-maximum 600 ml	240 à 420	11 à 20
Lait de suite	Minimum 350 ml-maximum 600 ml	240 à 420	9 à 16
Yaourts/laitages OU	Minimum 2 (200 g)	100 à 200	4 à 8
Fromages	20 à 40 g	70 à 150	2 à 8
Biscuit (1 biscuit = 10 g) OU	1 à 2	30 à 80	0,1 à 0,2
Pain et dérivés OU	20 à 30 g	50 à 75	1 à 2
Céréales	2 à 5 cuillères à soupe (15 à 30 g)	60 à 120	1,5 à 2,5
Légumes OU	Minimum 100 g à volonté	Minimum 40	Minimum 2
Potage	Minimum 100 g à volonté	Minimum 40	Minimum 2
Fruits OU	Minimum 100 g à volonté	Minimum 50	Minimum 1
Jus de fruits	50 à 200 ml	Minimum 50	
Féculents	Minimum 100 g à volonté	Minimum 100	Minimum 2
Volaille/viande OU	30 g à 50 g	60 à 100	5 à 10
Œuf (pour 1) OU	1	40 à 100	4 à 8
Poisson	40 g à 70 g	40 à 90	7 à 12
Beurre – huile – crème	Minimum 20 g maxi 30 g	100 à 280	
Produits sucrés OU	0 à 20 g	0 à 80 kcal	
Jus de fruits	0 à 200 ml	0 à 100 kcal	

Sur les conseils de Myriam, j'ai choisi d'inclure dans ce tableau des biscuits consommables selon l'âge de l'enfant, autrement dit des gâteaux secs ou fourrés à la confiture, estimant qu'à cet âge-là l'introduction du chocolat n'était pas nécessaire ou pouvait se faire par le biais des céréales. C'est ce qui nous a conduit à élaborer une répartition conseillée des repas, laquelle peut être modifiée en fonction du rythme de chaque enfant. Les recommandations en terme de quantité proposées ici sont surtout valables pour les aliments contenant des protéines, à savoir la volaille, la viande, les œufs, le poisson, les yaourts, les laitages, le fromage et le lait.

Pour tous les produits contenant des glucides, autrement dit les biscuits, le pain, les céréales, les fruits, les légumes ou les féculents, il est convenu de laisser l'enfant en manger autant qu'il en a envie pour qu'il puisse répondre lui-même aux besoins énergétiques de son corps et s'assurer une croissance harmonieuse.

Dans les tableaux récapitulatifs des différents besoins de l'enfant nous avons en outre indiqué les minima à respecter. Ce qui vous prouve que la fourchette des variations est relativement large et que lorsque les minima sont respectés, la croissance s'effectue sans problème.

Enfin, en ce qui concerne les produits recommandés, nous avons, bien entendu, considéré les différentes valeurs en vitamines, minéraux, oligoéléments qui composent l'alimentation d'un enfant de cet âge, pour pouvoir, par le biais de la diversification, offrir une couverture nutritionnelle suffisante et satisfaisante.

L'enfant de 3 à 6 ans

Je voudrais commencer cette partie en vous racontant deux histoires qui me sont arrivées au cours de ces dernières années.

La première concerne un enfant d'environ cinq ans vu en consultation récemment. Sa mère, qui avait pris rendez-vous avec moi en raison d'une obésité extrêmement conséquente, est entrée dans mon bureau accompagnée de Stanislas, ainsi que, curieusement, de la grand-mère de ce jeune garçon. Après quelques phrases, je compris qu'il s'agissait d'une famille d'immigrés d'Europe de l'Est vivant dans un quartier populaire de la banlieue parisienne. Et aussi que je devais, évidemment, être d'emblée attentif au cas de cet enfant, les quêtes de perte de poids chez des patients de son âge nécessitant d'être particulièrement bien évaluées.

Pour commencer, la mère a pris un air désolé en me montrant son fils, me présentant sa situation corporelle comme une véritable catastrophe familiale, discours que la grand-mère écoutait en hochant régulièrement la tête. Alors que cette mère semblait affectueuse et absolument pas dans une attitude de rejet, Stanislas adopta sur-le-champ un comportement étonnant. Il se mit à croiser les bras en me regardant d'un air extrêmement agressif, voire violent, attitude plutôt surprenante pour un enfant de son âge. J'ai procédé, comme à mon habitude, à l'interrogatoire médical me permettant d'écarter une maladie sous-jacente éventuellement responsable du surpoids, puis, j'ai entamé l'interrogatoire alimentaire. C'est au moment où la maman me décrivait le petit déjeuner qu'il me fallut cacher ma surprise. Elle m'expliqua, en effet, que son fils consommait exclusivement de la viande hachée et des frites à ce repas et refusait toute autre nourriture. Vous imaginez ma tête de médecin habitué aux tartines de beurre et de confiture. Mais je n'étais pas au bout de mes surprises. Le reste de la journée alimentaire de ce garçon s'apparentait à une débauche comme je n'en avais jamais vu. Et pendant que cette mère m'expliquait naturellement ce qu'elle servait à son fils, la grand-mère, elle, souriait béatement.

Au fil de l'entretien, Stanislas commença à manifester de plus en plus clairement son agressivité, jusqu'à déclarer qu'il voulait sortir de mon bureau en tapant du pied et en me menaçant du poing.

J'avais, de manière évidente, affaire à une histoire d'investissement alimentaire particulièrement aiguë. La grand-mère venant de l'Europe de l'Est, où la nourriture, source de vie, est considérée comme sacrée et où tout manque pose plus de problème que l'excès que nous avons l'habitude de gérer en Occident, la mère, en nourrissant son fils, reproduisait le schéma alimentaire qu'elle avait connu au même âge et qui manifestait son attachement à sa propre mère. Stanislas, lui, était vraisemblablement en conflit, à la fois avec le monde extérieur en raison de son obésité qui l'écartait des autres enfants et le marginalisait, mais également avec sa propre famille, dont, je le notai, le père était totalement absent.

Malheureusement, je ne suis jamais parvenu à faire clairement comprendre à cette maman qu'elle était entièrement responsable de la prise de poids de son fils en lui donnant une alimentation qui n'avait rien de normal. Toutes mes tentatives pour lui expliquer

qu'elle cuisinait des aliments trop riches et trop abondants se sol-
dèrent par des échecs. Un peu comme si la nourriture, dans cette
histoire, ne servait pas à grandir mais à véhiculer les conduites
affectives entre la mère et la grand-mère, l'enfant et sa mère.

Que faire pour changer les choses ? J'ai adressé cet enfant à
un pédopsychiatre qui m'a raconté la suite de l'histoire. Dans les
premiers temps, comme il n'y avait aucune possibilité de dia-
logue avec Stanislas, mon confrère s'est contenté de lui demander de faire des dessins qu'il a conservés et m'a montrés par la
suite. Tous ses croquis traduisaient une violence intense, puisqu'il s'agissait de couteaux qui servaient à découper des animaux, d'hommes tachés de sang, de têtes tranchées... Des visions
terribles qui le choquèrent. Puis, un jour, le père est venu accompagner son fils – toujours en présence des deux femmes –, un
homme plutôt fade et sans relief, dont la discrétion démontrait
que la cellule familiale était dominée par une forme de matriar-
cat. Dans cette situation, elles remplissaient leur rôle exclusif de
mères nourricières, c'est-à-dire, pour elles, de bonnes mères. Il
en déduisit que le garçon avait perçu très jeune les conflits que
pouvait engendrer cette situation et que, ne sachant s'exprimer
autrement que par des réactions alimentaires, il avait manifesté
son amour envers sa mère en avalant tout ce qu'elle lui proposait
et en lui en demandant encore plus. Il jouait le jeu, mais, en
même temps, intériorisait la situation et contenait une violence
extrême qui débordait par le biais du dessin.

Pourquoi m'étendre sur cette histoire ? Parce qu'elle est édi-
fiante et souligne que c'est un âge pendant lequel deux éléments
sont extrêmement importants : le début de l'éducation alimentaire et les rapports psychoaffectifs qui se glissent lors de la déli-
vrance de la nourriture.

La seconde histoire illustre encore mieux ces rapports psychoaffectifs à la nourriture. Bastien est un enfant de cinq ans que
ses parents m'amènent en consultation à cause de son alimentation extrêmement monotone, me déclarant, l'un et l'autre, que
leur fils s'alimente uniquement de crêpes, de frites voire de
quelques œufs. Et s'ils essaient de lui donner autre chose, il

refuse systématiquement, pouvant aller jusqu'à ne pas manger deux repas d'affilée.

Ce genre de comportement est, là encore, suffisamment rare pour qu'il m'interpelle. Et, à nouveau, le comportement extrêmement agressif de Bastien envers moi, comme s'il voulait que je ne rentre pas dans ce jeu à trois mis en scène entre le père, la mère et lui, m'intrigue. À la fin de la consultation, j'ai en fait expliqué à ce couple qu'il ne s'agissait pas pour leur fils d'une conduite anorexique, mais plutôt d'une crise d'opposition violente et d'affirmation à travers la nourriture. Je leur ai donc demandé de rester sereins et de préparer désormais à leur garçon une alimentation extrêmement variée, au risque de le laisser ne pas manger, n'ayant aucune crainte de voir cet enfant se laisser dépérir.

En m'entendant, la réaction de Bastien fut terrible : il sortit de mon bureau en claquant la porte et déclara à ses parents qu'il ne souhaitait plus jamais revenir me voir. Je lui avais en effet déclaré, devant témoins, que son comportement me laissait totalement indifférent, mais que, si j'étais à la place de ses parents, j'aurais probablement eu envie de lui donner une bonne fessée. Je lui avais même dit que s'il continuait à être insolent avec moi, je l'enverrais au fond de la pièce et qu'il aurait de mes nouvelles. À vrai dire, je me suis surpris moi-même en affichant une telle dureté et une telle autorité sur lui, mais je souhaitais creuser ce rapport de force afin de voir où se trouvait la limite de Bastien.

Furieux, ils sont tous les trois partis et je m'attendais à ne plus jamais les revoir. Deux ou trois mois plus tard, ils revinrent pourtant en consultation et, à ma grande surprise, à la demande précise de Bastien, dont le comportement s'était totalement modifié puisqu'il était devenu particulièrement aimable et affectueux, allant même jusqu'à se précipiter dans mes bras pour m'embrasser.

Bien entendu, la suite de l'histoire s'était déroulée chez eux. La maman m'expliqua que suite à cette consultation, une violente dispute avait éclaté à la maison, dispute au cours de laquelle elle avait reproché à son mari son total manque d'autorité à l'égard de l'enfant, un manque d'autorité qu'elle attribuait au fait que Bastien était le quatrième enfant de ce père et son premier à elle. Il y avait là une complexité des relations interfamiliales tellement importante que Bastien, qui ne supportait vraisemblablement pas les conflits entre ses parents, voire un conflit qu'il percevait mais était latent, avait choisi d'affirmer sa présence au travers d'un trouble alimentaire qu'il avait fabriqué de toute pièce.

Le couple des parents, n'ayant pas résisté à cette « guerre alimentaire », décida de divorcer. Mais, aujourd'hui, Bastien mange de tout et normalement, à la fois chez son père et chez sa mère, qu'il aime autant l'un que l'autre, mais dont il n'est plus la victime.

Ces deux histoires, qui n'ont rien de particulièrement dramatique, démontrent bien que cet âge est extrêmement important dans la mesure où il va cristalliser deux éléments : le facteur éducatif, dont les parents sont responsables, et le facteur psychologique.

Sur le plan éducatif

Nous le savons, c'est un âge où les parents détiennent une grande responsabilité. Une responsabilité qui n'est d'ailleurs pas toujours facile à assumer. C'est en effet l'âge où l'enfant s'échappe dans la rue et décide de traverser un boulevard de grande circulation. Dans ce genre de situation, il va de soi de gronder l'enfant, de lui interdire de traverser et de lui tenir la main. Eh bien, pour reprendre un exemple qui a trait à l'alimentation, un enfant qui aurait un comportement turbulent à l'égard de la nourriture, c'est-à-dire une tendance naturelle à manger beaucoup plus que sa croissance ne le nécessite, justifie de ce type de traitement ferme ou autoritaire.

La mission des parents consiste donc à vérifier son éducation progressive à la faim. Il doit manger lorsqu'il a faim, cesser de manger lorsqu'il n'a plus faim. Et, lorsqu'il prend des friandises, c'est en toute connaissance de cause, autrement dit la friandise correspond à un besoin de se faire occasionnellement plaisir avec la nourriture.

Cette étape, relativement importante, ne doit pas être parasitée par des facteurs psychologiques. Donner à manger à son enfant ne revient pas à lui servir de l'amour. On ne remplace pas un câlin par du chocolat, ni un manque de temps ou d'intérêt par des biscuits ! Un stockage alimentaire excessif dans les placards n'est pas un signe d'affection débordant à l'égard de ses enfants, mais plutôt une forme de laxisme envers leur consommation alimentaire. Or, aujourd'hui, on voit régulièrement des scènes paradoxales où des parents veulent montrer leur amour à leurs enfants en leur distribuant de la nourriture et où, quelques années plus tard, les mêmes, toujours pour témoigner de leur affection, les emmènent chez des médecins pour les contraindre à maigrir !

Soyons raisonnables. L'enfant, tout au long de sa vie, sera en contact permanent avec des aliments et des sollicitations de plus en plus complexes. Il regarde, comme tous les autres, les publicités à la télévision, même ses propres camarades sont des réclames vivantes lorsqu'ils amènent avec eux quelques douceurs à l'école. Il s'agit donc de lui apprendre à utiliser les produits industrialisés, sans excès dans la réprobation ni leur utilisation. Finalement, la meilleure façon de faire un pied de nez aux industriels qui inventent régulièrement de nouveaux aliments destinés aux plus jeunes, c'est de les faire tester aux enfants eux-mêmes afin de leur en montrer la qualité – ou pas – tout en leur apprenant à gérer leur désir. Quitte à leur faire un cours d'éducation alimentaire commençant tout bêtement par la possibilité de s'abîmer les dents, et, plus tard, par celle de prendre trop de poids.

C'est vrai, en tenant ce discours, j'ai le sentiment d'être un peu optimiste, mais je crois que le simple fait de dire non à la consommation d'une seconde barre chocolatée, en expliquant à son enfant que c'est assez, peut parfois suffire à lui faire maîtriser des pulsions alimentaires relevant de la simple attraction naturelle pour un produit gras et sucré.

C'est une période où il est également important de donner à son enfant la notion des rations. Le fait de mettre tous les jours dans son assiette une portion de légumes, une autre de viande, d'installer à côté un petit morceau de pain et de lui donner deux carrés de chocolat au lieu de quatre... vont fabriquer sa vision d'un repas équilibré.

Le problème principal est donc de bien appréhender ces rations. En ce qui concerne les aliments riches en protéines, nous avons tenu à donner des portions chiffrées de façon à ajuster strictement leur quantité. Pour la plupart des autres aliments, nous avons plutôt proposé une ration minimum à partir de laquelle les parents peuvent augmenter les quantités pourvu que ce soit en fonction de l'appétit de l'enfant et non du désir des parents de servir plus. C'est pour cette raison que Myriam m'a précisé le nombre de cuillères à soupe de purée, de légumes, de yaourts que l'on donne en général. Et seules les sensations d'appétence de l'enfant sont susceptibles de faire augmenter ces rations. Encore une fois, comme cela correspond à une phase de croissance, s'il s'agit d'un vrai appétit qui ne concerne pas uniquement des friandises, il n'y a pas à hésiter : il faut répondre à la demande de nourriture exprimée par son enfant.

Le dosage du plaisir de manger passe aussi par le vocabulaire. Sans nous en rendre compte, nous avons tendance à qualifier d'emblée les aliments les plus appétissants et les plus riches en les réduisant à des « récompenses » tandis que les aliments les plus utiles sont présentés comme « de croissance ». Si vous étiez un enfant vers lesquels iriez-vous ? C'est donc aussi pour cette raison que le caractère normal d'une alimentation variée et diversifiée, incluant la totalité des produits que nous allons énumérer, est fondamentale. Mais ce point est à apprendre autant à l'enfant qu'aux parents, lesquels agissent eux-mêmes par rapport à leurs propres réactions alimentaires. Si vous avez des réactions alimentaires parfaitement normales, vos risques sont moindres, alors que si vous entretenez des difficultés avec la nourriture, vous risquez de les transmettre. Une fois que vous aurez pris conscience de ces difficultés, ne tentez pas l'excès inverse, mais essayez d'apprendre à votre enfant ce qui aura manqué à l'enfant que vous étiez, vous.

Le grand débat sur les boissons et sodas laisse, quant à lui, souvent de côté un paramètre important : pourquoi laissons-nous nos rejetons boire ce type de breuvage ? Car soyons clair, l'introduction dans l'alimentation des sodas relève seulement de notre propre désir, les enfants ne connaissent ces aliments que parce qu'on les a introduits à la maison. Autant je pense que tout interdit alimentaire s'avère inutile, autant je trouve que l'introduction de sodas, même *light*, n'a aucun intérêt au moment des repas, puisque rien ne justifie leur consommation. Ils pétillent, sont gazeux et rarement appréciés dans les tout premiers âges. De plus, nous savons qu'ils sont extrêmement sucrés, ne suffisent pas à rassasier les enfants, alors que le goût du sucre les conduira à en consommer à nouveau. Voilà pourquoi ces boissons ne devraient en aucun cas être proposées par les parents, plus par inutilité que par nocivité.

Sur le plan psychologique

La nourriture est délivrée à l'enfant dans un contexte « conscient ». L'alimentation ne se contente pas seulement de jouer le rôle de vecteur de vie et de santé, elle sert à la fois de jeu, de récompense, de punition. Les aliments sont également la manifestation des sensations que nous percevons mais ne pouvons pas exprimer envers notre enfant ou nos parents. Un peu comme si nous étions au milieu d'une ligne, à la gauche de laquelle se trouveraient nos parents et de l'autre côté notre progéniture, nous avons donc tendance à reproduire des comportements alimentaires issus du passé et à vouloir les transmettre aux générations à venir. La recherche de l'équilibre prend dès lors une valeur autant intellectuelle qu'alimentaire : il s'agit de la quête de l'égalité entre la possibilité de dire oui ou non à un enfant et la quantité d'amour qu'on lui donne, sans que cette quantité d'amour l'étouffe ou lui manque.

L'éducation alimentaire réussie, qui fera des parents de bons éducateurs, est donc une éducation affectueuse, modérée, sereine, mais ferme s'il est besoin.

Tous ces conseils, quelque peu théoriques, sont ni plus ni moins l'expression du bon sens. En effet, les parents comme les enfants ne doivent pas être stressés par l'alimentation, ni la survaloriser ou la dévaloriser. À la lecture de cette partie, si vous ne deviez retenir que deux mots, ce seraient « équilibre » et « pondération ».

Sur le plan biologique pur

Vous trouverez ci-dessous les valeurs de tous les nutriments dont les enfants entre 3 et 6 ans ont besoin.

86

Tableau des apports journaliers recommandés
pour un enfant de 3 à 6 ans

	Énergie	Protéines	Lipides	Glucides
	kcal/24 h	g/24 h	g/24 h	g/24 h
3 à 6 ans G	1 400-1 900	50-70	55-74	175-235
3 à 6 ans F	1 400-1 700	50-65	55-65	175-210

Minéraux	Calcium	Phosphore	Fer	Magnésium	Iode	Cuivre	Zinc	Sélénium
	mg/24 h	mg/24 h	mg/24 h	mg/24 h	µg/24 h	mg/24 h	mg/24 h	µg/24 h
3 à 6 ans G	800	450	8	150	0,09	1	8-10	30
3 à 6 ans F	800	450	8	150	0,09	1	8-10	30

Vitamines	Vit A	Vit B9	Vit B1	Vit B6	Vit C	Vit D	Vit E
	µg/24 h	µg/24 h	mg/24 h	mg/24 h	mg/24 h	µg/24 h	mg/24 h
3 à 6 ans G	450	150	0,6	0,8	75	5	8
3 à 6 ans F	450	150	0,6	0,8	75	5	8

Dans le cadre d'une alimentation diversifiée et suffisante, il n'existe quasiment pas de risque de carence chez les enfants. Tout au plus, jusqu'à la fin de la cinquième année, dans les périodes de faible ensoleillement, est-il recommandé d'avoir un apport en vitamine D un peu supérieur. Vous trouverez toutefois précisés quelques aliments qui en contiennent plus spécifiquement et dont il est parfois utile d'augmenter les quantités chez les enfants.

Les rations à délivrer sont établies selon l'évolution de leur croissance. Voilà pourquoi les fourchettes larges sont recommandées, fourchettes que vous pourrez utiliser en fonction des recommandations données par votre pédiatre et des courbes de croissance. À un enfant qui grandit vite, on donne plus, bien entendu, qu'à un autre qui grandit moins et pour lequel on surveille particulièrement l'alimentation.

Sur le plan alimentaire

L'heure est venue d'introduire un certain nombre d'aliments que l'enfant va retrouver tout au long de sa vie. Des aliments qui ressemblent plus à ceux que nous consommons nous-mêmes qu'à ceux que le bébé avalait jusqu'à l'âge de 3 ans.

En ce qui concerne le lait, en dehors de toute manifestation d'intolérance, celui de vache convient parfaitement. On donnera du lait entier à la quasi-totalité des enfants et du demi-écrémé à ceux pour qui on cherche à doser avec précision l'alimentation ou pour lesquels on s'inquiéterait d'une prise de poids anormale.

Pour les produits céréaliers, l'heure est venue de montrer à l'enfant qu'il existe différents types de produits dérivés du pain, autrement dit les brioches, les pains au lait et autres viennoiseries. Évidemment sans exagérer, puisqu'il aura largement le temps d'apprendre ce qu'est un croissant aux amandes ultracalorique.

Les confitures, bonbons, confiseries sont délivrés, bien entendu, au prorata du goût de l'enfant mais ils ont dans ce cas plus une valeur éducative qu'une valeur fondamentale biologique.

C'est peut-être l'occasion de montrer aussi qu'on mange une sucette mais pas deux, et qu'on peut la consommer en la dégustant doucement sans la croquer. C'est encore le moment de parler de l'avantage des aliments et des dangers pour ses dents d'une surconsommation sucrée.

Les jus de fruits sont plus considérés comme une variété de sucreries que comme une boisson. Ils n'ont pas le caractère de récompense ou d'un plaisir intense, mais traduisent plutôt le souci d'une diversification alimentaire sucrée. On essaiera de les servir notamment lorsqu'on introduit des aliments moins sucrés à un goûter ou à un petit déjeuner.

Pour les féculents, l'enfant a jusqu'à présent eu l'habitude d'en consommer de façon « nature ». Il est possible de jouer avec, en lui montrant qu'ils ne sont pas nécessairement meilleurs quand ils sont gras. Les frites, gratins, purées onctueuses seront servis à un rythme qui doit être équivalent à celui des autres produits.

La diversification va continuer sur les viandes, poissons ou œufs, qui peuvent d'ailleurs désormais se cuisiner selon des variantes plus amusantes ou plus drôles, de façon à préparer l'enfant au raffinement des futurs plats cuisinés qu'il trouvera en dehors de la maison.

En ce qui concerne les matières grasses, l'enfant qui n'a pas de maladie héréditaire ne présente en général pas de pathologie relative aux graisses. Voilà pourquoi il est important de varier les matières grasses sans interdit particulier.

C'est l'heure également des desserts sucrés que vous allez acheter ou fabriquer vous-mêmes. Nous avons tenu à spécifier quels étaient les produits à introduire à cet âge. Notre souhait est que l'enfant fasse un apprentissage du sucre mais pas qu'il en développe le goût de façon intense. C'est pour cela que les produits trop sucrés ou même trop gras, lorsqu'ils sont accompagnés de sucre, ne sont pas privilégiés par rapport à d'autres plus simples.

La notion de mélange des goûts est un problème capital de cet âge. La plupart des aliments réputés sucrés sont en fait des aliments gras. J'en veux pour preuve les barres chocolatées et le chocolat lui-même, qui sont perçus par l'enfant comme des friandises et prennent l'allure d'un produit sucré, mais dont les teneurs en graisse sont beaucoup plus importantes que celles en sucre.

Comme il est également illusoire de vouloir faire une prohibition de tous ces produits ou les restreindre de façon autoritaire, il convient d'en introduire à la maison mais à un rythme modéré, et de ne pas les survaloriser.

Ne vous laissez pas non plus intoxiquer par les publicités assénées sur les bienfaits de tel ou tel produit, soit pour la croissance de l'enfant, soit pour contrer d'éventuelles carences qu'il n'a pas, soit pour les bienfaits d'une quantité de lait contenue à l'intérieur. Ces messages n'ont d'autre but que de vous faire acheter plus. Vous observerez ainsi que sur la quasi-totalité des marques de céréales figurent des images de dessins animés ou des personnages enfantins liés à un plan marketing, preuve que vous êtes la cible d'un message publicitaire de type affectueux qui vise à vous assurer que vos achats se font uniquement dans l'intérêt de votre enfant. Mais, une fois que vous introduisez le produit chez vous, l'emballage cherche à distraire et apprivoiser l'enfant pour qu'il ait envie d'en redemander. Comme nous avons tous connu cela avec les bonbons qui contenaient à l'intérieur des devinettes ou des tatouages, la recette n'a pas changé.

Dans le groupe des céréales, nous avons privilégié les aliments diversifiés mais pas trop, de façon à ce que l'enfant puisse continuer à distinguer les différents goûts. Nous ne prendrons plus de céréales ou des biscuits tout simples, mais nous essaierons de nous situer dans une gamme intermédiaire parce qu'elle permet de varier l'alimentation sans entraîner l'enfant vers des excès trop importants.

Il est également intéressant de ressusciter les plats du passé : le riz au lait, la semoule au lait, les boudoirs... sont des friandises appréciées que nous oublions trop de proposer. Ce peut être l'occasion d'un jeu entre l'enfant et sa mère, pour qu'il apprenne non pas à faire la cuisine – c'est illusoire – mais à comprendre un peu plus le sens des aliments.

Quant à l'amour des fruits et des légumes, il est probablement donné à l'enfant au rythme décidé par les parents. Si, à l'âge adulte, nous avons nos propres goûts, acceptons de reconnaître ceux de nos têtes blondes et ne leur donnons pas systématiquement des aliments « bons pour la santé » qu'ils n'aimeraient pas.

Vous trouverez ci-dessous les rations proposées par type d'aliments. Bien entendu, l'idéal reste de donner un produit de chaque classe d'aliments en variant les offres, mais, au cas où l'enfant refuse d'en prendre un, on peut compléter ou partager la ration avec son voisin comme le signale le OU. Vous pouvez aussi trouver le tableau de la composition moyenne des aliments dans la partie de 1 à 3 ans.

Tableau des apports alimentaires recommandés de 3 à 6 ans

Aliments de 3 à 6 ans	Quantité par jour	Énergie (kcal)	Protéines (g)
Pain OU	40 à 80 g	100 à 200	3 à 6
Biscuit (10 g) OU	1 à 4 biscuits	40 à 160	0,1 à 0,5
Dérivés du pain OU	Maximum 50 g	Maximum 200	3 à 6
Céréales	4 à 6 cuillères à soupe (20 à 40 g)	80 à 180	3 à 6

Potages OU	Minimum 200 g à volonté	Minimum 80	Minimum 4
Crudités OU	Minimum 200 g à volonté	Minimum 80	Minimum 4
Légumes	Minimum 200 g à volonté	Minimum 80	Minimum 4

Aliments de 3 à 6 ans	Quantité par jour	Énergie (kcal)	Protéines (g)
Fruits OU	Minimum 200 g à volonté	Minimum 100	
Jus de fruits	Maximum 200 ml	Maximum 100	
Féculents	Minimum 200 g à volonté	Minimum 200	Minimum 2
Volaille/viande OU	60 à 80 g	120 à 160	12 à 16
Œuf (pour 1) OU	1 œuf	80	8
Poisson	80 à 100 g	80 à 120	14 à 17
Yaourts/laitages OU	Minimum 2 (200 g)	100 à 200	Minimum 8
Fromages	20 à 50 g	70 à 200	2 à 10
Lait entier OU	300 à 400 ml	240 à 320	11 à 13
Lait demi-écrémé	Minimum 350 ml à maximum 600 ml	160 à 270	11 à 20
Beurre ou huile OU	Minimum 20 g à maximum 30 g	70 à 210	
Crème ou sauce	Maximum 4 cuillères à soupe	Maximum 160	
Produits sucrés OU	10 à 30 g	40 à 120	
Jus de fruits	Maximum 200 ml	Maximum 100	

À cette période, les aliments s'étant complexifiés, il est possible de les intervertir entre eux. Bien entendu, le lait reste important, mais il peut avantageusement être remplacé par d'autres laitages, pourvu qu'on respecte la ration indispensable à l'enfant.

De 1 à 6 ans

Les conseils de la maman

La bonne éducation

Être parents n'est pas tous les jours facile. À cette étape de la vie de leur enfant, ces derniers doivent à la fois transmettre la notion de repas équilibré et inculquer le plaisir de la table, tout en faisant respecter la « bonne éducation ». Dès lors, une seule règle : prendre son temps et être patient.

L'acte alimentaire comporte une série de conduites complexes, difficiles à résumer si l'on prend en compte les différents âges, sexes et activités. Il s'agit pour les parents de promouvoir la notion d'alimentation équilibrée associée au bien-être et à l'activité physique, dès qu'ils grandissent. L'important étant de faire manger de tout aux petits, de les encourager à goûter, de les ouvrir à de nouveaux goûts nouveaux, de leur faire consommer des légumes... pour y parvenir, il faut savoir acheter, cuisiner, lire les étiquettes, composer un menu et induire l'éducation au bien manger.

Que doivent manger les enfants de cet âge ? Des lipides, des glucides, des protides combinés de multiples façons pour former les aliments. L'apprentissage des conduites alimentaires, qui doit tenir compte de l'état de maturité de l'individu, se fait tout d'abord par ce qui est proposé ou interdit par l'entourage. C'est ainsi que l'on apprend le répertoire alimentaire.

Cet apprentissage varie suivant les modèles qui sont offerts.

On imite un adulte pour grandir et pour lui ressembler. À nous donc de montrer le bon exemple.

L'éducation évolue en fonction de l'individu auquel on s'adresse. Selon l'âge, on ne propose pas les mêmes choses. Personnellement, il nous est arrivé de faire manger nos filles avant nous, parce que ce moment, qui leur était exclusivement consacré, favorisait bien souvent les échanges parents-enfants. Qui plus est, nous avions alors l'occasion de dîner ensuite en amoureux, car, il ne faut pas l'oublier, la famille c'est le papa, la maman, les enfants mais aussi le couple.

Déjouer les caprices

La période de 1 à 3 ans est un passage difficile dans le développement de l'enfant. Le risque est grand de trop simplifier les repas ou de ne pas respecter les bonnes portions. Quel parent n'a jamais été confronté à des petites crises du bébé devant lesquelles il se sent totalement démuni ? Souvent, ces épisodes sont mal vécus et la moindre cuillère repoussée par le chérubin ressentie comme une agression. Le repas devient alors un moment de tension. Pourtant, il est normal qu'un enfant refuse parfois de manger : c'est l'un des premiers moyens de pression qu'il peut exercer sur ses parents.

Dans ce cas, il faut essentiellement proscrire toute contrainte, ne jamais forcer, ne pas oublier le poids de l'affect, et savoir en parler avec le pédiatre. « L'alimentation n'est pas seulement une affaire de ration, mais aussi de relation. » J'en profite pour vous donner un conseil : pendant le repas, coupez la télévision et prenez votre temps. Ce moment doit être un temps de plaisir partagé.

Difficile, pourtant, de garder son calme lorsque son enfant refuse de manger. Rassurez-vous : plus de 75 % des enfants traversent, à un moment ou à un autre de leur développement, des périodes de refus alimentaires. Refus qui les aident à se construire et à se situer par rapport aux adultes. Par ses réticences votre enfant vous montre aussi sa personnalité : il n'est plus un simple prolongement de vous-même, prêt à accepter les yeux fermés ce que vous lui donnez. Désormais, il est capable d'émettre des choix pour aller progressivement vers l'autonomie. Lorsqu'un enfant refuse de manger, ayez dès lors à l'esprit qu'il ne se laissera jamais mourir de faim. Et puis, c'est presque une scène classique du répertoire : l'enfant, qui a du mal à faire respecter ses goûts, se bute tandis que sa mère, qui se sent coupable, angoisse, gagnée par le sentiment d'être une mauvaise mère. Or, l'enfant sait que son attitude la touche et que son refus l'aide à s'opposer à elle. Pourtant, avec un peu de souplesse, les cris et les larmes peuvent être évités.

Comment motiver un enfant à boire du lait, à consommer de la viande ou des légumes s'il n'en veut pas ? Comment l'engager sur la voie d'une alimentation saine ? Qu'est-ce qui peut bien couper l'appétit d'un tout-petit ? Et comment le stimuler ? Des questions que seules une immense compréhension et une dose considérable d'imagination peuvent régler.

Les raisons des caprices

Jusque-là votre enfant ouvrait grand la bouche lorsque vous approchiez la cuillère. Désormais, il lui arrive de refuser ou de bouder certains aliments et, parfois, de ne pas avoir faim. À cet âge, en effet, il communique de plus en plus avec son entourage, commence à parler, devient plus autonome et explore le monde qui l'entoure. Son appétit varie et vous voilà désemparée.

Je l'ai constaté à mes dépends, son refus de manger peut correspondre à un besoin d'affirmation, une attention particulière portée sur le chien qui remue la queue, sur la grande sœur qui fait le pitre, ou sur tout ce qui rentre dans son champ d'observation. De plus, son appétit fluctue d'un repas à l'autre et d'une journée à l'autre, suivant sa croissance qui est considérable jusqu'à l'âge de deux ans. Par conséquent, la longueur de ses repas risque de s'étirer. En règle générale, on ne peut qu'apprécier l'éveil de son enfant, et faire preuve de patience... ce qui ne veut pas dire pour autant qu'il faille céder à tous ses caprices.

Le recours à la ruse

À cette période, le lait doit rester l'aliment principal dans l'alimentation de l'enfant, car il demeure sa principale source de calcium et de vitamine D. Pour lui en faire consommer, tous les moyens sont bons. Gardez le biberon du matin, utilisez des verres attrayants, faites-le boire avec une paille... Aromatisez le lait avec de la grenadine, du chocolat en poudre, des jus de fruits... S'il n'aime pas le lait chaud, essayez le lait froid. Mettez du lait dans les soupes et dans les semoules. Faites-lui manger du lait sous forme de fromage, de desserts, de petits-suisses, de yaourts.

C'est la même chose avec les autres aliments : faites preuve d'imagination. S'il n'aime pas les haricots verts, laissez-le les manger avec les doigts comme si c'était des frites. S'il n'aime pas les légumes à l'eau, préparez des sauces tomate, des ragoûts de légumes ou laissez-le ajouter du ketchup.

Tout le monde connaît l'anecdote de l'introduction de la pomme de terre par Parmentier qui, pour la mettre à la mode, s'est mis une fleur de ce légume à la boutonnière. Sur ce modèle, j'ai inventé, au moment des repas, des dizaines d'histoires de légumes qui fascinaient mes filles.

En revanche, j'ai eu un jour le malheur d'acheter des poissons rouges qui ont eu l'indélicatesse de ne survivre que quelques mois, mais qui ont provoqué chez elles un refus catégorique de manger du poisson sous n'importe quelle forme pendant une longue période.

La variété à la rescousse

Les légumes et la viande permettent de jouer sur les saveurs, les couleurs et les textures. Cependant, pour conserver leurs particularités, les légumes ne doivent pas être trop cuits. Jouez sur la consistance, présentez-les en purée, râpés, en bâtonnets... Jouez sur la variété, car chaque légume apporte un ou plusieurs nutriments spécifiques et des goûts et des couleurs différents. Jouez sur la préparation, préparez des jus, des potages, des soupes, simples ou composés, des sauces, ajoutez du fromage... Lorsque vous introduisez un nouveau légume au menu d'un enfant, n'en servez d'abord que très peu, sans insister s'il le refuse, vous recommencerez une autre fois.

Il en est de même pour la viande. Variez les goûts : bœuf, foie de veau, agneau, dinde... Jouez les équivalences en lui proposant du poisson, du poulet, des œufs, du fromage... De même, face à un enfant qui refuse de manger de la viande, servez-la en sauce, mélangez-la à des pâtes, préparez-la en boulettes, hachée ou en pâté. De plus, pour simplifier la mastication, coupez-la en petits morceaux, hachez-la et proposez de petites portions. Enfin, comme pour les légumes, laissez-le mangez avec les doigts.

Une atmosphère détendue

Parallèlement à la qualité de votre menu, vous devez aussi créer une atmosphère détendue pour rendre les repas joyeux et profitables à tous les membres de la famille. Oubliez, pendant le temps du repas, les tracas de la journée. Même si, aujourd'hui, on revient un peu sur l'éducation de l'enfant-roi, permettez-lui de se mêler aux conversations, c'est souvent lui d'ailleurs qui vous fera rire. Si vous voulez aborder des sujets plus sérieux avec votre mari, faites-le après le repas ou faites manger les enfants avant vous. On évitera donc de regarder la télé en mangeant et on s'efforcera de respecter un horaire régulier.

À table, ne les forcez pas à tout avaler et servez-leur de petites portions pour qu'ils puissent en redemander. À un récalcitrant, laissez son plat de vingt à trente minutes puis retirez-le sans commentaire. Devant lui, ne parlez jamais de ses caprices. Enfin, ne cherchez pas la perfection dans vos repas, soyez vous-même détendue et n'oubliez pas de donner le bon exemple en ayant vous aussi une bonne hygiène alimentaire.

Manger comme un grand en dix étapes

L'alimentation des enfants en bas âge est différente de celle des adultes, même si, au fil des années, elle s'en rapproche progressivement. Prenez donc le temps de le laisser grandir à son rythme et ne soyez pas trop pressé. L'habitude est d'ailleurs de parler du premier âge et du deuxième âge, car, ce n'est qu'entre 1 et 3 ans que la maturité du système digestif est presque complète. Ces différentes phases sont particulièrement importantes pour l'éducation alimentaire des plus jeunes puisqu'elle vont permettre d'en établir les bases. Cela les aidera à se familiariser avec l'alimentation familiale et à prévenir les risques nutritionnels.

Les enfants ne perçoivent pas l'acte de manger comme les adultes. Ils s'intéressent aux nouveaux aliments et aux diverses façons de les manger. Ils examinent beaucoup ce qui est dans leur assiette avant de le porter à leur bouche. Quelquefois, ils n'acceptent un aliment que s'il est coupé d'une certaine façon. Un jour, ils aiment un aliment, le lendemain, ils le rejettent. Certains ne veulent boire leur lait que dans leur verre préféré... Et mille autres bizarreries qu'il est important de respecter.

Comment guider son enfant

- **Pour lui apprendre à manger seul :** servez-lui des petits morceaux de fromage, de jambon ou des aliments mous (bananes et céréales sèches) qu'il peut prendre avec ses doigts. Cela sera plus facile qu'à la cuillère, car les enfants sont très tactiles. De plus, il mangera à son rythme ;
- **Ne soyez pas pressé :** il a besoin de temps pour être plus habile. Vous lui avez montré avec patience comment empiler les cubes. Il en est de même pour les gestes liés à la nourriture ;
- **Prévoyez ses maladresses :** il s'agit d'un apprentissage, il est normal qu'il ne soit pas toujours propre. Prenez un gant mouillé pour lui essuyer le visage et les mains, mais ne nettoyez pas à tout bout de champ ;
- **Si votre enfant mange très rapidement :** rappelez-lui qu'il faut mastiquer, faites-le parler, perdez du temps entre les plats ;
- **Laissez-le choisir entre deux sortes de légumes :** en le laissant choisir son repas, vous le responsabilisez, mais tenez-vous à son choix ;
- **S'il jette sa nourriture de sa chaise haute, montrez-lui que ce n'est pas un jeu :** ne vous mettez pas en colère, mais ne ramassez pas systématiquement les aliments. Après plusieurs « lancés », retirez l'assiette, souvent cela signifie qu'il n'a plus faim ;
- **Si votre enfant n'aime pas les légumes :** jouez sur le côté ludique, parlez-lui de la couleur, du nombre de morceaux, de la manière dont ils poussent, de qui en a mangé avant lui... ;

• **Déjouez la phase du « non »** en le laissant choisir les aliments et la quantité qu'il désire dans son assiette à même le plat de service ;
• **Pour l'initier progressivement à la cuillère ou à la fourchette :** servez lors d'un même repas des aliments qui se mangeront avec les doigts et d'autres avec la cuillère ;
• **Ne soyez pas à l'affût de ce qu'il a mangé** ou de ce qu'il reste à manger, ne lui parlez pas sans cesse de nourriture.

La discipline alimentaire

Il y a des règles qu'un enfant doit apprendre, de même qu'il apprend celles de la vie en société. Ainsi, il y a de fortes chances qu'il les respecte tout au long de son existence.

Manger de tout

Si un enfant n'aime pas un aliment, il faut le lui faire goûter plusieurs fois, préparé différemment. Il y prendra peut-être goût. Représentez-le lui de temps en temps et, si possible, mangez-en aussi. Si vraiment il le refuse, il faut le remplacer par un aliment du même groupe. Par exemple, servez des carottes à la place des épinards, ou tout autre légume, il en existe tellement de variétés (artichaut, asperge, aubergine, avocat, bette, betterave rouge, champignons, courgette, navet, petits pois, poireau, potiron, tomate...).

Ne rien manger entre les repas

Si un enfant refuse partiellement ou entièrement un repas, il ne faut rien lui donner ensuite, mais attendre le prochain repas. Dans le calme, sans crier, sans punir. En lui expliquant que ce n'est pas l'heure, qu'il mangera au repas suivant. Il mangera de tout quand il aura bien faim. N'oubliez pas qu'il est encore totalement dépendant de vous et ne mange que ce que vous lui proposez. Le grignotage est sous votre entière responsabilité.

Les sucreries toujours après le repas, jamais avant !

Avant, elles vont lui couper l'appétit et on ne pourra pas lui reprocher de ne rien manger. Cette habitude est à donner dès les premiers mois de la vie. Le plaisir du sucre n'est absolument pas à proscrire, mais respectez simplement cette règle.

Pas de grignotages salés ou sucrés pendant que l'on prépare le déjeuner ou le dîner.

L'enfant doit apprendre à respecter l'heure des repas. Si cette règle est inscrite dans sa tête, il y a de grandes chances pour qu'il ne grignote pas et qu'il ne grossisse pas par la suite. En revanche, vous pouvez lui donner, juste avant le repas, un aliment qu'il a tendance à refuser, de préférence des crudités.

De l'eau pour se désaltérer, une boisson sucrée de temps en temps pour le plaisir.

La consommation de boissons sucrées doit, à tous les âges, être limitée à un verre de temps en temps. Si le frigo n'est pas rempli de ces produits, la règle est plus facile à imposer quand l'enfant peut se servir tout seul.

N'oubliez pas le plaisir de manger, équilibrez les goûts et les besoins

D'un côté, pour satisfaire les préférences de l'enfant, il faut acheter ce qu'il aime. D'un autre, pour former son goût et le nourrir sainement, il faut aussi acheter ce qu'il n'aime pas forcément. Les menus doivent être établis avec le souci de varier les saveurs et d'éveiller le goût et la mastication. Cette tâche n'est pas simple et demande beaucoup d'attention, d'imagination et de soins pour réaliser des menus équilibrés et variés en toute saison. C'est aussi l'occasion d'équilibrer les menus de toute la famille.

Journée alimentaire pour un enfant de 1 à 2 ans

Pour un enfant de 2 à 3 ans, passez à 40 à 50 g de viande ou poisson, un œuf entier. La quantité des autres aliments varie en fonction de son appétit.

Repas	Aliments	Quantités
Petit déjeuner	Lait Ou yaourt, petit-suisse, fromage blanc, Blédi Dej	200 ml
	Pain, biscottes ou farines Ou céréales infantiles type Rice Crispies	En fonction de l'appétit de l'enfant Ou 2 à 5 cuillères à soupe
	Sucre Ou chocolat en poudre, miel, compote de fruits	5 à 10 g (1 à 2 cuillères à café) 2 cuillères à café
Déjeuner	Féculents Riz, coquillettes, semoule, taboulé	40 à 50 g (2 à 3 cuillères à soupe)
	Légumes verts Purée de légumes, jardinière, épinards cœur d'artichaut, pomme de terre	50 à 60 g (3 à 4 cuillères à soupe)
	Beurre ou huile	5 g à 10 g (1 à 2 cuillères à café)
	Viande, poisson ou œuf Bœuf haché, œuf dur ou à la coque, blanc de volaille, saumon, thon	30 à 40 g de viande 40 à 70 g de poisson, 1/2 œuf
	Yaourt ou fromage frais peu sucré Ou fromage râpé dans le plat principal, roquefort, camembert	1 yaourt 20 à 40 g de fromage
	Fruits frais bien mûrs ou cuits Compote, écrasé, en lamelles, au four	50 à 60 g (1/2)
	Jus de fruit non sucré	1/2 verre (50 à 75 g)
	Pain	En fonction de l'appétit de l'enfant
	Sucre	5 à 10 g – 1 à 2 cuillères à café
	Ou recette maison ou plat industriel pour jeunes enfants type « P'tit menu Nestlé »	
Goûter	Lait ou équivalent Lait de croissance, yaourt, flan, crème vanillée	150 ml
	Pain ou biscuit Tartine, boudoirs	En fonction de l'appétit de l'enfant
	Beurre, confiture, miel	0 à 10 g (2 cuillères à café maximum)
Dîner	Crudités légèrement assaisonnées ou Potage de légumes, purée	150 g (4 à 5 cuillères à soupe)
	Féculents + légumes verts Semoule au lait, vermicelle, flocons d'avoine, croûtons de pain	50 g de féculents (2 à 3 cuillères à soupe), légumes verts à volonté
	Beurre ou huile	5 g à 10 g (1 à 2 cuillères à café)
	Viande, poisson ou œuf	0
	Yaourt ou autre laitage	1
	Sucre	5 à 10 g (1 à 2 cuillères à café)
	Fruit cru ou cuit Pomme râpé, fruits au sirop Ou recette maison, plat cuisiné industriel	50 à 60 g (1/2)

Ne soyez pas strict, l'important est que l'enfant consomme tous les groupes d'aliments dans la journée. Que ce soit le matin ou le soir n'a pas d'enjeu. De plus, si vous optez pour un plat complet, préparé par vous ou industriel, votre enfant mangera à la fois des légumes, des féculents, de la viande ou du poisson dans la même assiette. À vous de voir s'il aime la variété des plats ou les aliments séparés. Comme le vôtre, son appétit varie, regardez plutôt sa mine, ses selles et sa bonne humeur, plutôt que de vous angoisser s'il ne finit pas son assiette.

Les féculents, les biscuits permettent de contrôler l'appétit et le poids de l'enfant. Les légumes et les fruits apportent en plus des vitamines et des sels minéraux, des fibres indispensables à un bon transit. C'est pourquoi, suivant les selles de mon enfant, je donnais du jus de pruneau si elles étaient dures, des carottes et du riz si elles apparaissaient trop molles. Comme dans beaucoup de cas, c'est une question d'équilibre.

Menus pour enfants de 1 à 3 ans

	Matin	Midi
Lundi	lait aux céréales	escalope + petites pâtes + compote de pommes
Mardi	lait chocolaté + pain beurré	œuf dur + purée carotte-pomme de terre + pruneaux passés
Mercredi	lait + farine infantile	sole émiettée + purée de pomme de terre au lait + poire écrasée
Jeudi	jus de fruit + petits-suisses + biscuit	**brouillade aux champignons** + 1 yaourt + compote
Vendredi	lait + biscottes écrasées	tomate pelée épinée en petits morceaux + **spaghetti carbonara** + fruit de saison écrasé
Samedi	blédi déj	salade avocat/banane + dinde + épinards + mimolette en dés + gâteau de semoule en petit pot
Dimanche	lait + sucre + pain brioché	**taboulé marin** + purée de haricots verts + petit-suisse + compote de saison
Lundi	lait + pain d'épices	filet de colin/purée orange et verte + fromage frais + banane écrasée
Mardi	fromage blanc + morceaux de fruits + boudoirs	**flan aux champignons** + jardinière de légumes + fruit de saison écrasé
Mercredi	lait + céréales infantiles	betteraves + bar au four + yaourt + pomme au four
Jeudi	yaourt + pain + miel	cœur d'artichaut + foie de veau + riz carottes + emmenthal + compote
Vendredi	lait + farines infantiles	hachis parmentier bledi chef + yaourt + fruit de saison
Samedi	lait + biscuits	ratatouille + veau + édam + gâteau de semoule en petit pot
Dimanche	lait chocolaté + biscuits	**tomate farcie aux carottes** + riz + camembert + compote poire-banane

Vous trouverez les recettes des plats indiqués en gras dans les pages suivantes.

Donnez à manger à votre enfant selon son appétit et non en fonction de ce que vous avez préparé. Donnez par petites portions de tous les plats, c'est comme cela que l'on apprend la diversité alimentaire.

Menus pour enfants de 1 à 3 ans

Goûter	Soir	
lait + sucre + biscuit + 1/2 banane écrasée	potage de courgette-pomme de terre + yaourt	Lundi
1 yaourt + 1/2 pomme râpée + petit lu	semoule au lait + compote	Mardi
p'tit brassé abricot + biscuit	potage aux pois cassés + camembert + compote	Mercredi
lait chocolaté + pain confiture	potage carotte-épinards + fromage blanc	Jeudi
petit-suisse + petit lu	potage en brick + gouda	Vendredi
lait + paille d'or + compote	lait + flocons d'avoine + pomme râpée	Samedi
crème dessert vanille (petit pot) + biscuit infantile	potage au potiron + yaourt	Dimanche
yaourt + boudoirs	soupe au lait + vermicelles + poire	Lundi
lait aromatisé + tartine	potage poireau-pomme de terre + petit-suisse au fruit	Mardi
petit filou + biscuit	soupe de tomate + croûtons + camembert	Mercredi
lait + pain au lait	purée de courgette-pomme de terre + yaourt	Jeudi
lait de croissance + céréales	velours d'asperge + gâteau de riz petit pot	Vendredi
fromage blanc + biscuit petit beurre	Blédina Blédiner + compote	Samedi
lait + brioche	milk-shake à la banane + pain brioché	Dimanche

103

RECETTES DE 1 À 3 ANS

Brouillade aux champignons
(Omelette du Petit Chaperon rouge)

Dès 12 mois
Préparation et cuisson : 20 minutes
Ingrédients (pour 1 portion) : 100 g de champignons de Paris (ou autres selon la saison), 1 noisette de beurre, 2 cuillères à soupe de lait, 1 œuf, 1 filet d'huile, 1 petite pincée de sel

Laver et hacher les champignons en petits morceaux ; les faire cuire 10 minutes dans une noisette de beurre avec une pincée de sel : s'ils rendent beaucoup d'eau, l'ôter au fur et à mesure ; en fin de cuisson, ajouter le lait, éteindre et réserver. Verser un filet d'huile dans une poêle à revêtement antiadhésif ; y casser l'œuf et crever le jaune ; porter sur le feu et cuire en mélangeant sans cesse mais sans battre ; ajouter les champignons cuits et servir.

Taboulé marin

Dès 12 mois
Préparation et cuisson : 15 minutes
Ingrédients (pour 1 portion) : 30 g de filet de cabillaud, 1 tomate, 2 mesures de lait « 2ᵉ âge », 60 ml d'eau, 25 g de semoule de blé précuite grain fin, 4 gouttes de jus de citron, 1 cuillère à café d'huile d'olive, 2 brins de ciboulette ciselée

Laver, peler, épépiner et couper la tomate en dés. Faire frémir sans bouillir le lait reconstitué ; ajouter le cabillaud et la semoule ; faire cuire 5 minutes, à feu doux, tout en émiettant le poisson. Ajouter les dés de tomates, le jus de citron, l'huile et la ciboulette ciselée ; faire cuire, 5 minutes, à feu doux. Servir tiède.

Filet de colin/purée orange et verte
(Manger colin-maillard)

Dès 12 mois
Préparation et cuisson : 50 minutes
Avec purée congelée : 15 minutes
Ingrédients (pour 2 portions) :
Pour le poisson : 60 g de filet de colin, 2 pincées de persil haché
Pour les purées : 300 g de pommes de terre à chair farineuse, 100 g de carottes, 100 g de haricots verts, 10 cl de lait demi-écrémé ou de lait de croissance, 1 noisette de beurre, 2 pincées de sel

Le colin peut être très bien cuisiné au micro-ondes : c'est rapide et sans graisse. Attention aux arêtes !

Préparer la purée : éplucher, laver, couper, cuire les pommes de terre à l'eau bouillante légèrement salée durant 20 minutes ; les égoutter et les écraser finement à la fourchette ou les passer à la moulinette ou encore au mixeur ; porter la purée sur feu doux et la travailler vigoureusement à la spatule, en lui incorporant peu à peu le lait chaud, puis la noisette de beurre. Par ailleurs, peler les carottes et effiler (éventuellement) les haricots verts ; laver et faire cuire ces deux légumes séparément, 30 minutes, à l'eau bouillante légèrement salée ou à la vapeur ; les égoutter et les mixer séparément ou les passer au moulin à légumes. Diviser la purée en 2 parts égales ; incorporer la purée de carottes à l'une d'elles et la purée de haricots verts à l'autre. Placer le filet de colin dans une assiette ; recouvrir d'un film plastique ; percer des petits trous ; cuire au micro-ondes 7 minutes à puissance maximale. Présenter le filet de poisson saupoudré de persil haché et les purées sous forme de petites quenelles oranges et vertes. Il est évident que vous pouvez aussi utiliser les purées congelées. Vous gagnerez beaucoup en temps.

Flan aux champignons
(Le gâteau du Petit Chaperon rouge)

Dès 12 mois
Préparation et cuisson : 40 minutes
Ingrédients (pour 2 portions) : 100 g de champignons de Paris, 30 g de jambon, 4 mesurettes de lait « 2ᵉ âge », 120 ml d'eau, 1 cuillère à café de farine, 1 œuf, 10 g de beurre, 1 pincée de sel

Préchauffer le four à 200 °C (thermostat 6). Enlever les pieds des champignons, les laver soigneusement pour retirer tout le sable ; les cuire 10 minutes dans 10 g de beurre. Hacher les champignons sans les réduire en purée ; couper le jambon en petits dés ; reconstituer le lait selon le mode d'emploi. Dans un plat, mélanger les champignons, le lait, la farine délayée et l'œuf ; saler. Verser dans 2 ramequins et répartir les dés de jambon dessus. Faire cuire 20 minutes au four.

Flan au jambon (Lait de jambon)

Dès 12 mois

Préparation et cuisson : 30 minutes

Ingrédients (pour 2 portions) : 60 g de jambon, 3 jeunes carottes, 1 œuf, 1 cuillère à café de Maïzena, 4 mesures de lait « 2ᵉ âge », 120 ml d'eau, 1 noisette de beurre, 1 pincée de sel

Nettoyer les carottes et les couper en rondelles fines ; les faire cuire à la vapeur 10 minutes. Enlever le gras de la tranche de jambon et le hacher. Fouetter l'œuf avec une pincée de sel dans une casserole ; ajouter la Maïzena sans cesser de battre, puis le lait reconstitué, les carottes, le jambon haché ; faire chauffer à feu doux et mélanger jusqu'à épaississement. Verser la préparation dans un plat beurré allant au four ; couvrir d'un papier alu et faire cuire au four à 200 °C (thermostat 7) pendant 10 minutes ; démouler et servir sur une assiette.

Fondant de poivron (Le piment doux)

Dès 12 mois

Préparation et cuisson : 30 minutes

Ingrédients (pour 1 portion) : 100 g de poivron rouge ou jaune, 1 œuf, 80 g de fromage blanc, 1 pincée de sel

Préchauffer le four à 200 °C (thermostat 6). Faire griller le poivron au four et le peler soigneusement ; le mixer finement. Ajouter l'œuf, le fromage et le sel. Placer la purée dans un petit ramequin ; cuire 20 minutes dans un four chauffé à 200 °C (thermostat 6) ; laisser un peu refroidir pour le servir tiède.

Gratin miracle

Dès 12 mois

Préparation et cuisson : 25 minutes

Ingrédients (pour un repas en famille de 4 à 6 personnes) : 125 g de semoule de blé, 1 demi-litre de lait demi-écrémé, 30 g de beurre, 70 g de gruyère râpé, 4 œufs, 1 petite boîte de miettes de thon, 3 ou 4 tomates, sel et poivre

Porter le lait et le beurre à ébullition ; verser alors la semoule et laisser bouillir, 1 minute ; ajouter le gruyère, les œufs un à un, le sel et le poivre. Étaler la préparation à la spatule dans un plat à gratin beurré ; disposer dessus le thon égoutté et les tomates épépinées et coupées en rondelles fines ; saupoudrer de gruyère ; mettre au four 15 à 20 minutes, a 220 °C (thermostat 7) ; servir.

Spaghettis carbonara

Dès 12 mois

Préparation et cuisson : 10 minutes

Ingrédients (pour 1 portion) : 40 g de spaghettis, 25 g de jambon, 10 g de parmesan, 50 ml de lait, 2 cuillères à café de farine, noix de muscade, sel et poivre

Cuire les spaghettis 8 minutes à l'eau bouillante légèrement salée. Délayer la farine avec le lait, ajouter une pincée de muscade et de poivre ; mettre sur le feu et cuire sans cesser de fouetter ; retirer du feu et ajouter le jambon coupé en fines lamelles. Dans un plat à feu, verser les spaghettis et napper avec la sauce ; saupoudrer de parmesan.

Œuf cocotte

Dès 12 mois

Préparation et cuisson : 20 minutes

Ingrédients (pour 1 portion) : 1 œuf, 1/2 tranche de jambon blanc (environ 20 g), 1 cuillère à soupe de lait, 1 pincée de noix de muscade

Préchauffer le four à 200 °C (thermostat 6). Mixer le jambon, le lait et la muscade. Huiler le ramequin ; casser l'œuf dans le ramequin et napper de préparation précédente. Faire cuire 10 à 15 minutes ; faire tiédir avant de servir.

Purée d'endive au jambon (Purée cochon)

Dès 12 mois

Préparation et cuisson : 30 minutes

Ingrédients (pour 1 portion) : 1 endive, 1 pomme de terre, 1 tranche de jambon blanc, 50 ml de lait de croissance

Enlever les premières feuilles de l'endive qui sont un peu amères, la passer sous l'eau froide et la couper en morceaux ; éplucher, laver, couper la pomme de terre. Faire cuire la pomme de terre 10 minutes dans une eau frémissante (non salée) ; ajouter l'endive émincée et poursuivre la cuisson 10 minutes ; égoutter. Mixer avec le jambon et le lait jusqu'à obtention d'une crème homogène. Pour ajouter de la couleur et des vitamines : un petit brin de persil ou de cerfeuil, du beurre.

Salade avocat/banane (Salade des îles)

Préparation : 5 minutes

Ingrédients (pour 1 portion) : 1/2 avocat, 1/2 banane, 1 filet de jus de citron

Couper l'avocat en deux. Couper de très petits morceaux d'avocat et de banane ; recouvrir d'un filet de jus de citron.

Soupe de poulet au riz (Salade riz poule mouillée)

Préparation et cuisson : 20 minutes
Ingrédients (pour 1 portion) : 20 g d'escalope de poulet, 20 g de riz cru, un peu de persil, 4 mesures de lait « 2ᵉ âge », 120 ml d'eau, 1 cuillère à café d'huile de colza, sel

Dans une poêle antiadhésive, faire chauffer l'huile et y dorer le poulet coupé en dés. Cuire le riz à l'eau bouillante légèrement salée suivant le temps de cuisson repris sur l'emballage ; égoutter. Laver les feuilles de persil. Mixer le poulet, le riz, le lait reconstitué et le persil. Mélanger et servir tiède. Vous pouvez ajouter des morceaux de tomate coupée en petits dés dans la soupe.

Velours d'asperges (Tricot de légumes)

Dès 12 mois
Préparation et cuisson : 35 minutes
Ingrédients (pour 1 portion) : 150 g de jeunes asperges, 15 g de beurre, 1/4 d'un petit oignon haché, 1 cuillère à soupe de farine, 1 petite tasse de bouillon de volaille, 1 cuillère à café de crème fraîche

Laver soigneusement les asperges ; couper les pointes (ou têtes) et les réserver ; faire des petites rondelles fines avec les tiges ; les blanchir dans une casserole d'eau bouillante salée pendant 1 minute ; les égoutter. Faire fondre le beurre dans une autre casserole ; y verser l'oignon haché, les rondelles d'asperges et laisser cuire pendant 5 minutes à feu doux ; ajouter alors la farine et bien remuer ; éteindre le feu et verser le bouillon de volaille en liant bien le tout ; rallumer ensuite le feu et laisser mijoter (feu doux) pendant 20 minutes environ : la cuisson est finie lorsque les asperges sont bien tendres ; ajouter alors les pointes d'asperges et laisser cuire encore 5 minutes. Mixer le tout jusqu'à obtenir une crème onctueuse ; y ajouter la crème fraîche, mélanger bien et servir.

Crème au chocolat (Crème secrète)

Dès 12 mois
Préparation et cuisson : 20 minutes
Ingrédients (pour 4 portions) : 3 jaunes d'œufs, 1 demi-litre de lait « 2ᵉ âge », 60 g de chocolat

Casser le chocolat en morceaux et le faire fondre au micro-ondes. Y ajouter le lait et les jaunes d'œufs battus ; bien mélanger. Verser le tout dans une casserole et faire épaissir, à feu doux, tout en fouettant : ne pas laisser bouillir afin que la crème ne tourne pas. Laisser refroidir ; servir frais.

Flans biscuités (Gâteaux de lait)

Dès 12 mois

Préparation et cuisson : 40 minutes

Ingrédients (pour 5 portions) : 400 ml de lait de croissance, 3 cuillères à soupe bombées de cacao en poudre, 2 œufs + 1 jaune, 5 biscuits pour bébé

Préchauffer le four à 180° C (thermostat 5). Porter le lait à ébullition avec la poudre de cacao. Battre les œufs et le jaune en omelette. Verser petit à petit le lait chaud sur les œufs en remuant. Casser les biscuits en petits morceaux. Verser la préparation dans les ramequins et répartir dessus les morceaux de biscuits. Faire cuire au four environ 30 minutes.

Tiramisu à la banane

Dès 12 mois

Préparation : 10 minutes

Ingrédients (pour 2 portions) : 1 banane, 4 tranches de brioche, 8 cuillères à soupe de lait de croissance, 4 cuillères à café de cacao en poudre, 2 cuillères à café de sucre

À l'aide d'une fourchette, écraser la banane avec le sucre. Dans chaque tranche de brioche découper un rond légèrement plus petit que le fond des ramequins et y déposer un rond de brioche. Napper les ronds de brioche de 2 cuillères à soupe de lait puis d'une cuillère à soupe de cacao en poudre ; répartir la purée de banane dans les ramequins, recouvrir d'un rond de brioche et napper à nouveau de 2 cuillères à soupe de lait. Tasser légèrement et placer au réfrigérateur minimum 1 heure. Passer la lame d'un couteau autour des fondants et les démouler sur des petites assiettes.

Milk-shake à la banane (Purée banana)

Dès 12 mois

Préparation : 5 minutes

Ingrédients (pour 1 portion) : 1 demi-banane bien mûre, 125 ml de lait de croissance

Éplucher, couper la banane en deux. Mixer à puissance maximum la demi-banane coupée en rondelles avec le lait. Verser le milk-shake dans le biberon ou éventuellement dans un verre.

Semoule au lait (Pluie de lait)

Dès 12 mois

Préparation et cuisson : 10 minutes

Ingrédients (pour 1 portion) : 125 ml de lait de croissance, 1 demi-gousse de vanille, 1 cuillère à soupe de semoule de blé précuite, 1 cuillère à café de sucre fin, 1 à 2 cuillères à soupe de purée de fruits prise dans un petit pot bébé, 2 g de beurre

Faire chauffer le lait avec la gousse de vanille et la semoule de blé jusqu'à ébullition ; ajouter le sucre et laisser cuire 4 minutes. Ôter la gousse de vanille ; verser la semoule dans un ramequin et placer au réfrigérateur. Napper la semoule avec 1 à 2 cuillères à soupe d'un pot aux fruits pour bébé. Varier les parfums du petit pot de fruits pour bébé selon les goûts de votre bébé.

Pain perdu à la cannelle (Petit pain des bois)

Dès 12 mois

Préparation et cuisson : 10 minutes

Ingrédients (pour 1 portion) : quelques tranches de pain blanc ou de brioche rassis, 1 assiette à soupe de lait « 2ᵉ âge », 1 œuf, 20 g de beurre, 2 cuillères à café de sucre en poudre, 1 pincée de cannelle en poudre

Battre le lait avec l'œuf ; y faire tremper les tranches de pain ou de brioche. Les faire frire à la poêle des deux côtés. Saupoudrer légèrement les tranches avec le sucre mélangé à la cannelle. Servir en prenant garde à ce que bébé ne se brûle pas !

Bar au four (Poisson des grottes)

Dès 18 mois

Préparation et cuisson : 30 minutes

Ingrédients (pour 1 portion) : 25 g de filet de bar, 1 demi-carotte (environ 30 g), 1 demi-pomme de terre (environ 40 g), 1 demi-tomate (environ 40 g), 1 cuillère à café de jus de citron, 1 cuillère à café d'huile d'olive

Préchauffer le four à 220 °C (thermostat 7). Laver, peler et râper la carotte et la pomme de terre ; laver, épépiner et couper la tomate en petits dés. Disposer les légumes au centre d'une feuille de papier aluminium ; placer le poisson dessus ; ajoutez le jus de citron et l'huile. Fermer la papillote et faire cuire 20 minutes sur la plaque du four. Servir tiède. Vous pouvez remplacer le bar par d'autres filets de poisson (cabillaud, sole, merlu...)

Tomate farcie aux carottes (Tomates soleil)

Dès 18 mois

Préparation : 10 minutes

Ingrédients (pour 1 portion) : 1 tomate, 1 œuf dur, 1 cuillère à soupe de carottes râpées, 1 cuillère à soupe de persil haché, 1 cuillère à café d'huile d'olive, 1 filet de jus de citron, sel

Ébouillanter la tomate 15 secondes et l'éplucher ; l'évider et réserver la chair dans un bol. Écraser, à la fourchette, la chair de tomate et l'œuf dur ; ajouter le persil, l'huile d'olive, le jus de citron et le sel ; mélanger. Remplir la tomate évidée avec le mélange ; servir. La présentation est très attractive et excite la curiosité.

Escalope de poulet en papillote (Poulet surprise)

Dès 18 mois

Préparation et cuisson : 20 minutes

Ingrédients (pour 1 portion) : 60 g d'escalope de poulet, 60 g de gruyère, 50 g de petits pois surgelés, 1 cuillère à café de persil haché, 1 demi-cuillère à café d'huile, sel

Mixer l'escalope de poulet pour la réduire en purée ; découper de minces copeaux de gruyère. Mélanger le hachis de poulet, les petits pois et le persil ; ajouter une pincée de sel. Préparer une feuille d'aluminium et la huiler ; placer les copeaux de gruyère puis le mélange dinde et petits pois puis, à nouveau, le gruyère ; fermer la papillote et faire cuire, 15 minutes, au four à 200 °C (thermostat 7).

Jambon à la purée de lentilles (Jambon chocolat salé)

Dès 18 mois

Préparation et cuisson : 30 minutes

Ingrédients (pour bébé et le reste de la famille) : 4 tranches de jambon, 200 g de lentilles vertes, 1 oignon piqué d'un clou de girofle, 1 carotte, 1 peu de persil, quelques noisettes de beurre, sel et poivre

Mettre les lentilles dans une casserole avec l'oignon, la carotte pelée et coupée en rondelles et le persil ; couvrir d'eau et faire cuire 15 minutes en autocuiseur (35 minutes en casserole) ; ajouter un peu de sel en fin de cuisson. Retirer l'oignon et la branche de persil ; prélever un peu de lentilles pour l'enfant.

Pour bébé : Mixer les lentilles avec un peu de liquide de cuisson ; ajouter une noisette de beurre ; prendre 1/2 tranche de jambon et la couper en petits dés.

Pour le reste de la famille : égoutter le reste des lentilles et ajouter quelques noisettes de beurre ; servir avec les tranches de jambon ou laisser refroidir et servir les lentilles froides en salade avec dés de saumon.

Soupe rose au saumon (Le saumon qui mange des carottes)

Dès 18 mois

Préparation et cuisson : 20 minutes

Ingrédients (pour 1 portion) : 30 g de saumon fumé, 1 verre de lait, 1 jaune d'œuf, 1 demi-tranche de pain de mie, persil haché

Mixer le saumon fumé en purée ; ajouter le lait puis le jaune d'œuf : mixer à nouveau le tout. Faire chauffer sur le feu très doux en remuant souvent, sans laisser bouillir : l'œuf ne doit pas coaguler. Faire dorer la demi-tranche de pain de mie sur ses deux faces dans un grille-pain ; la couper ensuite en petits dés roulés dans le persil haché. Verser la soupe dans l'assiette et parsemer avec les morceaux de pain de mie ; ne pas saler, le saumon fumé l'étant suffisamment.

Bouillon aux petites boulettes de foie (Pois dans l'eau)

Dès 18 mois

Préparation et cuisson : 20 minutes

Ingrédients (pour 1 portion) : 1 demi-litre de bouillon de volaille, 50 g de foie de veau, 20 g de mie de pain, 1 œuf, 1 cuillère à soupe de lait, 1 cuillère à café de gruyère râpé, 20 g de farine, 1 cuillère à soupe de persil haché, sel

Préparer le bouillon de volaille avec un demi-cube de concentré ; amener à ébullition. Hacher le foie de veau ; émietter le pain ; casser l'œuf et le battre ; mélanger le hachis de foie, le pain, l'œuf battu, le lait, le fromage râpé et une pincée de sel ; bien mélanger et façonner des boulettes. Les passer dans la farine ; les plonger 10 minutes dans le bouillon frémissant à feu très doux. Parsemer de persil avant de servir.

Coquillettes aux petits pois (Pâtes aux billes)

Dès 20 mois

Préparation et cuisson : 20 minutes

Ingrédients (pour 1 portion) : 40 g de coquillettes, 2 cuillères à soupe de petits pois surgelés, 1 œuf, 1 demi-tomate, 10 g de beurre, 20 g de fromage râpé

Faire cuire l'œuf 10 minutes dans de l'eau bouillante, l'écaler. Faire cuire les petits pois 15 minutes dans un peu d'eau bouillante salée (ne pas couvrir la casserole pour garder la couleur verte entière du légume) ; égoutter. Faire cuire les coquillettes, 10 minutes, dans de l'eau bouillante salée ; égoutter. Évider la demi-tomate ; couper la pulpe en petits dés après avoir retirer les pépins. Conserver la pulpe et la tomate évidée. Mélanger les pâtes, les petits pois, la pulpe de tomate, le beurre et le fromage râpé. Placer le tout dans une assiette creuse ; couper la base de l'œuf dur de façon à ce qu'il tienne au milieu des coquillettes ; coiffer le bout pointu de l'œuf dur avec la demi-tomate évidée de façon à réaliser une tête avec un chapeau.

Tomate au saumon (Tomate à l'eau)

Dès 20 mois

Préparation et cuisson : 20 minutes

Ingrédients (pour 1 portion) : 50 g de saumon sans peau, 1 tomate, 1 jaune d'œuf, 1 demi-citron, 1 cuillère à café d'huile, 5 feuilles de laitue, 1 cuillère à soupe de persil haché

Faire cuire 5 minutes le saumon au micro-ondes ; l'écraser à la fourchette et ajouter une pointe de sel. Couper la tomate en deux ; évider les deux moitiés en conservant la pulpe. Préparer une sorte de mayonnaise en mélangeant le jaune d'œuf, le jus d'un demi-citron et l'huile. Mélanger le saumon à la sauce ; remplir les moitiés de tomate avec cette préparation et saupoudrer de persil haché. Écraser, à l'aide d'une fourchette, la pulpe de la tomate sans pépins ; émincer les feuilles de laitue en fines lanières ; entourer les moitiés de tomate farcies par la laitue et la pulpe de tomate.

Potage aux pois cassés (Potage secret)

Dès 20 mois

Préparation et cuisson : 1 h 50

Ingrédients (pour 4 portions) : 120 g de pois cassés, 4 carottes, 1 poireau, 1 cuillère à soupe de persil haché, sel

Trier et laver les pois cassés ; les plonger dans une casserole d'eau bouillante légèrement salée et faire cuire durant 1 heure. Peler, laver et couper les carottes en rondelles ; nettoyer le poireau (enlever une partie du vert des poireaux) et le couper en julienne ; ajouter les légumes et le persil haché au potage ; cuire 40 minutes. Passer au mixer et disposer dans l'assiette.

Tartelettes aux épinards (Tarte Popeye)

Dès 24 mois

Préparation et cuisson : 30 minutes

Ingrédients (pour 4 tartelettes) : 125 g de pâte brisée, 200 g d'épinards congelés, 20 g de beurre, 2 œufs, 2 cuillères à soupe de crème fraîche, sel

Préchauffer le four à 210 °C (thermostat 7). Décongeler les épinards au micro-ondes, égouttez-les. Dans un bol, battre les œufs et les trois quarts de la crème fraîche ; ajouter les épinards. Foncer les moules à tartelette de pâte brisée ; piquer les fonds et les garnir de la préparation aux épinards ; faire cuire au four 25 minutes. Déposer la crème fraîche restante pour dessiner des yeux et une bouche sur les tartelettes.

Papillote de veau (Bifteck surprise)

Dès 24 mois

Préparation et cuisson : 20 minutes

Ingrédients (pour 1 portion) : 1 escalope de veau de 80 g, 10 g de beurre, 1 cuillère à café de fines herbes hachées, 1 tranche de fromage fondu, huile

Faire cuire dans le beurre l'escalope sur les deux faces, à feux doux, 5 minutes. Égoutter le beurre de cuisson et couper l'escalope en minces lamelles. Préchauffer le four à 210 °C (thermostat 7). Huiler un morceau rectangulaire de papier alu ; déposer les lamelles de veau au milieu ; placer les fines herbes hachées et la tranche de fromage dessus ; refermer la papillote et glisser au four 10 minutes. Sortir du four, laisser tiédir avant de servir.

Épinards à la crème (Soupe de gazon)

Dès 24 mois

Préparation et cuisson : 25 minutes

Ingrédients (pour 1 portion) : 180 g d'épinards, 2 cuillères à soupe de crème, quelques gouttes de jus de citron, 1 pincée de noix de muscade, 1 pincée de sel

Retirer les tiges des épinards et laver les feuilles dans de l'eau vinaigrée ; les faire cuire 20 minutes à la vapeur. Hacher les épinards ; ajouter quelques gouttes de jus de citron, une pincée de muscade et le sel. Remettre à cuire et incorporer la crème fraîche ; retirer du feu dès les premiers bouillons. Vous pouvez utiliser des épinards congelés, vous gagnerez en temps.

Salade de pâtes au melon (Salade football)

Dès 3 ans

Préparation et cuisson : 20 minutes

Ingrédients (pour 1 portion) : 1 demi-petit melon, 60 g de jambon de pays, 40 g de pâtes, 1 cuillère à soupe de grains de maïs, 20 g de fromage (mimolette ou gouda), 2 brins de ciboulette, 1 cuillère à café d'huile d'olive, 1 demi-cuillère à café de vinaigre de framboise, sel

Avec une cuillère ronde, prélever des billes dans la chair du melon ; les réserver au frais ; découper le haut du melon en dents de scie avec un couteau. Porter 1 litre d'eau salée à ébullition ; faire cuire les pâtes en respectant le temps de cuisson repris sur l'emballage ; les égoutter, les passer sous l'eau froide et les laisser refroidir. Dans un plat, mélanger les billes de melon, le jambon de pays coupé en fines lanières, les pâtes refroidies et les grains de maïs ; assaisonner avec l'huile et le vinaigre. Garnir le melon évidé avec cette préparation ; ajouter le fromage coupé en triangles ; parsemer de ciboulette hachée. Vous pouvez aussi mettre la préparation dans un joli bol si vous voulez éviter de couper le haut du melon en dents de scie pour gagner du temps.

À partir de deux ans, les enfants vivent une période de merveilleux changements : ils grandissent, font toutes sortes d'apprentissages, forment leurs attitudes. Ces caractéristiques influencent leur façon de manger. Lorsque je sortais avec mon enfant, je redoublais de vigilance s'il y avait un buffet car les petits sont irrésistiblement attirés par les présentations colorées et séduisantes, or les cacahuètes et les chips sont à proscrire absolument. Sur ce sujet, il convient de rester ferme. À cet âge, j'interdisais également à l'enfant de se servir seul. Cependant, pour éviter toute frustration, je proposais des crudités, des crackers, des chipsters, bien que non conseillés, mais il me semblait impossible de tout refuser alors que les adultes, eux, ne se contraignaient en rien. De même, s'il y a d'autres enfants, vous ne pouvez marginaliser le vôtre.

JOURNÉE ALIMENTAIRE POUR UN ENFANT DE 3 À 6 ANS

Longtemps accusés de faire grossir, on sait aujourd'hui que les féculents consommés avec peu de matière grasse aident au contraire l'enfant à contrôler son appétit, donc son poids. L'enfant peut en manger selon son appétit. Par ailleurs, ces aliments lui donnent l'énergie indispensable à son âge. Faire l'impasse sur les sucres lents le conduirait à chercher son énergie ailleurs, le plus souvent dans les produits gras et sucrés qui, eux, favorisent la surcharge pondérale. En outre, à la différence des sucres rapides qui apportent de l'énergie à court terme, la digestion des féculents est lente, ce qui évite les fringales. Quel est alors le bon rapport entre les féculents et les légumes ? La réponse est simple : au cours d'un repas, donnez autant des premiers que des seconds.

La quantité d'énergie dont votre enfant a besoin varie selon son âge, sa taille, son niveau d'activité physique, son taux de croissance et son appétit. Doué d'une étonnante capacité à contrôler son apport en énergie selon ce que son corps requiert, votre enfant sait déterminer la quantité de nourriture qui correspond à ses besoins. Écoutez-le ! Offrez-lui des aliments de qualité et laissez-le choisir la quantité !

Menus pour enfants de 3 à 6 ans

	Matin	Midi
Lundi	lait chocolaté + tartines de pain beurrées	escalope de veau + petites pâtes + compote de pommes
Mardi	lait + céréales + jus de fruit	**œuf dur coloré** + purée carotte-pomme de terre + pruneaux passés
Mercredi	lait + pain + pâte au chocolat à tartiner	sole émiettée + purée de pomme de terre au lait + poire écrasée
Jeudi	fromage blanc + fraises + 1 tranche de pain d'épices	**poivrons à l'huile** + steak haché + pommes vapeur + cantal + fruits
Vendredi	toast au fromage fondu + jus de fruit	concombre + poulet + **crème de potiron au céleri** + yaourt aux fruits
Samedi	lait chocolaté + pain + confiture	tomate en salade + cabillaud + **risotto** + poires en sirop
Dimanche	lait parfumé + brioche	**fondue de légumes + filet de poisson aux amandes** + lentilles + mimolette + compote
Lundi	yaourt + biscuit sec + jus de fruit	betteraves vinaigrette + foie d'agneau + purée de pomme de terre + brie + fruit de saison
Mardi	fromage à pâte molle (type Bonbel) + pain + jus de fruit	carottes râpées + saumon en papillote + épinards braisés à la florentine + banane
Mercredi	lait + corn flakes + sucre + compote de fruit	hot dog + milk-shake à la fraise
Jeudi	yaourt à boire + pain au lait	salade verte + flan au fromage + petits pois + camembert + pommes au four
Vendredi	lait + pain + pâte au chocolat à tartiner	petits radis + cabillaud + carottes vichy à la sauce tomate + riz au lait de mon enfance ou gâteau de riz du commerce
Samedi	yaourt à boire + biscotte + beurre	œuf brouillé aux champignons + gouda + flan au caramel
Dimanche	lait au chocolat + pain au lait + miel	mon pot-au-feu + édam + 1 rocher au chocolat

Vous trouverez les recettes des plats indiqués en gras dans les pages suivantes.

Menus pour enfants de 3 à 6 ans

Goûter	Soir	
pain + chocolat + lait	**velouté de riz, brocolis, carottes** + mimolette + fruit de saison	Lundi
yaourt + biscuit au fruit	salade mâche betterave + **quiche tomate chèvre** + 1 pomme	Mardi
yaourt à boire + pain au lait	potage de légumes + gâteau de semoule	Mercredi
pain + fromage à tartiner	soupe de tomate vermicelle + brie + fruit	Jeudi
brick au lait aromatisé + brioche	potage poireau-pomme de terre + croûton + yaourt + fruit au sirop	Vendredi
sandwich au fromage fondu	potage de carottes-céleri + semoule + Port-Salut + salade de fruit	Samedi
crème de fruit	velouté de potiron + crêpes au fromage blanc sucré	Dimanche
lait aromatisé + pain d'épices	**semoule au lait-carottes** + salade de fruits	Lundi
yaourt à boire + pain viennois	crème de vermicelle orange + 1 fruit	Mardi
yaourt aux fruits + brioche	potage tomate-persil + yaourt + compote	Mercredi
petit-suisse aux fruits + chouquette	soupe carotte-céleri-tomate + tartine fromage à tartiner + 1 part de tarte au pomme	Jeudi
pain + fromage à pâte molle + 1 friandise	purée de courgettes-pomme de terre + bleu de Bresse + fruit de saison	Vendredi
lait aromatisé + biscuit petit nappé aux fruits	spaghettis à la bolognaise + yaourt + fruit	Samedi
yaourt à boire + quatre-quarts	potage en brick + gouda + fruit de saison	Dimanche

De 3 à 6 ans

Repas	Aliments	Quantités
Petit déjeuner	Lait Ou équivalents – fromage frais ou pâte molle – emmenthal dans gratin, fromage fondu, etc.	200 ml
	Pain ou céréales	30 à 40 g de pain – 1/8 à 1/6 de baguette 4 à 6 cuillères à soupe de céréales
	Beurre	5 à 10 g – 1 à 2 cuillères à café
	Confiture ou miel Ou pâte à tartiner au chocolat	10 à 15 g -2 à 3 cuillères à café 1 à 2 cuillères à café
	Jus de fruit frais	100 ml – 1 verre
Déjeuner	Crudités	40 à 50 g – 2 à 3 cuillères à soupe
	Ou légumes cuits	100 à 125 g – 3 à 4 cuillères à soupe
	Pommes de terre ou pâtes ou riz cuits	100 à 150 g – le plus souvent en fonction de l'appétit de l'enfant – 3 à 4 cuillères à soupe
	Beurre ou huile	10 g – 2 cuillères à café
	Viande, poisson ou œuf Ou équivalents	60 à 80 g viande, 80 à 100 g de poisson
	Yaourt ou fromage frais peu sucré – fromage frais ou pâte molle – emmenthal dans gratin, fromage fondu...	1 yaourt 20 à 50 g de fromage
	Fruits frais	125 à 150 g – 1 fruit environ
	Pain	En fonction de l'appétit de l'enfant
Goûter	Lait ou équivalent	150 ml ou plus
	Pain ou biscuit	30 à 40 g de pain – 1/8 à 1/6 de baguette – 2 biscuits
	Confiture ou friandises	10 à 15 g – 2 à 3 cuillères café
Dîner	Potage de légumes	100 g à 200 g – 3 à 6 cuillères à soupe
	Féculents	100 g à 200 g – 3 à 4 cuillères à soupe
	Beurre ou huile	5 g – 1 cuillère à café
	Viande, poisson ou œuf Ou équivalents	0 ou à équilibrer avec la ration du midi
	Fruit	125 à 150 g – environ 1 fruit
	Pain	En fonction de l'appétit de l'enfant

Pour les laitages, j'ai souvent varié les goûts pour éviter un refus éventuel : lait chocolaté ou à la grenadine, fromage fondu, yaourt, lait aux céréales. Mes enfants, par exemple, adoraient le fromage de chèvre ou le camembert fondu, l'odeur dans la cuisine n'était pas des plus agréable mais ne semblait pas les déranger...

Recettes de 3 à 6 ans

Poivrons à l'huile d'olive

Pour 4 portions
Préparation : 5 minutes
Cuisson : 15 minutes
Ingrédients : 2 poivrons rouges, 1 poivron vert, 1 poivron jaune, 3 gousses d'ail (facultatif), persil haché, huile d'olive, sel, poivre.
Passer les poivrons sous l'eau froide. Les placer sous le gril durant 15 minutes. Les éplucher, la peau se retire facilement. Retirer les pépins. Les découper en fines lanières. Les déposer dans un joli plat. Ajouter l'ail pilé + le persil + le sel + le poivre.

La fondue de légumes

Pour 4 portions
Préparation : 15 minutes
Ingrédients : 4 carottes, quelques morceaux de chou-fleur, quelques tomates cerises, des pousses de bambous, un pot de fromage blanc, du sel, du poivre, des feuilles de menthe
Mixer les feuilles de menthe et la ciboulette avant de les mélanger au fromage blanc. Saler, poivrer, remuer. Verser la sauce dans un saladier. Planter les piques à fondue dans quelques légumes. Les enfants n'ont plus qu'à les tremper dans la sauce.

Œufs colorés rose

Ingrédients : œufs durs, jus de betterave
Faire rouler les œufs sur une table, de façon à les craqueler. Retirer quelques petits morceaux de coquille par-ci par-là... Tremper les œufs 10 minutes dans le jus de betterave. Écaler les œufs : Le blanc ne l'est plus que par endroits vos œufs sont joliment marbrés de rose !

Velouté de riz, brocolis, carottes

Pour 1 portion
Préparation : 10 minutes
Cuisson : 20 minutes
Ingrédients : 100 g de brocolis, 2 carottes, 3 cuillères à soupe de riz cru, lait si nécessaire, 10 ou 15 g de beurre
Cuire les brocolis et les carottes ensemble, après les avoir épluchés et lavés. Cuire le riz à part. Incorporer les légumes au riz puis mixer le tout après cuisson en ajoutant du lait si nécessaire. Ajouter le beurre.

Crème de vermicelles orange

Pour 1 portion
Préparation : 10 minutes
Cuisson : 25 minutes
Ingrédients : 60 g de vermicelles, 2 carottes, 20 g de gruyère râpé, 10 à 15 g de beurre, lait si nécessaire
Cuire les carottes après les avoir préalablement épluchées, lavées et découpées en rondelles. Cuire les vermicelles dans le bouillon de carottes, les égoutter et les mélanger avec les carottes cuites puis ajouter le gruyère. Mixer le tout afin d'obtenir une crème très homogène et onctueuse et ajouter du lait si nécessaire. Ajouter le beurre.

Crème de potiron au céleri

Pour 1 portion
Préparation : 10 minutes
Cuisson : 25 minutes
Ingrédients : 2 pommes de terre, 300 g de potiron, 1 branche de céleri, 20 g de gruyère, 10 ou 15 g de beurre
Éplucher et laver soigneusement les légumes. Cuire le mélange pommes de terre, potiron et branche de céleri. Après cuisson, ajouter le gruyère, puis mixer le tout. Ajouter le beurre.

Quiche tomates et chèvre

Pour 4 personnes
Préparation : 5 minutes
Cuisson : 30 minutes
Ingrédients : 1 pâte feuilletée, 4 tomates, 1 barre de chèvre, 200 g de dés de jambon de dinde fumé, 1 cuillère à soupe d'origan, 1 cuillère à soupe d'huile d'olive
Faire précuire la pâte à four chaud. Disposer les dés de dinde dans le fond de

la pâte, puis les tomates coupées en rondelles et le chèvre coupé également en rondelles. Saupoudrer d'origan, puis verser un filet d'huile d'olive. Enfourner 30 minutes à 200 °C.

Épinards braisés à la florentine

Pour 4 personnes
Préparation : 10 minutes
Cuisson : 15 + 15 minutes
Ingrédients : 1 kg d'épinards, 20 g de beurre, 4 tomates, 2 cuillères à soupe de crème fraîche épaisse, 1 cuillère à soupe de moutarde, 100 g d'emmental râpé
Faire blanchir 1 kg d'épinards 5 minutes à l'eau bouillante salée. Égoutter et réserver. Pendant ce temps, dans une casserole, mettez 20 g de beurre, 4 tomates bien mûres, pelées et coupées en dés. Laisser mijoter 15 minutes à feu doux puis ajoutez 2 cuillères à soupe de crème fraîche épaisse, et une cuillère à soupe de moutarde. Mélanger cette sauce aux épinards et verser le tout dans un plat à gratin. Recouvrir de 100 g d'emmental râpé. Faire dorer au four 15 minutes à 200 °C.

Risotto

Pour 4 personnes
Préparation : 10 minutes
Cuisson : 25 minutes
Ingrédients : 200 g de riz, 40 g de beurre, 2 fois le volume du riz en eau ou bouillon, 60 g d'oignons, 50 g de gruyère râpé, 30 g parmesan râpé, sel, poivre
Hacher les oignons épluchés. Les faire blondir au beurre dans une cocotte. Ajouter le riz et le faire revenir. Mouiller avec l'eau ou le bouillon, assaisonner, couvrir et laisser cuire à feu moyen jusqu'au moment où tout le liquide est absorbé. Incorporer les deux sortes de fromage en mélangeant délicatement.

Flans au fromage

Pour 4 personnes
Préparation : 10 minutes
Cuisson : 15 minutes
Ingrédients : 5 dl de lait, 3 œufs, 80 g de gruyère râpé, 60 à 80 g de jambon
Hacher très finement le jambon à la moulinette. Faire bouillir le lait ; battre les œufs en omelette, ajouter le lait chaud petit à petit en mélangeant, incorporer le gruyère râpé et le hachis de jambon. Répartir la préparation dans des ramequins individuels. Enfourner à four chaud (thermostat 6). Server chaud. Vous pouvez également rajouter une sauce tomate.

Œufs brouillés aux champignons

Pour 4 personnes
Préparation : 10 minutes
Cuisson : 6 à 10 minutes
Ingrédients : 8 œufs, 125 g de champignons, 50 g de beurre, sel
Préparer d'abord les champignons ; après avoir coupé le bout terreux, les laver sans les éplucher. Les émincer et les faire sauter dans 30 g de beurre. Assaisonner. Préparer alors les œufs brouillés et ajouter les champignons. Servir aussitôt. Vous pouvez remplacer les champignons par des fines herbes, du jambon, 3 cuillères à soupe de petits pois.

Filet de poisson aux amandes

Pour 4 personnes
Préparation : 15 minutes
Cuisson : 10 à 12 minutes
Ingrédients : 400 g de filets de poisson, 50 g de farine, 60 g d'amandes effilées, 1 verre de lait, 40 g de beurre, 1 cuillère à soupe d'huile, 2 citrons, sel
Partager les filets de poisson en quatre portions inégales (plus importante pour le papa). Les essuyer avec du papier absorbant, les retourner dans du lait froid salé puis dans la farine. Faire chauffer dans une poêle le beurre et l'huile et y mettre les morceaux de poisson qui doivent dorer d'un côté puis de l'autre. Faire chauffer une poêle et y mettre les amandes à sec ; disposer les morceaux de poisson sur lesquels vous aurez réparti les amandes grillées. Décorer avec des rondelles de citron.

Hot-dogs pour recevoir les copains

Pour 4 personnes
Préparation : 5 minutes
Cuisson : 10 minutes
Ingrédients : 4 saucisses de Francfort, 4 petits pains au lait, ketchup, 30 g de beurre, moutarde
Commencer par faire cuire les saucisses à l'eau frémissante pendant 10 minutes. Pendant ce temps, faire chauffer les petits pains dans un grille-pain. Les fendre dans la longueur, tartiner de ketchup ou moutarde. Déposer une saucisse égouttée dans le petit pain.

Escalope panée

Pour 4 personnes
Préparation : 15 minutes
Cuisson : 8 à 10 minutes

Ingrédients : 4 escalopes de veau dans la noix, 50 g de beurre, 0,5 dl d'huile, 1 œuf, 30 g de farine, 150 g de chapelure, 1 citron, persil pour la décoration (et la vitamine C)

Aplatir les escalopes qui doivent être fines. Assaisonner les escalopes avec du sel et du poivre puis les tourner dans la farine. Battre l'œuf en omelette, y tremper chaque escalope puis les mettre, l'une après l'autre, dans la chapelure placée dans une assiette. Appuyer avec la main pour que la chapelure adhère bien. Faire chauffer dans une poêle l'huile et le beurre. Faire cuire doucement pendant 4 à 5 minutes d'un côté puis de l'autre. La panure doit être dorée. Servir sur un plat en mettant une rondelle de citron et du persil haché. Vous pouvez procéder de la même façon avec des escalopes de dinde et faire des petits « nuggets ».

Mon pot-au-feu

Pour 6 personnes
Préparation : 15 minutes
Cuisson : 3 heures
Ingrédients : 1 kg de jarret de bœuf, 1 kg de queue de bœuf coupée en tronçons, 1 coquelet, 3 gros poireaux coupés en 2 et ficelés, 6 carottes, 6 grosses pommes de terre, 6 petits navets bien tendres, 1 morceau de courge, 1 branche de céleri, 1 oignon piqué de 4 clous de girofle, 1 bouquet garni, 2 dosettes de safran, sel et poivre

Placer le jarret et la queue de bœuf au fond d'un grand faitout. Recouvrir d'eau froide. Faire cuire à feu vif et écumer l'écume qui se forme à la surface. Baisser le feu et ajouter le céleri, l'oignon piqué des clous de girofle, le bouquet garni, le safran, saler et poivrer. Au bout de 2 heures de cuisson ajouter les légumes. Une demi-heure plus tard ajouter le coquelet. Laisser cuire encore 30 minutes à feu vif, cette fois. Rajouter de l'eau en cours de cuisson... Servir avec différentes moutardes, des cornichons et du gros sel.

Rocher au chocolat

Quantités pour 20 roses des sables
Préparation : 15 minutes
Réfrigérateur : 1 heure
Ingrédients : 200 g de chocolat noir à dessert, 1 demi-paquet de corn flakes (160 g), 100 g de margarine

Il vous faut un plateau de la taille de l'étagère du réfrigérateur. Couvrir ce plateau d'une feuille de papier sulfurisé. Faire fondre la margarine recouverte du chocolat au micro-ondes. Quand le chocolat est devenu mou, bien mélanger. Ajouter les corn flakes, les enrober délicatement de chocolat. À l'aide de deux cuillères à soupe, former des petits tas sur le plateau, imitant des roses des sables. Mettre à prendre au réfrigérateur au moins 1 heure. Servir frais. On peut remplacer les corn flakes par d'autres pétales de céréales telles que le maïs, blé complet, riz soufflé.

Riz au lait de mon enfance

Pour 6 personnes
Préparation : 15 minutes
Cuisson : 20 + 30 minutes
Ingrédients : 1 litre de lait, 250 g de riz rond, 150 g de sucre, 1 bâton de cannelle, 1 zeste d'orange, 1 cuillère à soupe de cannelle, 1 cuillère à soupe de sucre en poudre

Cuire le riz dans 1/2 litre d'eau avec le bâton de cannelle et le zeste d'orange : 20 minutes. Ajouter le lait et les 150 g de sucre. Laisser cuire 10 minutes en surveillant jusqu'à évaporation du liquide. Verser le riz dans un plat creux et saupoudrer du mélange cannelle et sucre.

Crème de fruits

Placer dans votre mixeur : un demi-yaourt nature, une demi-banane, un morceau de pomme, un gâteau sec et un soupçon de sucre. Mixer le tout. C'est un goûter très apprécié des petits comme des grands.

RECETTES POUR ENFANTS DE 3 À 6 ANS
À FAIRE ENSEMBLE

À la découverte d'une alimentation variée, vous pouvez aussi cuisiner avec votre enfant pour lui montrer comment sa nourriture est élaborée et quels aliments ont été utilisés. Il se familiarisera ainsi avec les différents produits et vous y trouverez beaucoup d'avantages :

• Une contribution à l'apprentissage alimentaire ;
• Le plaisir tactile toujours apprécié des enfants ;
• Le plaisir de l'enfant à manger ce qu'il aura préparé, légumes compris ;
• Des parties de rigolade quand l'enfant lèche les plats enduits de chocolat ;
• Un moment privilégié entre vous et votre enfant.

Boulettes de thon

Ingrédients pour 10 personnes : 2 boîtes de thon à l'huile, 2 carrés de fromage demi-sel (Gervais), herbes selon votre goût, ciboulette fraîche

Dans un saladier, écraser le fromage à la fourchette. Verser le thon émietté dessus. Ajouter des herbes mais pas de sel. Mélanger bien le tout. Faire des boulettes. Ciseler la ciboulette. Rouler les boulettes dans la ciboulette. Mettre au réfrigérateur à refroidir avant de servir.

Mini-tomates à la grecque

Ingrédients pour 500 g de tomates cerises : 100 g de feta écrasée, 50 g de noix hachées, 3 brins de menthe ciselés, un filet d'huile de noix, un peu de paprika en poudre

Mélanger ensemble les 3 premiers ingrédients dans un bol. Ajouter l'huile. Répartir la préparation dans les tomates. Saupoudrez de paprika.

Cake au jambon et aux olives

Ingrédients : 250 g de farine, 4 œufs, 12 cl d'huile de tournesol, 1 verre de vin blanc sec, 100 g d'olives vertes dénoyautées, 200 g de jambon coupé en dés, 100 g de gruyère râpé, 15 cl de lait, 1 sachet de levure chimique, 1 pincée de sel

Préchauffer le four à 180 °C (thermostat 7). Mélanger bien le vin, l'huile et les œufs. Ajouter en mélangeant le gruyère, la farine, la levure, le sel. Incorporer ensuite les dés de jambon, les olives coupées en deux et roulées dans la farine. Beurrer et fariner un moule à cake. Y verser la préparation et faire cuire 45 minutes. Démouler le cake dès la sortie du four. À déguster froid !

Concombre au yaourt

Ingrédients pour 6 personnes : 1 concombre, 8 yaourts nature, 4 gousses d'ail pressées, 1 demi-bouquet de menthe ciselée, sel

Couper le concombre épluché en deux dans la longueur. Le couper ensuite en petits dés après avoir éliminé les graines. Verser les yaourts dans un saladier et les fouetter. Ajouter l'ail pressé et les dés de concombre. Saler. Rajouter la menthe ciselée et servir très frais.

Le guacamole

Ingrédients pour 4 personnes : 2 avocats, 1 tomate, 1 petit oignon, 1 demi-citron, sel, poivre, huile d'olive

Couper les avocats en deux, ôter les noyaux. Vider la chair de l'avocat et la mettre dans une assiette. Ajouter le jus de citron. Couper l'oignon, laver la tomate. Les couper en tout petits morceaux. Les ajouter à la chair d'avocat. Écraser le tout à la fourchette. Saler, poivrer et mettre un peu d'huile. Mélanger bien. Servir avec des chips ou des tortillas, que l'on trempera dans le guacamole.

Salade de riz au jambon

Ingrédients : 250 g de riz, 1 tranche de 300 g de jambon cuit, 1 poivron, 3 tomates, mayonnaise

Cuire le riz dans de l'eau salée. Passer sous l'eau froide en fin de cuisson.

Couper le jambon, le poivron et les tomates en petits cubes. Mélanger le riz, le jambon, le poivron, les tomates et la mayonnaise.

Pan-bagnat

Ingrédients : 1 petit pain rond, 80 g de thon à l'huile d'olive en boîte, 1 oignon blanc émincé finement, 3 tranches de tomates, 1 demi-œuf dur, 5 olives noires dénoyautées, 1 feuille de salade, 1 gousse d'ail épluchée, 1 cuillère à soupe d'huile d'olive

Fendre le petit pain en deux, l'ouvrir délicatement sans le séparer en deux. Ôter les de la mie. Frotter l'intérieur du pain avec la gousse d'ail. Arroser chaque moitié du pain intérieur d'une cuillère à soupe d'huile d'olive. Garnir le pain avec la salade, l'oignon émincé, les tranches de fromage. Ajouter ensuite par-dessus : le thon, les olives, le demi-œuf dur. Arroser de la cuillère d'huile restante. Ajouter un peu de poivre. Refermer et consommer.

Pizza minute

Ingrédients par personne : 1 grande tranche de pain de mie moelleux, un peu de concentré de tomates, 1 petite tranche de jambon, 1 fine tranche de gruyère, du basilic

Prendre la tranche de pain. Étaler dessus du concentré de tomate. Saupoudrer de basilic. Poser une petite tranche de jambon dessus, la tranche de gruyère. Mettez sous le gril du four quelques minutes.

Les crêpes

Ingrédients : 250 g de farine, 1 demi-litre de lait, 2 œufs, 1 cuillerée d'huile, 1 pincée de sel

Dans une terrine, mettre la farine. Creusez un puits au centre et y casser les œufs entiers. Ajouter l'huile, le sel et un peu de lait. Travailler énergiquement la pâte avec une cuillère pour la rendre légère. Mouiller peu à peu avec le lait. Parfumer avec de l'extrait de fleur d'oranger. Laisser reposer 1 heure. Faire cuire avec une poêle antiadhésive ou un appareil électrique à minicrêpes en huilant avec un papier légèrement imbibé d'huile. Retourner dès que la crêpe est dorée et qu'elle peut se détacher. Garnir la crêpe avec de la confiture, du sucre, ou citron + sucre.

Mousse au chocolat

Ingrédients : 250 g de chocolat noir de ménage, 6 œufs

Cassez le chocolat en petits morceaux. Faites fondre le chocolat avec quelques gouttes d'eau au micro-ondes. Incorporez les jaunes un par un, ou n'en mettez pas pour alléger le dessert. Battre les blancs d'œufs en neige bien ferme. Verser une grosse cuillère de blanc en neige dans le chocolat. Mélanger bien. Ajouter le reste des blancs en mélangeant délicatement, pour ne pas les faire tomber. Verser la mousse dans un saladier. Laisser refroidir 3 heures au réfrigérateur.

Gâteau au yaourt

Ingrédients : 1 pot de yaourt nature, 2 pots de sucre, 1 demi-pot d'huile, 3 pots de farine, 2 œufs entiers, 1 sachet de levure chimique (en poudre)

Verser le contenu d'un pot de yaourt nature ou à la vanille dans un saladier. Utiliser le pot vide comme mesure et ajoutez 2 pots de sucre, 1/2 pot d'huile, 3 pots de farine. Mélanger le tout et ajouter deux œufs entiers ainsi que le contenu d'un sachet de levure en poudre. Verser dans un moule à manqué huilé. Cuire à four moyen 40 minutes.

Le gâteau de famille au chocolat

Ingrédients : 150 g de chocolat, 100 g de beurre, 3 œufs, 100 g de sucre, 50 g de farine, 1 sachet de levure alsacienne

Faire fondre le chocolat avec le beurre au micro-ondes. Dans un autre saladier, mélanger 3 œufs en omelette avec le sucre et la farine. Mélanger le chocolat avec le beurre pour obtenir une pâte homogène, incorporer au mélange précédent. Mettre dans un moule à tarte beurré. Faire cuire 15 à 20 minutes à four modéré.

DE 6 À 9 ANS

L'avis du nutritionniste

Lors des chapitres précédents, c'est un peu un enfant idéal que nous vous avons décrit. Notre propre expérience nous permet de vous confirmer que, dès l'âge de 6 ans, les problèmes vont bel et bien commencer à se poser. Si, jusqu'à présent, l'enfant n'a pas manifesté d'autonomie alimentaire, c'est essentiellement parce que son autorité est largement inférieure à la nôtre et que ses repas se sont déroulés exclusivement dans le cadre du domicile ou dans celui très similaire de l'école maternelle. Attention, avec la grande école, les dangers arrivent à grands pas.

Pour cet âge, nous allons, bien entendu, vous soumettre des recommandations nutritionnelles, mais les portions vont largement dépendre à la fois du niveau d'activité de l'enfant, de sa taille et de sa stature. Les quatre caractéristiques de cette période sont les suivantes :

• **L'autonomie alimentaire** : c'est le moment où l'enfant va commencer à trier son alimentation, à pouvoir se nourrir seul, à se nourrir à l'extérieur, soit à l'école, soit chez ses camarades ;

• **La prise extérieure des aliments** : les kiosques, les boulangerie, les fast-foods vont peu à peu apparaître devant lui. Il devient progressivement « un externaliste ». La vision des aliments va susciter chez lui des désirs de consommation et il va tester sa capacité à maîtriser lui-même ses prises alimentaires. Les parents sont obligés de tenir compte de ce facteur qui varie

131

largement selon chaque enfant. On pourrait se débarrasser du problème en considérant qu'il suffit de ne pas l'emmener dans les fast-foods et les supermarchés, mais ce serait oublier qu'il rencontrera à l'école des camarades qui vont lui montrer une nourriture ou des friandises différentes. Son modèle alimentaire va progressivement évoluer. Auparavant, il était exclusivement copié sur celui de ses parents, désormais, il devient celui de la cantine scolaire et des enfants qu'il côtoie. Une conduite alimentaire spontanée, diversifiée et non excessive, permet aux parents de se détendre. Le rôle de ces derniers consiste donc surtout à surveiller les excès en terme de quantité, notamment vers les produits sucrés comme les friandises, et les éventuelles modifications de ses goûts au moment des repas ;

• **Les goûts et les dégoûts** : c'est l'heure de batailler pour prendre le petit déjeuner, pour lui faire avaler des légumes, pour l'empêcher de consommer trop de sucreries, pour lui faire manger des fruits... Tous ces moments délicieux que les parents connaissent car il est bien rare qu'un enfant ne passe pas par cette phase ;

• **Les excès et les déficits** : c'est le moment également où l'on va commencer à s'inquiéter de savoir s'il mange trop ou pas assez. Les conduites alimentaires qui lui ont été transmises jusqu'à présent ont pu être modifiées par des paramètres tout aussi variés que le stress, dont il fait l'apprentissage au travers de ses nouvelles obligations sociales, ou des incidents psychoaffectifs qu'il peut rencontrer soit avec ses camarades, soit avec les enseignants, soit avec sa famille.

Il n'existe pas de recette magique pour modeler chez un enfant une éducation alimentaire exemplaire. C'est une mystérieuse alchimie composée de nombreux petits facteurs. Si vous réussissez à contrôler une ou plusieurs des quatre règles décrites plus haut, vous êtes sur le chemin de la réussite. La consigne la plus modérée consiste à exercer une surveillance légère sur ses besoins et ses fonctions alimentaires, sans devenir paranoïaque. La condition primordiale étant de le faire dans un cadre qui ne doit pas présenter trop de rigueur et d'autoritarisme, sous peine de réveiller le maître danger de cette période, à savoir la frustration.

Sur le plan psychique, nous allons assister à la confusion et à l'intégration des émotions. En effet, l'enfant ne rencontre pas uniquement des émotions intellectuelles, il va découvrir les émotions affectives, les émotions sexuelles, s'il est précoce, les émotions alimentaires, les émotions sociales, provoquées par les devoirs ou les remises de notes... Selon que l'alimentation aura pour lui une connotation positive, rassurante ou neutre, il sera tenté d'investir toutes les situations par le biais d'éléments comme la nourriture. Il n'est pas rare qu'un enfant stressé à l'école, au même titre qu'un adulte, ait un besoin urgent de sucre quand il rentre à la maison.

La triple association frustration, consommation alimentaire, réprimandes suffit à enclencher des mécanismes qui risquent de se prolonger de façon beaucoup plus complexe et qui se montrent particulièrement difficiles à percer à l'âge adulte.

La crispation dans les rapports entre les parents et les enfants au moment de l'éducation alimentaire n'est pas à souhaiter. Si vous remarquez chez lui un comportement alimentaire qui ne vous convient pas, je vous propose d'adopter cette tactique progressive en quatre étapes :

La première consiste à surveiller l'enfant pour voir si ce comportement n'est pas momentané ;

La deuxième étape consiste à l'informer de la situation d'un ton banal et léger ;

La troisième consiste à lui faire quelques recommandations positives. Par exemple, en lui demandant de remplacer tel produit par un autre produit ;

La dernière des situations consiste à effectuer des trocs à son insu, c'est-à-dire à réduire, au moment des repas, les rations de sucre ou les rations alimentaires sans l'en informer (quitte à ce qu'il se resserve), s'il existe, bien entendu, une raison légitime de s'inquiéter, comme une augmentation trop rapide du poids par rapport à la taille.

Cette période de la vie de l'enfant est très importante, car il s'agit en réalité d'un préambule. Toutes les erreurs que vous allez laisser passer à ce moment-là vont perdurer jusqu'à l'adolescence. Jusqu'à présent, l'adaptation de votre enfant aux aliments était simplement le reflet de votre instruction. Désormais, comme il est dans une phase de tests, c'est le moment où il va utiliser les recommandations et les consignes que vous lui avez apprises pour se les approprier. Ne soyez pas pétrifié devant un problème, tous ont une solution. Dans le pire des cas, les médecins sont là pour vous aider, ils ne servent pas qu'à délivrer des ordonnances !

Quand il y a plusieurs enfants à la maison, il faut rapidement apprendre à dissocier les comportements alimentaires. Chaque enfant est différent. En même temps que vous découvrez ces différences, apprenez à chacun d'eux à connaître ceux de ses frères et sœurs. Ainsi, on peut donner plus de gâteaux secs à un enfant qu'à un autre, sans pour autant considérer qu'on gâte l'un plus que l'autre. Puisqu'on n'achète pas systématiquement le même vêtement à chaque enfant de la famille, faites de même avec les besoins alimentaires.

Après la période de « nourrissage », puis celle d'éducation basique à l'alimentation, vient donc l'époque de l'apprentissage qui débute à l'âge de 6 ans pour se peaufiner jusqu'à celui de 9-10 ans. Notons qu'à ce stade de l'éducation alimentaire, si l'enfant nécessite des corrections importantes, on ne peut les faire que sur un mode négocié.

Sur le strict plan des besoins alimentaires, vous retrouverez ci-dessous le tableau des recommandations nutritionnelles.

Tableau des apports journaliers recommandées pour un enfant de 6 à 9 ans

Âge	Énergie	Protéines	Lipides	Glucides
	kcal/24 h	g/24 h	g/24 h	g/24 h
6 à 9 ans G	1 900-2 100	70-80	74-82	235-260
6 à 9 ans F	1 700-2 000	65-75	65-78	210-250

Minéraux	Calcium	Phosphore	Fer	Magnésium	Iode	Cuivre	Zinc	Sélénium
	mg/24 h	mg/24 h	mg/24 h	mg/24 h	µg/24 h	mg/24 h	mg/24 h	µg/24 h
6 à 9 ans G	800	600	8	150-250	0,09	1,3	10	40
6 à 9 ans F	800	600	8	150-250	0,09	1,3	10	40

Vitamines	Vit A	Vit B9	Vit B1	Vit B6	Vit C	Vit D	Vit E
	µg/24 h	µg/24 h	mg/24 h	mg/24 h	mg/24 h	µg/24 h	mg/24 h
6 à 9 ans G	500	200	0,8	1	90	5	10
6 à 9 ans F	500	200	0,8	1	90	5	10

Vous trouverez ci-dessous les rations proposées par type d'aliments. Bien entendu, l'idéal reste de donner un produit de chaque classe d'aliments en variant les offres, mais, au cas où l'enfant refuse d'en prendre un, on peut compléter ou partager la ration avec son voisin comme le signale le OU.

Tableau des apports alimentaires recommandés par jour pour un enfant de 6 à 9 ans

Aliments de 6 à 9 ans	Quantité conseillée par jour	Énergie (kcal)	Protéines (g)
Pain OU	60 à satiété	Minimum 150	4 à ...
Biscuits OU	2 à 4 biscuits (20 à 40 g)	90 à 200	0,2 à 0,4
Dérivés du pain OU	Maximum 60 g	Maximum 250	4 à ...
Céréales	Maximum 8 cuillères à soupe (50 g)	Maximum 220	4 à 8

Potages OU	Minimum 200 g à volonté	Minimum 80	Minimum 4
Crudités OU	Minimum 200 g à volonté	Minimum 80	Minimum 4
Légumes	Minimum 200 g à volonté	Minimum 80	Minimum 4

Fruits OU	Minimum 200 g à volonté	Minimum 100	Minimum 2
Jus de fruits	Maximum 200 ml	Minimum 100	Minimum 2

Féculents	Minimum 200 g à volonté	Minimum 200	Minimum 2

Volaille/viande OU	100 à 120 g	200 à 250	20 à 25
Œuf (pour 1) OU	1 à 2 maximum 4 par semaine	80 à 60	8 à 16
Poisson	120 à 140 g	120 à 150	20 à 25

Yaourts/laitages OU	Minimum 2 à 3 (200 à 300 g)	200 à 300	8 à 12
Fromages	40 à 60 g	140 à 210	4 à 12

Lait entier OU	200 à 400 ml	140 à 280	6 à 12
Lait demi-écrémé	200 à 400 ml	110 à 170	6 à 12

Aliments de 6 à 9 ans	Quantité conseillée par jour	Énergie (kcal)	Protéines (g)
Beurre ou huile OU	Minimum 20 g maximum 30 g	140 à 270	
Crème ou sauces	Maximum 4 cuillères à soupe	Maximum 160	

Produits sucrés OU	20 à 40 g	80 à 160	
Jus de fruits OU	Maximum 200 ml	Maximum 100	
Chocolat-friandises	10 à 30 g	50 à 150	

À cet âge, les deux problèmes les plus importants à régler seront le petit déjeuner et le goûter. En effet, l'enfant a besoin d'une ration alimentaire à la fois de croissance et d'éveil. Les activités physiques et intellectuelles qu'il assume l'obligent à répartir de façon harmonieuse sa ration alimentaire dans la journée. Aussi, si je maintiens qu'il n'existe pas de nécessité à faire prendre un petit déjeuner aux adultes, il n'en est pas de même pour les enfants chez lesquels ce repas est indispensable jusqu'à l'âge de l'entrée au lycée. Il en est de même pour le goûter, car l'intervalle entre le déjeuner et le dîner est trop important pour lui assurer une distribution de sucre et d'énergie suffisante.

C'est pour cette raison que Myriam a tenu à diversifier le nombre de petits déjeuners et de goûters proposés à l'enfant. Peu importe, d'ailleurs, qu'il n'en choisisse qu'un pour le répéter tous les jours.

Pour respecter une bonne alimentation, il importe de tenir compte de ses goûts et ses dégoûts. Il ne faut surtout pas s'obstiner à vouloir lui faire consommer des aliments qu'il refuse régulièrement. Dans notre pays, les classes d'aliments sont tellement variées que nous n'avons pas besoin de nous angoisser si notre enfant n'aime pas les haricots verts.

Au passage, je tiens à signaler qu'à cet âge, quelle que soit la situation corporelle de l'enfant, il est hors de question de lui faire suivre un régime restrictif. Lorsqu'un enfant présente un problème de poids, il faut avant tout nous questionner sur notre façon de le nourrir et nous interroger sur la qualité des produits que l'on achète.

En effet, c'est une période où même si l'enfant déjeune à la cantine ou parfois chez ses amis, il mange cependant majoritairement à la maison. Dès lors, le choix des aliments qu'il peut grignoter à domicile dépend largement de nous. Si une prise de poids importante apparaît, il est important d'éviter de stocker chez soi les produits vers lesquels l'enfant concerné a l'habitude de se tourner, voire de les limiter de façon définitive.

De la même manière, les repas pris à la maison se font sous notre autorité. C'est la raison pour laquelle nous avons toute latitude pour contrôler les rations, les assaisonnements que nous réalisons, et la qualité des mets que nous servons à table. La mise sous régime avant un âge raisonnable, celui de 11-12 ans, présente à la fois un potentiel de risque sur la croissance de l'enfant, mais également un danger de complication du futur comportement psychique face à la nourriture.

Les rapports avec l'extérieur

L'enfant apprend la nourriture en compagnie de ses parents, mais aussi grâce aux nouveaux outils de communication comme la télévision. Les messages publicitaires qui lui sont destinés ont toujours les mêmes caractéristiques : ils sont ludiques, possèdent une connotation affective qui rappelle le monde de la maison ou de l'enfance, et utilisent volontiers, selon la mode, des personnages fétiches. Vous remarquerez que chaque produit alimentaire à destination des enfants se sert soit d'un héros de bande dessinée, soit d'une personnalité en vue chez les jeunes, soit du rapport au père ou à la mère, soit du thème de l'énergie et de la croissance.

Quelle attitude adopter vis-à-vis de ces spots sans avoir l'air d'un barbon réactionnaire ? En fait, nous devrions combattre les effets pervers de la publicité en utilisant les mêmes armes mais avec d'autres objectifs. Facile à dire. Mais, personnellement, je doute de mes capacités à imiter Donald ou Mickey pour dire à un enfant que la barre chocolatée dont on lui vante les mérites est moins bonne que ce qu'on lui fait croire.

Encore une fois, adoptons une attitude positive. Consommons le nouveau produit pour le tester et définir s'il est bon ou mauvais pour la santé. S'il n'est pas recommandable, prenons le temps d'expliquer sa composition à nos enfants et de leur dire pourquoi on ne le trouvera plus du tout ou occasionnellement à la maison. Moi-même, je me suis surpris à être dubitatif à propos de cette méthode, mais, à la réflexion, il n'existe aucune autre solution. Quant à celle d'éteindre la télévision, des études menées dans des pays nordiques ont démontré que les restrictions de l'accès à la publicité n'amélioraient pas forcément le comportement nutritionnel des enfants au cours des années qui suivaient.

En règle générale, toute interdiction alimentaire se solde par un réveil du désir de manger. Les attitudes des parents doivent donc toujours être positives, limitantes mais jamais restrictives. Cette fine barrière, difficile à exercer, reste le meilleur rempart pour accompagner un enfant vers le « bien manger ».

Le problème des sucreries

Là, il ne faut pas se faire d'illusion : aucun enfant n'a jamais résisté au plaisir des sucreries. Primo, parce que tous les êtres humains ont un goût inné pour le sucre. Secundo, parce que les bonbons sont un prétexte d'échange et de jeux. Tertio, parce que les fabricants savent parfaitement en assurer la promotion.

Tout le monde ne le sait pas, mais le sucre présent dans les friandises est de la même nature que celui que l'on trouve dans les fruits ou dans les yaourts. Voilà pourquoi le rationnement ici est plus important que la limitation ou la suppression.

Dans ce cas, le jeu le plus pervers consiste à diversifier à outrance cet appétit des sucreries. Si pour toute alimentation nous conseillons une diversification, face à ce type de produits, l'heure n'est pas à la multiplication des goûts.

De plus, le secret des sucreries réside souvent dans un ajout de matières grasses. En effet, pour rendre un produit encore plus savoureux, les industriels sont souvent tentés d'ajouter quelques graisses au sucre.

Les déclinaisons des produits variant sans arrêt, il est intéressant de fixer les enfants sur certains d'entre eux et de leur donner une connotation positive. La sucette, par exemple, reste un excellent produit, parce que c'est un sucre pur qui présente l'avantage, vu qu'il est sucé, d'être doucement délivré à l'organisme.

138

Il est en de même pour tous les produits gélifiés qui nécessitent, la plupart du temps, pour leur fabrication des ajouts en protéines.

Il est donc positif d'avoir un enfant qui préfère les sucettes et les oursons gélifiés plutôt que des produits beaucoup plus gras comme les biscuits chocolatés, les chocolats fantaisies ou les barres chocolatées. Cependant, il est tout à fait raisonnable d'en donner à un enfant, en cas de demande, pour qu'il ne se sente pas exclu dans la cour d'école.

Les céréales sont-elles un méfait ?

Les céréales ne sont guère plus qu'une variante céréalière du pain. Pour délivrer de l'énergie à son enfant sous forme de glucides complexes, on a donc le choix entre le pain, les féculents, les céréales ou les viennoiseries. En fait, tous ces produits se ressemblent, car ils sont issus de farine de céréales (blé, orge...).

Il n'est pas interdit de consommer des céréales de façon exclusive sans lait. Même si les céréales sont, la plupart du temps, le prétexte à faire consommer du lait. Je privilégie généralement les céréales fabriquées avec du chocolat plutôt que celles fourrées au chocolat, parce qu'elles permettent de faire boire un chocolat au lait agrémenté de produits céréaliers comparables au pain.

Le danger des nouvelles céréales est encore une fois lié aux dérives des industriels qui, pour diversifier l'offre et augmenter les prix, les enrichissent en graisses, en sucres, ou en ingrédients apportant les deux.

Une trop grande diversification dans les céréales est de mauvais aloi pour les enfants. Chaque enfant a sa ou ses marques et, si elles correspondent à peu près aux apports nutritionnels que nous préconisons, laissons-lui consommer ce qui lui fait plaisir et ne jetons pas l'anathème sur certains produits sans en avoir regardé précisément la composition. Enfin, signalons qu'on peut utiliser les céréales aussi bien au petit déjeuner qu'au goûter, voire comme une friandise si les enfants le désirent.

Le ni oui ni non

À cet âge, l'enfant manifeste des envies et des rejets précis. Parfois, il témoigne d'une restriction à certains produits. Parfois, il amplifie sa volonté d'en consommer d'autres. S'agit-il d'un jeu, d'un rapport de force avec les parents ou d'un véritable goût ?

Il importe d'abord d'en distinguer la nature. Comme ces problèmes sont souvent strictement identiques d'une famille à une autre, voici une liste de questions-réponses qui, je l'espère, seront en écho à vos doutes et vos interrogations.

Mon enfant ne mange jamais de légumes ou de crudités

L'intérêt des légumes et des crudités, c'est d'apporter à la fois des fibres, de l'eau et des micronutriments, comme les minéraux et les oligoéléments. Dès lors, une ration minimum de fruits, légumes ou crudités est relativement importante dans l'alimentation d'un enfant. Cependant, pour éviter le contact direct avec ces aliments, il est possible de cuisiner des potages, de noyer des crudités au milieu des féculents, d'amplifier la consommation soit de légumes, soit de crudités, soit de fruits, s'il est sélectivement dégoûté par l'un des trois. Bien entendu, il faut varier la façon d'accommoder ces produits et ne jamais oublier que les légumes se servent en flan, en purée, différemment assaisonnés, qu'on peut même les boire sous forme de jus de carottes, de tomates... L'innovation, l'originalité et la souplesse permettent de contourner ce problème. Il n'existe pas d'enfant qui ne mange jamais de fruits, de légumes ou de crudités.

Mon enfant refuse de prendre du lait ou des laitages

Entre 6 et 9 ans, le lait et les laitages ont moins de valeur qu'il n'en ont pour les plus jeunes enfants. Bien entendu, ils ont pour fonction d'être une remarquable source d'énergie, de calcium et, surtout, de protéines. En ce qui concerne les protéines, il pourra en trouver tout son soûl dans les autres aliments qu'il consomme harmonieusement. Le problème principal demeure le manque de calcium qui nécessite soit d'augmenter les apports en fromages, soit d'augmenter la consommation de fruits. On peut également lui faire boire en grande quantité des eaux riches en calcium comme Hepar, Contrex, Talians ou Courmayeur, et même les utiliser pour la cuisine. En ce qui concerne les autres sources de calcium, on pourra lui en donner sous forme d'amandes, de figues, de noix, d'abricots. Mais le plus remarquable c'est de constater que, parmi les farineux, la semoule contient un maximum de calcium, 360 mg pour 100 g, alors que la ration de calcium que contient le lait est d'environ 125 mg pour 100 g. Voilà comment on peut contourner ce problème, en respectant les goûts de l'enfant et en lui assurant une alimentation correcte. Vous trouverez, dans le tableau de la teneur en calcium des aliments, la façon d'assurer des apports calciques cohérents en attendant qu'il apprécie ce type de produits.

Mon enfant ne prend pas de petit déjeuner

Le petit déjeuner est un outil indispensable au bon fonctionnement intellectuel de la matinée. Soit le petit déjeuner qu'on lui sert n'est pas pris dans de bonnes conditions et ne lui convient pas, soit il va falloir accepter le fait que l'enfant parte à l'école le ventre vide. Dans ce cas, il est nécessaire de lui donner un goûter qu'il prendra à l'heure qu'il souhaite. Cet en-cas devra toujours avoir un caractère pratique et transportable, et être suffisamment rassasiant pour combler son appétit. La solution qui consiste à lui donner soit une brioche en sachet accompagnée d'un fruit ou d'une brique de jus de fruits, soit une tranche de pain coupée en deux légèrement toastée avec du fromage ainsi qu'une brique de yaourt à boire, suffira largement à l'équiper pour la matinée. De plus, n'oubliez jamais qu'un enfant ne se laisse jamais mourir de faim. Quand il ne mange pas, c'est bien souvent parce qu'il complète ce manque à un autre repas ou qu'il grignote.

Mon enfant ne prend pas de goûter

Le problème du goûter est identique à celui du petit déjeuner, mais il est trop rapproché du repas du soir pour s'en inquiéter.

Comme il n'a pas besoin d'être très important, je préfère insister sur la nécessité de la « densité » de l'alimentation. Ainsi, il est primordial de rassasier l'enfant de cet âge pour qu'il n'arrive pas affamé au dîner. Comme précédemment, l'essentiel est de respecter les rythmes individuels de chacun, de tenter de contourner la difficulté en essayant de nouveaux produits, d'accepter parfois de le nourrir avec des boissons plutôt que des aliments. Les yaourts à boire légèrement sucrés sont une excellente alternative. Rappelons également que les glaces et les sorbets sont des mélanges avantageux de lait, de sucre et d'arômes de fruits qui peuvent aussi être donnés sous forme de sucettes glacées, à condition de savoir les choisir.

Mon enfant ne mange jamais de poisson et/ou de viande et/ou d'œuf

L'intérêt de la consommation de poisson, de viande et d'œuf réside essentiellement dans les apports en protéines et en certaines graisses animales qui peuvent être utiles à l'enfant. L'apport en protéines peut être réalisé par le biais des fromages ou des laitages. Vous verrez dans les tableaux qu'on peut parfaitement modifier l'équilibre alimentaire d'un enfant en le nourrissant exclusivement avec du lait ou des fromages, sans s'inquiéter de sa consommation de poisson, de viande ou d'œuf. Il suffit de faire la conversion. Le seul problème demeure le manque de fer qui peut en résulter. À cet âge, en effet, le besoin est équivalent chez la fille et chez le garçons, mais vous trouverez des aliments de substitution dans les tableaux que nous avons dressés.

Mon enfant réclame sans cesse des boissons sucrées

C'est l'heure de la réprimande car votre enfant n'a pas découvert les boissons sucrées tout seul. Il n'y a pas à tergiverser. Face à cette situation surviennent deux possibilités, soit acheter des boissons *light*, soit les supprimer en lui présentant cela comme une décision de la maison ou, au moins, les interdire au moment des repas. On peut également tenter de substituer aux boissons sucrées des alternatives édulcorées comme les laits aromatisés, le thé aromatisé, voire les eaux aromatisées, à condition qu'elles ne contiennent pas de sucre. En règle générale, il est raisonnable d'accepter que les enfants consomment de temps en temps des boissons sucrées plutôt que du jus d'orange, la teneur en sucre de ce dernier étant au moins aussi importante que celle des différents sodas sucrés.

Mon enfant est fou des friandises

Ici, la règle des trucages est de rigueur. Les friandises sont surtout intéressantes lorsqu'elles sont exclusivement composées de sucre. On peut, par exemple, jouer au jeu d'une friandise contre un fruit. Si l'enfant a vraiment un désir trop aigu pour ce type de produits, il convient absolument de lui apprendre la possibilité de consommer d'autres aliments en plus des friandises pour, en quelque sorte, noyer ce produit au milieu des autres.

Mon enfant ne mange pas de pain

Le rôle du pain chez l'enfant est de fournir un apport en glucides, autrement dit un apport en énergie. Cependant, il n'est pas fondamental d'en manger puisqu'on peut trouver les mêmes nutriments dans les céréales, dans les viennoiseries ou dans les féculents. Ainsi, 40 g de pain correspondent à 100 g de féculents, ou 20 g de céréales, ou 20 g de viennoiserie, si elle ne contient pas d'ingrédients à l'intérieur. Rappelons au passage que le pain, les biscottes et les pains grillés sont strictement équivalents au niveau des apports en glucides, et que, en France, les alternatives au pain sont tellement nombreuses qu'il est facile de trouver un produit qui convienne aux enfants.

Mon enfant mange toujours les mêmes choses

J'ai envie de dire : Et vous alors ? Peu importe qu'il mange toujours les mêmes choses du moment qu'il ne s'agit pas d'un mouvement de contestation. En principe, à cet âge, la diversifica-

143

tion alimentaire a déjà été réalisée. Dès lors, il s'agit de goûts et de dégoûts personnels. Mais, ne vous inquiétez pas, ce genre de mécanisme cède avec le temps.

Mon enfant ne mange pas à table

Je le répète, on n'a jamais vu un enfant se laisser mourir de faim. Lorsqu'il ne mange pas à table, c'est qu'il mange en dehors des repas ou qu'il compense son manque alimentaire par une autre nourriture, chez vous ou ailleurs. Dans ce cas, la courbe de croissance est toujours l'élément qui permet de surveiller sa bonne évolution. Si son poids et sa taille sont dans la normale, ne rentrez pas en opposition avec lui. Le fait de ne pas manger à table n'est pas un événement qui va perdurer à l'âge adulte. Souvent, ce n'est qu'un mécanisme de résistance momentané ou un dégoût pour les aliments qu'on lui sert.

Mon enfant mange trop

Avant de prononcer ce type de phrase, tournez sept fois votre langue dans votre bouche. Un enfant qui mange trop et qui a une taille, une croissance et un poids corrects ne doit surtout pas être stigmatisé. Un enfant qui mange trop et présente un surpoids mérite que l'on s'arrête sur sa manière de manger. S'il mange de façon ordonnée quatre repas par jour constitués d'aliments corrects, c'est-à-dire sans grignotage excessif, il suffira d'attendre la période de la puberté pour voir son poids se corriger. C'est à ce moment-là que l'exercice physique prend toute son importance car un enfant qui mange trop bien et qui a tendance à prendre du poids est la majorité du temps un enfant qui n'a pas suffisamment d'activité physique. Là est la priorité.

Mon enfant mange trop peu

La réponse est strictement la même. En général, un enfant mange selon son appétit et ses besoins de croissance. S'il n'a aucun problème de croissance et ne mange pas suffisamment à

144

votre goût, c'est probablement qu'il mange à l'extérieur ou que vous ne savez pas apprécier la quantité de nutriments qu'il absorbe. Dans ce cas, vérifiez bien la qualité de ce que vous lui préparez, pour qu'il ne soit pas nourri de produits trop gras ou trop énergétiques qui ne lui amènent pas de densité alimentaire. S'il y a besoin de corrections, apprenez-lui en douceur à se nourrir différemment. Cependant, un problème chez un enfant a toujours une conséquence. Ainsi, si vous n'observez pas de conséquence à ce que vous croyez être un problème, ne vous inquiétez pas de cet événement.

Mon enfant grignote

C'est un mécanisme auquel on assiste de plus en plus souvent. Longtemps, on a incriminé le manque d'activité lié à la télévision, en oubliant qu'un enfant peut souffrir de stress au même titre qu'un adulte. Ainsi, dans le cas de grignotages excessifs, posez-lui des questions sur sa scolarité ou sur d'éventuels problèmes à l'école. Sur le plan strictement alimentaire, le grignotage s'organise. Soit il a des conséquences et il faut réellement s'en occuper, soit il n'a pas de répercussions et il convient progressivement d'en écarter l'enfant et d'en chercher la cause. Si vous devez gérer un excès de grignotage, commencez d'abord par attaquer les aliments avant d'attaquer le problème de l'enfant. Modifiez la nature des produits, essayez d'utiliser des substances qui leur ressemblent, tout en étant moins riches ou moins grasses, limitez discrètement les rations à la maison, changez vos modes d'assaisonnement et de cuisson. Tout cela pour réaliser des économies caloriques sans que l'enfant s'en rende compte. Ensuite, essayez d'organiser le grignotage autour d'aliments comme les crêpes, le fromage, les pains fantaisie. Une fois de plus, l'imagination, le jeu ou le troc vont être les outils idéaux pour gérer cette situation.

De 6 à 9 ans

Les conseils de la maman

Votre enfant va à l'école et se dépense avec ses copains. En pleine croissance, son corps est sollicité, tout comme ses neurones. Autant dire que l'alimentation est un précieux soutien à son développement. Trop souvent négligés, le petit déjeuner et le goûter sont alors les temps forts d'une alimentation équilibrée.

S'il ne mange pas, c'est qu'il n'a pas faim. Plutôt que de le forcer, essayez de savoir pourquoi. Est-il malade ? Un peu fâché ? Non ? Alors, il mangera mieux au repas suivant. Mais ne le laissez pas grignoter avant le prochain repas.

Au-delà de 6 ans, les enfants mangent plus. C'est tout ce qui change car l'hygiène alimentaire est identique. Ne pas surévaluer leur appétit et leurs besoins, limiter la quantité de protéines, de graisses d'origine animale, de sucre ou de sel, éviter le grignotage font toujours partie d'une diététique bien comprise. Pour le goûter, préférez encore le pain et le chocolat aux viennoiseries, bien trop grasses.

Que boire à table ? De l'eau bien entendu et surtout pas de boissons « fantaisie » beaucoup trop sucrées.

Quel que soit l'âge, ne leur proposez pas de frites ou de pommes de terre sautées plus d'une ou deux fois par semaine. N'oubliez pas non plus que l'équilibre, où l'on doit retrouver tous les groupes alimentaires, se fait sur une semaine et non sur une journée.

En cas d'obésité, les habitudes alimentaires de la famille sont presque toujours en cause. Trop souvent, on laisse manger l'enfant de façon anarchique, avec une consommation importante de sucreries, de biscuits et de boissons sucrées... La famille alors ne joue plus son rôle.

L'alimentation doit être adaptée à la croissance et au développement du futur adulte. En pleine croissance, votre enfant doit manger varié et équilibré. Pour être sûr d'éviter les carences, ses repas doivent contenir des aliments de tous les groupes. Mais il faut bien sûr respecter son appétit.

Le goûter est un repas important pour l'enfant, il marque la fin des classes et le retour à la maison. Profitez-en pour en faire un repas plus varié et équilibré. Prévoyez un lait aromatisé ou un yaourt mélangé avec des fruits, variez les pains (pain d'épices, biscottes, biscuits secs, brioche) ou même préparez des sandwichs (jambon, fromage à tartiner), proposez des fruits crus en choisissant les plus faciles à manger, en compote, en jus ou secs. Cependant, n'associez pas tartines salées et sucrées le même jour. Ce moment où l'enfant manifeste le plus d'appétit simplifie bien souvent le dîner.

Les petits déjeuners

Le réveil se met à hurler. Et, quelle que soit l'heure à laquelle nous nous sommes couchés, il faut se lever, préparer le petit déjeuner familial. Les courses ont été réfléchies, les ingrédients sont là.

Le lait, toujours quelques bouteilles d'avance pour ne pas en manquer.

Les jus de fruits, les différentes variétés de céréales contenant moins de 8 à 9 g de lipides pour 100 g, source de protéines non négligeables et de fibres, le pain, le beurre, la confiture faite par mamie, les fromages à tartiner.

La table a été dressée la veille pour gagner du temps.

Chez nous, ce repas est en libre service, non pas que chacun se serve, mais je suis en mesure de proposer du fromage, des œufs, des tartines, des crêpes, du jambon... Pour la petite dernière, ayant remarqué sa difficulté à manger le matin, je la réveille avec un jus de fruits ou un lait aromatisé aux fruits et la laisse se préparer. Une fois à table, elle mange plus facilement quelques céréales. La deuxième est assez classique : pain grillé, beurre confiture ou fromage à tartiner, lait au chocolat, tandis que l'aînée a besoin de plus de variétés. Cela tombe bien, nous aussi : crêpes, sandwichs, jambon, fromage blanc avec des fruits, yaourts. Les ingrédients du petit déjeuner varient à la maison selon les modes et le temps.

Ce repas a toujours été important pour moi. Le matin, ma mère préparait le petit déjeuner, je me réveillais avec l'odeur du café et me levais rapidement. Mais, aujourd'hui, les temps changent et la diététique prime. Si j'ai conservé l'habitude de varier la composition de ce repas, je garde toujours en tête la chasse aux calories malvenues.

Les céréales se sont diversifiées considérablement, les gâteaux sont vendus avec la mention « spécial p'tit déj », tous les produits se sont enrichis en calories. Comment s'y retrouver ? La facilité ne doit pas primer sur la qualité. Pour l'élaboration d'un bon petit déjeuner, commencez par bien faire vos courses.

Vérifiez systématiquement votre réserve de lait. Choisissez des aliments qui peuvent également se consommer au goûter. Si votre enfant refuse le fromage le matin, proposez-le-lui au goûter, peut-être l'appréciera-t-il et en mangera-t-il plus facilement qu'au petit déjeuner. J'ai également tendance à alterner les aliments classiques comme le pain, les produits plus élaborés du commerce et les préparations faites maison. Si vous subissez une pression de vos enfants pour l'achat de gâteaux mangés chez des petits camarades, vous ne pouvez pas le frustrer en ne lui proposant que du pain, du beurre et de la confiture. Dans ce cas, achetez des biscuits, si possible sans chocolat, et offrez-les de façon occasionnelle.

Régulièrement, je change de pain fantaisie pour jouer sur l'effet de surprise plutôt que sur l'effet compliqué des pains au lait aux pépites de chocolat. De même, je prépare souvent des gâteaux au yaourt et des petites crêpes que je cuisine à l'avance. Merci le micro-ondes ! Toujours pour ne pas tomber dans la monotonie, je sers des jus de fruits simples, des cocktails de fruits, des laits aromatisés aux fruits.

Même pressé, il faut prendre son temps, ou du moins laisser croire qu'on a le temps, et ne pas stresser les enfants. Le petit déjeuner est un repas au même titre que les autres repas, alors ne le négligeons pas. Et souriez pour bien démarrer la journée.

Quand un enfant refuse de manger le matin, difficile de ne pas tomber dans le piège des céréales chocolatées bien sucrées, conditionnées individuellement, ou des barres chocolatées bien lipidiques que l'on met dans le cartable. Difficile aussi de laisser partir son enfant le ventre vide. C'est en réfléchissant à ce léger problème que m'est venue l'idée de commencer par la faire boire au réveil.

Pour les petits mangeurs, je préparais des tartines avec un peu de Nutella, des céréales dans des bols personnalisés avec leur photo ou je leur achetais du lait aromatisé en conditionnement individuel qui se boivent avec une paille. Il est d'ailleurs assez surprenant de constater que le fait de changer de lieu peut modifier les habitudes alimentaires. Par exemple, quand mes enfants vont à la campagne, ils adorent prendre des tartines de pâté de foie le matin. Mimétisme avec leur grand-père ? Désir de rompre avec le quotidien ? Toujours est-il qu'ils n'en ont jamais pris à la maison.

L'appétit varie en fonction de l'âge. Ainsi, après avoir usé de toutes les ruses pour remplir leur estomac le matin, voilà qu'en grandissant les problèmes de poids peuvent survenir et nos questions avec. Quelle erreur ai-je commise ? Mange-t-il devant la télé ? En dehors des repas ? Se sert-il dans les distributeurs de son école ?

Cependant, il ne faut jamais mettre un enfant au régime, mais plutôt chercher à comprendre d'où vient sa prise de poids. Fait-il suffisamment de sport ? Mange-t-il entre les repas ?

Quoi qu'il en soit, c'est le moment où ils grandissent le plus, il faut donc ajuster les quantités aux besoins de la croissance et corriger les manques et les erreurs des repas pris à l'extérieur. Même s'ils deviennent plus autonomes, il ne faut pas démissionner : il faut garder les mêmes conseils diététiques que pour les plus petits. Éduquer, c'est répéter !

Que doit-on trouver dans un petit déjeuner ?

Tout d'abord une table dressée, car c'est un vrai repas.

Variez les aliments et laissez la liberté de choix. Proposez du lait, du pain, du beurre mais aussi des œufs, du jambon, du fromage, des fruits frais ou en jus. Coupez des bananes en rondelles, servez des petites crêpes garnies, du lait mixé avec des fruits, des petits sandwichs... Tous les stratagèmes sont bons. Retardez l'heure du déjeuner, le temps que l'appétit se fasse sentir. Intégrez ce repas à la fin de la routine matinale de votre enfant, donnez un jus de fruits au réveil pour exciter l'appétit. Souvent, un jus de fruits, un verre de lait ou un muffin maison peuvent faire l'affaire. L'important est que votre enfant ait un petit quelque chose dans le ventre afin de donner du carburant à son cerveau et à ses muscles. Il peut ensuite terminer son déjeuner dans la voiture ou dans la cour de récréation.

Pour gagner du temps et en laisser à vos enfants, levez-vous suffisamment tôt. Profitez des périodes des vacances ou du week-end pour introduire de nouveaux aliments. Attention, toutes les céréales n'ont pas la même quantité de Kcalories. Les céréales les plus caloriques et les plus grasses sont celles fourrées au chocolat. Pour choisir une variété de céréales, vérifiez qu'elles contiennent moins de 8 à 9 g de lipides pour 100 g. Les céréales sont riches en énergie et apportent une source de protéines non négligeables. Elles sont également source de fibres et sont consommées généralement avec du lait.

Les barres de céréales pour calmer une petite faim ne sont pas souhaitables tous les jours, choisissez des barres dont le taux de matières grasses est inférieur à 10 %.

La plupart des biscuits sont riches en lipides, ceux nappés de chocolat sont deux fois plus gras que ceux aux fruits. A poids égal, le pain au chocolat est moins calorique que la plupart des biscuits. Il n'y a donc aucune raison de manger des biscuits au petit déjeuner tous les jours. Si votre enfant rechigne à petit-déjeuner, donnez-lui occasionnellement des biscuits secs pour introduire l'habitude de ce repas.

Du pain pour goûter

Revenir à une alimentation simple est essentiel. Selon le docteur Patrick Serog[1], manger du pain, au goûter notamment, favorise la diversité alimentaire. On peut choisir de mettre quelque chose de différent chaque jour sur sa tartine : beurre, confiture, fromage, chocolat. Boire de l'eau est également fondamental, tout comme habituer les enfants à se désaltérer avec un liquide au goût neutre, leur apprendre tôt les différents goûts grâce à une nourriture variée et équilibrée dans laquelle le calcium, indispensable à la construction osseuse, doit être très présent. L'enfant de cet âge devrait consommer 200 à 400 ml de lait par jour + 2 à 3 yaourts ou équivalents. Un verre de 125 ml de lait apporte autant de calcium qu'un yaourt nature ou 4 cuillères à soupe bombées de fromage blanc ou 30 g de fromage à pâte molle ou 4 petits-suisses de 30 g.

Le déjeuner

En semaine, la majeure partie des enfants déjeunent tous les jours ou presque à la cantine. Ces moyennes varient fortement suivant l'habitat et l'âge des enfants. Selon certaines études, les repas à la cantine sont bien jugés par les parents en terme d'équilibre. Cependant, les enfants s'en plaignent souvent. Rassurez-vous, l'équilibre alimentaire est bien respecté et ce repas permet aussi à l'enfant d'apprendre une certaine autonomie alimentaire. Si vous pensez que l'équilibre n'est pas respecté, ou si votre enfant vous raconte qu'il ne mange que du pain, vous compenserez par les autres repas pris à la maison.

Le dîner

C'est le repas familial par excellence. En pleine croissance, votre enfant doit manger varié et équilibré. Pour être sûr d'éviter les carences, ses repas doivent contenir des aliments de tous les

---

1. Médecin nutritionniste, coauteur, avec Jean-Michel Cohen, du livre *Savoir manger*, Flammarion, 2004.

groupes. Mais il faut bien sûr respecter son appétit. Une alimentation équilibrée repose sur la connaissance des six catégories de nutriments (produits laitiers, viandes et poissons, matières grasses, céréales et produits sucrés, fruits et légumes) et sur trois principes :

- **Tous les groupes d'aliments doivent être représentés.** Ce principe ne doit pas s'appliquer dans le cadre d'une journée, mais plutôt de la semaine ou même du mois. C'est la garantie la plus simple d'un régime complet, varié, attrayant et évitant les carences ;
- **L'appétit de l'enfant est le seul critère qui doit déterminer la consommation.** Il n'est pas nécessaire, sauf en cas de pathologie particulière, de définir la quantité de nourriture qu'un enfant doit consommer ;
- **Les repas doivent être réguliers.**

Mon enfant mange mal

Il ne veut pas manger de légumes, refuse toute viande, chipote à chaque repas... Les enfants réussissent à rendre leurs parents fous avec ces histoires de nourriture. Nous l'avons déjà évoqué précédemment, ces périodes de refus alimentaires les aident à se construire par rapport aux adultes et à développer leur propre personnalité. Attention, les bonnes habitudes alimentaires se prennent dès le plus jeune âge, alors qu'il est plus difficile de corriger les mauvaises.

S'il n'aime pas les légumes

Dans ce cas, vous pouvez tricher en incorporant des légumes dans une farce, en les cuisinant comme des tomates farcies, en compensant par des fruits qui contiennent également des fibres et des vitamines. Personnellement, j'ai tenté de ne pas abdiquer et de donner à mes filles le goût des légumes. Régulièrement présentés, mais jamais imposés, en variant les présentations, les mélanges et les goûts, elles ont fini par les avaler sans grimace. Pour vous aider, voici quelques recettes à base de légumes :

Aubergines provençales

Pour 4 personnes

Ingrédients : 2 aubergines, 1 boîte de tomates concassées, 2 oignons, 2 gousses d'ail, 4 brins de thym, quelques feuilles de basilic, sel, poivre

Laver et couper les aubergines en petits cubes. Émincer les oignons puis hacher les gousses d'ail. Dans un peu d'eau que vous ferez chauffer, faire suer les oignons jusqu'à ce qu'ils deviennent blancs. Ajoutez les aubergines et faire dorer les petits cubes. Ajouter ensuite les tomates concassées, l'ail, le thym et le basilic que vous aurez hachés. Saler et poivrer. Couvrir et laisser mijoter pendant une bonne demi-heure. Servez chaud.

Champignons à la grecque

Pour 4 personnes

Ingrédients : 400 g de champignons de Paris, 1 oignon, 1 jus de citron, 1 demi-verre de vin blanc, 2 cuillères à soupe de concentré de tomates (40 g), ail, thym, coriandre, laurier, sel, poivre, 1 verre d'eau

Mettre dans une casserole l'oignon émincé, le vin blanc, le thym, la coriandre, l'ail, l'eau, le laurier, le sel et le poivre. Porter à ébullition pendant 10 minutes. Hors du feu, ajouter tout en remuant le concentré de tomates. Incorporer ensuite les champignons coupés en lamelles et arroser de jus de citron. Laisser cuire doucement pendant 10 minutes. Ôter le bouquet garni.

Fenouil à la provençale

Pour 4 personnes

Ingrédients : 3 bulbes de fenouil, 4 tomates, 1 oignon, 4 gousses d'ail, 1 bouquet garni, estragon, sel, poivre

Nettoyer les fenouils, puis les couper en deux. Peler, épépiner et hacher les tomates. Éplucher et hacher l'ail et l'oignon. Mettre les oignons et l'ail dans un faitout et faire cuire à l'étuvée pendant une vingtaine de minutes. Baisser le feu puis ajouter les tomates, mélanger et poser les fenouils par-dessus. Saler, poivrer et ajouter l'estragon et le bouquet garni. Couvrir le tout et laisser cuire à feu doux pendant 20 minutes.

Flan d'asperges

Pour 8 personnes

Ingrédients : 800 g d'asperges fraîches ou en conserve ou congelées, 4 œufs, 400 g de fromage blanc, 20 g de Maïzena, sel, poivre

Faire cuire les asperges. Les couper en petits morceaux. Mélanger le fromage blanc, les jaunes d'œufs, et la Maïzena. Rajouter les morceaux d'asperges. Saler et poivrer. Battre les blancs en neige ferme et les incorporer délicatement à la préparation. Verser dans des ramequins individuels et mettre au four 25 mn (thermostat 6).

Gaspacho au basilic

Pour 4 personnes
Ingrédients : 1 kg de tomates mûres, 1 courgette, 1 petit concombre, 1 poivron, 1 cuillère à soupe d'huile d'olive
Mixer le tout avec éventuellement des glaçons. Passer ensuite au presse-purée (cela retiendra les pépins et les peaux des tomates). Reverser dans un récipient et placer au réfrigérateur pendant au moins 4 heures. Servir avec des petits morceaux de tomates, concombres, oignons, petits croûtons.

Légumes sautés à la chinoise

Pour 4 personnes
Ingrédients : 250 g de pousses de bambou, 50 g de carottes, 50 g de haricots mange-tout, 50 g de brocolis, 125 g de pousses de soja fraîches, 1 cuillère à soupe d'huile végétale, 1 cuillère à soupe de bouillon, 1 cuillère à soupe de sucre, 1 cuillère à soupe de sel.
Quand le wok est chaud, verser l'huile puis ajouter les pousses de bambou, les carottes, les haricots mange-tout, les fleurs de brocolis et faire sauter le tout pendant 1 minute. Ajouter ensuite les pousses de soja et continuer à faire sauter le tout pendant 1 minute. Versez le bouillon, le sucre et le sel puis prolonger la cuisson pendant 2 minutes. Servir très chaud.

Salade rouge et verte

Pour 4 personnes
Ingrédients : 4 tomates, 2 poivrons verts, 1 demi-gousse d'ail, 1 cuillerée à café de moutarde, le jus d'un demi-citron, 2 cuillères à soupe de fromage blanc à 0 % de matière grasse, sel, poivre
Commencer par préchauffer le gril de votre four pour y mettre les poivrons. Pendant ce temps, laver et couper les tomates en rondelles puis hacher l'ail. Laver et enlever les pépins des poivrons puis les découper en lamelles. Passer ces lamelles sous le gril pendant une petite minutes puis les laisser refroidir. Dans un saladier, mélanger l'ail, les tomates et les lamelles des poivrons. Préparer la sauce avec le jus de citron, le fromage blanc, la moutarde, le sel et le poivre.

Tranches de courgettes au four

Pour 4 personnes

Ingrédients : courgettes, tomates, comté, lait, sel, poivre

Couper les courgettes en tranches d'un bon centimètre d'épaisseur. Recouvrir chacune d'une tranche de tomate (salez, poivrez) puis d'une tranche de comté préalablement trempée dans du lait (pour que le fromage sèche moins). On peut saupoudrer de paprika, de basilic, de thym, etc. selon son imagination (et son goût !). Faire cuire au four pendant quelques minutes (maximum 15 minutes).

Salade de chou

Pour 4 personnes

Ingrédients : 1/2 chou, 2 pommes rouges, 2 poivrons verts, 200 g de fromage blanc à 0 % de matière grasse, le jus d'un citron, persil haché, sel, poivre

Commencer par préparer le chou en ôtant les feuilles vertes. Le découper ensuite en fines lamelles que vous laverez et égoutterez. Laver les poivrons et les pommes puis les couper en dés pour les pommes, en lanières pour les poivrons. Mélanger le fromage blanc avec le jus du citron, le persil haché, le sel et le poivre. Mélanger tous les ingrédients ensemble avant de servir.

S'il n'aime pas la viande

Demandez-vous déjà si vous ne lui donnez pas trop de viande comparativement aux quantités conseillées. Jouez avec les équivalences, pensez aux laitages, aux poissons, aux œufs. Variez les plats, misez sur les saveurs...

Paupiettes de veau aux fines herbes

Pour 4 personnes

Ingrédients : 4 escalopes de veau, 1 oignon, 2 échalotes, 2 gousses d'ail, 4 branches de cerfeuil, basilic, persil, sel, poivre

Aplatir au maximum les escalopes. Mixer en purée oignon, échalotes, ail, cerfeuil, basilic, persil, sel et poivre. Répartir cette farce au centre des escalopes. Les fermer avec du fil de cuisine et les faire cuire à la vapeur pendant 30 minutes en parfumant l'eau de la cuisson avec des herbes. Servir accompagné de tomates cuites à la vapeur ou au four.

156

Steaks aux tomates

Pour 4 personnes

Ingrédients : 4 biftecks, sauce tomate à l'ail, 750 g de tomates, pelées et hachées, 3 gousses d'ail écrasées, 1 cuillère à soupe de basilic frais haché, sel, poivre, quelques brins de basilic pour la présentation, des haricots verts pour accompagner.

Préchauffer le gril réglé sur allure maximum. Attendrir et amincir les steaks à l'aide d'un maillet à viande ou d'un rouleau à pâtisserie. Placer les steaks sous le gril et les faire rôtir pendant quelques minutes de chaque côté, plus ou moins selon son goût. Pendant ce temps, faire la sauce. Mettre les tomates, l'ail, le basilic, le sel et le poivre dans une casserole et faire mijoter doucement pendant une dizaine de minutes. Disposer les steaks sur un plat de service préchauffé et verser la sauce par-dessus. Servir immédiatement avec quelques brins de basilic pour décorer et des haricots verts en accompagnement.

Agneau aux herbes

Pour 4 personnes

Ingrédients : 400 g de gigot d'agneau, 50 g d'échalotes hachées, 50 g d'oignon émincé, 1 gousse d'ail pilée, 2 dl de bouillon de viande, 2 citrons, sel, poivre, ciboulette, persil et romarin hachés

Dans une sauteuse antiadhésive, faire revenir la viande sans matière grasse. Ajouter l'échalote, l'oignon et l'ail. Mouiller avec le bouillon et le jus de citron. Saler et poivrer. Couvrir. Laisser mijoter 40 minutes. Enlever le couvercle. Ajouter les fines herbes. Continuer la cuisson 20 minutes. Disposer la viande sur un plat. Déglacer la cocotte avec le jus de citron restant. Servir parsemé de fines herbes.

Escalopes de veau façon cordon bleu

Pour 4 personnes

Ingrédients : 4 escalopes de 100 g chacune, 1 tranche de jambon blanc, 60 g de gruyère râpé, sel, poivre

Saler et poivrer les escalopes. Mettre sur chaque escalope un morceau de jambon et le gruyère râpé, les plier en 2. Faire griller dans une poêle à revêtement antiadhésif. Sortir la viande dès qu'elle est grillée et déglacer la poêle. Mettre le tout dans un plat allant au four. Cuire à four moyen pendant 10 minutes. Servir de suite.

Boulettes de viande aux légumes

Pour 4 personnes

Ingrédients : 300 g de bœuf haché, 2 œufs, 10 cl de lait, 2 cuillères à soupe de farine de blé, 1 demi-botte de persil, 1 pincée de noix de muscade, 1 courgette, 1 échalote, 1 carotte, 2 tranches de pain de mie, sel, poivre, 2 cuillères à soupe d'huile d'arachide

Faites trempez le pain dans le lait. Pelez l'échalote, la carotte et la courgette. Émincez l'échalote et râpez les autres légumes. Lavez et ciselez le persil. Dans un saladier, versez la viande, le pain égoutté, les œufs, la farine, les légumes, le persil et la muscade. Salez et poivrez. Prenez un peu de farce dans la paume des mains et façonnez des boulettes. Faites chauffer l'huile dans une poêle et faites-y dorer les boulettes 10 minutes environ.

Hamburgers aux œufs

Pour 4 personnes

Ingrédients : 4 cornichons aigres-doux, 1 oignon, 500 g de bœuf haché, sel, poivre, herbes de Provence, ketchup, 4 pains spéciaux pour hamburgers, 4 œufs

Peler et hacher l'oignon. Couper le cornichon en rondelles. Mélanger la viande hachée et l'oignon. Saler et poivrer. Former 4 steaks de viande hachée, les aplatir avec le revers d'une assiette et les égaliser. Les faire cuire à la poêle en saupoudrant d'herbes de Provence. Salez et poivrez. Puis les réserver au chaud. Faire griller au grille-pain ou à la poêle les petits pains du côté de la mie. Faites cuire les œufs sur le plat. Badigeonner 4 demi-pains d'un peu de ketchup. Déposez les rondelles de cornichons. Posez les steaks hachés. Faites glisser un œuf sur chacun d'eux. Salez, poivrez. Servez sur assiette avec couteau et fourchette.

Quelques petits conseils

Les friandises ou confiseries

Souvenez-vous, les gâteaux, les pâtisseries et les beignets sont très gras. Attention également aux sucreries (bonbons, barres chocolatées, sodas, glaces). Dès lors, préférez les confiseries pur sucre, sans chocolat. Les sodas sucrés doivent être considérés comme des friandises. Habituez votre enfant à boire de l'eau à table. En dehors des repas, si l'enfant le demande, choisissez alors les sodas *light*. Ne supprimez pas les friandises, proposez-les de façon occasionnelle si l'enfant est en demande, en n'oubliant pas que cela doit rester exceptionnel.

Attention aux quantités

Les enfants n'ont pas tous le même appétit. Ils se contentent souvent de quantités moindres que celles que nous leur donnons. Laissez-les se servir tout seuls, vous aurez sûrement le plaisir de les voir terminer leur assiette.

Repas, un moment de convivialité

Manger seul n'est jamais très agréable. Le repas est un moment de partage où l'on raconte ce que l'on a fait la journée. C'est aussi le moment pour montrer les bonnes manières et inculquer un minimum de savoir-vivre en société.

Surprenez vos enfants

Pour sortir du quotidien, pour que le repas soit toujours synonyme de plaisir et de convivialité, vous pouvez décontracter ce moment, en cas de tension par exemple, en surprenant vos enfants...

Repas plateau

Tout le repas est présenté sur un plateau, ce qui permet à votre enfant de visualiser ce qu'il va manger et de rendre ce moment ludique. Vous pouvez aussi choisir un cadre différent, dîner dans le salon ou dans un autre endroit inhabituel, si possible en changeant de vaisselle, comme des couverts et des assiettes jetables...

Le dîner fait ensemble

Élaborez le repas avec votre enfant et cuisinez-le ensemble. Il l'appréciera d'autant plus.

Jouez les couleurs

Vous pouvez proposer un repas tout blanc ou bicolore...
• Repas blanc : Céleri remoulade ou salade d'endive, comme entrée. Salsifis, pomme de terre, chou-fleur, œufs durs ou poisson blanc, comme plat. Fromage blanc, yaourt, camembert, pomme épluchée, poire, pour finir.

• Repas rouge et vert : Betterave, mâche, comme entrée. Steak haché ou thon rouge, épinards, salade verte ou brocolis, en plat. Sorbet à la fraise, en dessert.

Comme à la plage

Il faut qu'il fasse suffisamment chaud, prévoyez éventuellement d'augmenter le chauffage. Préparez un repas assez simple ou, encore mieux, des petits sandwichs. Tout le monde se met en maillot de bain, les grandes serviettes de plage sont installées par terre, si vous avez le courage, gonflez le matelas pneumatique et rappelez les souvenirs de l'été dernier.

Sur le terrain...

Depuis quelques années, il existe une campagne de sensibilisation à l'équilibre alimentaire auprès des enfants de l'école primaire. Ces interventions exposent les différents groupes alimentaires, les nutriments et leurs bienfaits pour la santé. La lecture est ensuite suivie d'échanges avec les petits. On leur demande ce qu'ils aiment, on leur parle des aliments, du calcium, on les sensibilise à l'idée de manger de tout, mais aussi moins de gras et moins de sucre. On compare également les goûters. Les enfants sont très bavards sur le sujet. Avec les plus grands, on leur apprend à lire les étiquettes ce qui permet de mettre en avant les pièges des produits industriels. On leur refait découvrir les produits simples comme les fruits, ce qui n'empêche pas de consommer en quantités raisonnables des produits plus riches. Tout cela dans l'espoir de sensibiliser les parents et d'inciter les enfants à en discuter dans leur foyer.

Menus type pour enfants de 6 ans à 9 ans

À partir du tableau de Jean-Michel qui précisent les aliments à donner et les quantités, voici une proposition de répartition de ceux-ci dans la journée d'un enfant entre 6 et 9 ans.

À répartir dans la journée, tout en sachant que le beurre et/ou l'huile ou les autres matières grasses ne dépasseront pas 30 g, soit 3 cuillerées à soupe par jour.

Petit déjeuner
Un produit laitier/200 ml de lait
Du pain à satiété, ou des céréales/6 à 8 cuillères à soupe
Un fruit ou un jus de fruits
Beurre ou pâte à tartiner au chocolat
Miel ou confiture/20 à 40 g

Déjeuner
Crudités
Viande ou poisson ou équivalents/100 à 120 g
Féculent/200 g (6 cuillères à soupe) ou légumes à volonté
Fromage/20 à 30 g ou 1 yaourt
Fruit ou dessert sucré

Goûter
Laitage ou 200 ml de lait
Pain à satiété ou dérivés ou 2 à 4 biscuits
Produits sucrés-friandises/10 à 30 g si non-consommation le matin de miel ou
de confiture
Éventuellement fruit de saison

Dîner
Potage ou crudités
Féculent ou légumes suivant le midi
Fromage/20 à 30 g, ou laitage
Dessert ou fruit

Exemple de menus pour enfants de 6 à 9 ans

C'est un âge où l'enfant est scolarisé et où, le plus souvent, il mange à la cantine. Contrairement à la répartition classique entre petit déjeuner 15 à 20 %, déjeuner 40 à 45 %, goûter 5 à 10 %, dîner 40 %, je forcerai plus sur une alimentation équilibrée le matin et le soir pour rétablir une ration journalière incomplète s'il a mangé à la cantine. De plus, n'oubliez pas le goûter, souvent pris à la va-vite à la sortie de l'école, c'est un moment privilégié, après une journée laborieuse, où l'enfant aime raconter ce qui lui est arrivé.

Menus type pour enfants de 6 à 9 ans

Menus pour les enfants mangeant à la maison

	Matin	Midi
Lundi	yaourt à boire + biscotte + beurre	**aubergines provençales** + steak haché + petits pois + petits-suisses
Mardi	lait + céréales + jus de fruits	filet de cabillaud + pomme de terre vapeur + salade d'orange
Mercredi	lait + pain + pâte au chocolat à tartiner	petits radis + **hamburgers aux œufs** + purée de pomme de terre + compote
Jeudi	fromage blanc + céréales + jus de fruit	carottes râpées + **boulettes de viande aux légumes** + cantal + fruit
Vendredi	thé + toast au fromage fondu + jus de fruits	**steaks aux tomates** + pommes de terre sautées + salade de fruits
Samedi	lait + café léger + pain + confiture	**fenouil à la provençale** + foie de génisse + carottes vichy + brie + fruit de saison
Dimanche	lait au chocolat + pain au lait + miel	**salade rouge et verte** + Agneau aux herbes + haricots verts + tarte aux fruits

Menus pour enfants mangeant à la cantine

	Matin	Midi
Lundi	yaourt + biscuit sec + jus de fruits	
Mardi	fromage à pâte molle type saint-paulin + pain + jus de fruits	
Mercredi	lait + corn flakes + sucre + compote de fruits	
Jeudi	yaourt à boire + pain au lait	
Vendredi	fromage blanc + fraises + 1 tranche de pain d'épices	
Samedi	lait chocolaté + tartines de pain beurrées	salade avocat-tomate + côte d'agneau + ratatouille + brie + fruit de saison
Dimanche	lait + pain + pâte au chocolat à tartiner	taboulé + poulet rôti + haricots verts + tarte aux fruits

Vous trouverez les recettes des plats indiqués en gras dans les pages suivantes.

162

Menus pour les enfants mangeant à la maison

Goûter	Soir	
yaourt à boire + biscuit	potage + coquillettes au fromage + yaourt	Lundi
pain au lait + fromage à tartiner + jus de fruits	**salade de chou** + omelette + gâteau de semoule	Mardi
Milk-shake aux fruits + biscuit	salade de lentilles **légumes sautés à la chinoise** + camembert + 1 glace	Mercredi
brick de lait + banane	**champignons à la grecque** + crêpes au fromage + fruit de saison	Jeudi
tartine de fromage + jus de fruit	**flan d'asperges** + spaghettis à la sauce tomate + yaourt	Vendredi
lait + madeleines	salade de riz + jambon de dinde + crème au caramel	Samedi
yaourt à boire + brioche + chocolat	**gaspacho au basilic** + lasagnes + poire au sirop	Dimanche

Menus pour enfants mangeant à la cantine

Goûter	Soir	
yaourt à boire + biscuit + fruit	salade de tomates + escalopes de veau façon cordon bleu + épinards + gâteau de semoule	Lundi
pain au lait + fromage à tartiner + jus de fruits	potage de légumes + rôti de veau + pâtes sauce tomate + Port-salut + macédoine de fruits	Mardi
salade de fruits + biscuit	concombres au fromage blanc + steak haché de bœuf + maïs + courgettes + fruit	Mercredi
brick de lait + banane	potage de légumes + poisson en papillote + pommes vapeur persillées + roquefort + fruit	Jeudi
tartine de fromage + jus de fruit	carottes râpées + paupiettes de veau aux fines herbes + gnocchis + crumble aux pommes	Vendredi
lait + madeleines	salade de mâche-betterave + quiche au fromage + crème renversée	Samedi
yaourt à boire + brioche + chocolat	1/2 pamplemousse + pâtes au gratin + aubergines provençales + steak haché + petit-suisse aux fruits	Dimanche

Puisqu'il faut savoir à quoi on a nutritionnellement affaire lorsqu'on se promène dans la jungle des produits alimentaires proposés dans les rayons des magasins, voici quelques recommandations spécifiques destinées à vos enfants pour leur offrir une nourriture plus équilibrée et utile à leur croissance.

Laitages

L'intérêt des laitages est de faire consommer du lait aux enfants. Voici une liste de produits dont la composition se rapproche le plus de celle du lait. Il est conseillé de privilégier ceux dont les apports en calcium avoisinent 100 mg pour 100 g. Les yaourts nature présentent l'avantage de laisser aux parents la liberté d'ajouter les sucres qu'ils veulent. Les yaourts aromatisés et à boire sont une alternative pour les enfants rebelles à la consommation de laitage. Le yaourt à boire permet notamment de régler une petite faim dans la journée de façon originale.

Les petits-suisses, qui sont rentrés dans « l'histoire » de l'alimentation du bébé et des enfants, ont pour avantage nutritionnel d'apporter plus de protéines que les autres laitages (mais leur teneur en calcium est moindre). Ils peuvent être proposés chez des enfants qui auraient tendance à refuser pendant longtemps la diversification en viande, poisson, et œuf.

- Yaourt nature Auchan
- Yaourt nature Danone
- Kremly de Nestlé
- Velouté nature
- La laitière nature
- Frutos de Yoplait
- Danone et fruits
- Panier de Yoplait
- La Laitière saveur vanille
- Bio saveur
- Velouté Fruix
- Yaourt aux fruits Carrefour
- Panier de Yoplait à boire (100 mg de calcium/100 g)
- Velouté Fruix à boire (100 mg de calcium/100 g)
- Yop aromatisé (99 mg de calcium/100 g)
- Gervais à boire aromatisé (120 mg de calcium/100 g)
- Petit Yoplait nature 20 %
- Le Petit Équilibre nature Gervais 30 %
- Petits Filous aux fruits 21 %
- Petits Filous Tub's 20 %
- Petits Musclés sucrés aux fruits 20 %
- Gervais aux fruits
- Petits Filous énergie 30 % (fruits et céréales)
- Petits-Suisses nature Gervais 40 %

Fromages

Sur le plan nutritionnel, on observe que les fromages non spécifiques pour enfants sont supérieurs à ceux qui leur sont exclusivement dédiés. Leurs teneurs en lipides sont très peu différentes, en revanche la teneur en protéines et en calcium des fromages traditionnels est supérieure. La teneur en glucides des fromages pour enfants est, quant à elle, supérieure, c'est ce qui explique le fait qu'ils soient tartinables. Par ailleurs, les packagings sont une source de jeu pour les enfants et facilitent alors les repas. Il existe d'autres fromages à tartiner dont les goûts plus prononcés conviendront aux enfants plus âgés. Les fromages à pâte molle sont plus facilement saisissables pour les jeunes enfants, on peut également les couper en petits morceaux facilement grignotables. Ici, comme pour les autres aliments, l'alternance est de bon goût et participe à la diversification alimentaire. Ceux que nous avons choisis présentent le meilleur rapport usage/qualité nutritionnelle, adapté au goût de cet âge.

- Kidiboo emmenthal
- Kiri goûter (fromage + gressin)
- La Vache qui rit (nature, chèvre, jambon, ou 2 bleus)
- Babybel (portions)
- Babybel (chèvre)
- Fol Épi (fromage tendre et fruité)
- Kiri (fromage à la crème)
- Kiri chèvre
- Meule d'or (P'tit mordus)
- Camembert
- Coulommiers
- Petit Brie de Président
- Chamois d'or
- Parmesan
- Bonbel
- Port-salut
- Édam
- Gouda
- Mimolette

Les céréales

Les céréales ne sont rien d'autres que des variantes de farine avec des additifs, qui pourraient tout à fait être remplacées, comme dans le passé, par des biscuits émiettés dans du lait ou du pain, du sucre et un peu de matières grasses, ce qui est moins légitime. Leur mode de présentation, l'agressivité de leur commercialisation et leur côté pratique en ont fait en vingt ans des stars du petit déjeuner. Cependant, il faut se méfier des céréales trop élaborées car, d'année en année, leur valeur nutri-

167

tionnelle et énergétique se dégrade. Les additifs en sont largement responsables. Les deux valeurs à surveiller sont la teneur
en sucre ajouté et celle en lipides, souvent de mauvaise qualité.
À cet âge, il est préférable de choisir les céréales les plus
simples. Les céréales au chocolat, non fourrées, conviennent à
l'enfant jusqu'à 3 ans. Celles qui le sont ne peuvent être intro-
duites qu'après. Elles sont d'ailleurs beaucoup plus grasses !

L'aspect pratique des céréales peut simplifier la vie des
mamans de petits mangeurs. D'autant que leur teneur en protéines ne sont pas négligeables. Notons que 30 g de céréales et
un bol de lait apportent l'équivalent de 40 g de pain, 10 g de
beurre et deux cuillerées à café de confiture. Pour cet âge, on
privilégiera toujours des céréales avec des teneurs en lipides inférieures à 9 g pour 100 g. Enfin, les renforts en différents nutriments, vitamines, fer, magnésium... ont plus un intérêt marketing
que nutritionnel.

- Kellogg's, Frosties
- Carrefour, Corn Flakes
- Kellogg's, Special K fruits rouges
- Monoprix, pétales de maïs
- Kellogg's, Corn Flakes
- Kellogg's, Frosties glacés au sucre
- Kellogg's, Frosties
- Nestlé, Chocapic
- Kellogg's, Special K copeaux de chocolat
- Kellogg's, chocos
- Kellogg's, Smacks
- Kellogg's, Choco Pops
- Kellogg's, Rice Pops
- Kellogg's, Miel Pops
- Nestlé, Nesquick
- Nestlé, Crunch

Biscuits

Le biscuit reste une friandise chez l'enfant car, sur le plan alimentaire, il s'agit d'un mélange céréalier avec de la graisse et du sucre. Voilà pourquoi il a, depuis toujours, une image de fête et de récompense.

De 1 à 3 ans, nous avons privilégié des portions de petites tailles, pour développer chez l'enfant la notion de ration. Nous avons également sélectionné les produits à base de confiture plutôt que de chocolat, trop gras et encore inutile à cet âge. Vous trouverez donc principalement des produits conservant leur côté maniable et non salissant mais qui permettent de varier les goûts en direction de saveurs fruitées.

À partir de 3 ans, nous allons augmenter la taille de certains biscuits, qui pourront servir de friandise mais aussi de goûter, et nous faisons apparaître le chocolat, en privilégiant des goûts très tranchés. Ainsi, une véritable éducation au chocolat ne doit pas se faire avec des préparations chocolatées qui, outre la qualité inférieure des matières grasses utilisées, conduiraient l'enfant à les préférer aux autres produits auxquels il doit aussi s'habituer.

De 1 à 3 ans
- LU, Langues de chat
- LU, Petits cœurs
- Auchan, biscuits cuillère aux œufs frais
- Auchan, boudoirs
- LU, Petit Exquis
- LU, Petit LU au lait
- LU, Beurré nantais
- LU, Thé
- LU, Véritable Petit Beurre
- Auchan, galettes bretonnes pur beurre
- LU, Paille d'or
- LU, Barquette abricot
- LU, Barquette fraise
- LU, Barquette framboise

De 3 à 6 ans

- Lotus, Original Spéculoos
- LU, Petit Lu normand
- LU, Feuilleté doré
- LU, Palmito
- LU, Pim's orange
- LU, Pim's poire
- LU, Prince fraise
- LU, Mikado chocolat noir
- LU, Petits cœurs chococroc
- LU, Petits cœurs au chocolat
- LU, Coqueline chocolat
- LU, Mini Petit Écolier noir
- Auchan, biscuits chocolat au lait
- LU, Pépito chocolat noir
- LU, Pépito chocolat au lait
- BN, Chocomalin
- LU, Petit Écolier chocolat au lait
- LU, Granola lait
- Carrefour, Petites tablettes au chocolat noir
- LU, P'tit Prince chocolat

Confiseries de 3 à 6 ans

Soyons lucides, on ne peut pas échapper aux confiseries. Le plus simple restera le meilleur nutritionnelllement parlant, sans dénaturer le goût des enfants. Nous avons donc une préférence pour les produits gélifiés et les sucettes. Les premiers, parce qu'ils contiennent souvent des ajouts de protéines qui permettent de réduire légèrement les teneurs en sucres. Les secondes, parce qu'elles prennent du temps à être consommées.

Les nouvelles variantes qui se développent sous la dénomination 0 % de matières grasses n'ajoutent rien, car il est normal pour du sucre de ne pas être gras ! En ce qui concerne les produits chocolatés, nous avons choisi les petites portions pour mieux pouvoir doser ainsi que les spécialités les moins grasses. Un peu de tout ne nuit jamais...

- Chupa Chups, sucettes Creamy au lait, 0 % de MG
- Chupa Chups, sucettes originales
- Auchan Rik & Rok, gélifiés Oursi
- Auchan Rik & Rok, frites Fritou
- Monoprix Bien Vivre, Gel'o Dino
- Haribo, Chamallows
- Haribo, Polka
- Auchan Rik & Rok, gélifiés au cola
- Monoprix Bien Vivre, Fritt'
- Haribo, Crocodiles Hari
- Haribo, Fraises Tagada
- Haribo, Dragibus
- La pie qui chante, gommes agrumes
- Mentos, mint ou fruits
- Leclerc Marque repère, caramel au chocolat
- Nestlé, Lion goûter
- Kinder maxi, barres chocolatées
- Masterfood, Twix minibarres
- Nestlé, KitKat mini

Boissons

S'il en faut, il faut privilégier les purs jus de fruits, en essayant également de proposer des jus de légumes que certains enfants apprécient. Les nouvelles boissons à base de lait et de jus de fruits ne sont pas vraiment plus intéressantes, malgré des apports en protéines plus importants liés à la présence de lait. On peut les consommer selon le goût de chacun.

- Joker multivitamine, pur jus
- Joker ananas, 100 % jus
- Cidou jus de pomme, 100 % jus
- Tropicana Pur Premium, multivitamine
- Joker jus de raisin, pur jus
- Joker 7 légumes, pur jus
- Jus de tomate Auchan, pur jus
- Joker jus de carotte, pur jus

- Cidou au lait
- Danao fruits
- Danao allégé en sucre, pêche-abricot et multifruits

Céréales

À cet âge, on préférera encore des céréales avec des teneurs en lipides inférieures à 9 %. Les renforts en différents nutriments, vitamines, fer, magnésium... n'ont toujours pas plus d'intérêt. Maintenant, on peut se permettre d'augmenter la palette des céréales dont on va disposer. En effet, la nécessité de faire accepter aux enfants un goûter ou un petit déjeuner et de leur assurer une ration d'énergie suffisante est une telle priorité qu'il convient de respecter leur goût et de leur offrir une variété telle qu'ils ne puissent pas refuser d'en consommer. On privilégiera cependant les céréales qui ont des ajouts en fruits secs ou en fibres et qui respectent les valeurs nutritionnelles que nous avons choisies.

- Muesli et fruits secs sans sucre bio, Cereal
- Country Store, Kellogg's
- Special Muesli, Jordan's
- Country Store just right, Kellogg's
- Flocons d'avoine Quaker oats, Quaker
- Mon bien-être au quotidien, Quaker
- Céréales sans sucre ajouté, Monoprix
- Luxury muesli, Jordans
- Muesli bio, Bjorg
- Céréales au fruits rouges bio, Bjorg

173

- 4 céréales et fruits, Leclerc marque repère
- Fitness et fruits, Nestlé
- Corn Flakes, Carrefour
- Céréales de riz et blé complet aux fruits rouges, Monoprix
- Special K fruits rouges, Kellogg's
- Pétales de maïs, Monoprix
- Céréales de blé et riz complet, Carrefour
- Fruits & Fibres blé complet aux 6 fruits, Auchan
- Corn Flakes, Kellogg's
- Special K riz et blé complet, Kellogg's
- Frosties glacés au sucre, Kellogg's
- Frosties, Kellogg's
- Frosties nuts, Kellogg's
- Chocapic, Nestlé
- Special K copeaux chocolat, Kellogg's
- Smacks chocos, Kellogg's
- Goldem Grahams au miel, Nestlé
- Choco Crack, Auchan
- Smacks, Kellogg's
- Winnie l'ourson au miel et biscuits, Kellogg's
- Choco Pops, Kellogg's
- Rice Pops, Kellogg's
- Miel Pops, Kellogg's
- Weetos blé complet au chocolat, Weetabix
- Céréales de maïs soufflé enrobé de miel, Monoprix
- Cheerios anneaux nappés de miel, Nestlé
- Nesquick, Nestlé
- Crunch, Nestlé

Laits

Nous avons tenu à détailler l'ensemble des produits lactés que l'on peut trouver dans le commerce, de façon à disposer d'une gamme suffisamment large pour que chaque enfant puisse être assuré de consommer suffisamment pour couvrir ses besoins. Même si, à cet âge, le lait peut trouver des produits de substitution qui amènent du sucre, des protéines et du calcium, il est plus rassurant de savoir que les enfants en consomment un minimum. Vous verrez ci-dessous que l'on peut très bien remettre à la mode des produits comme le lait concentré ou le lait déshydraté. Les seuls laits à éliminer sont les laits écrémés. En effet, leur absence de graisse élimine également la vitamine D. Les laits enrichis s'appliquent à certaines situations dont vous êtes juges. De la même façon, les laits aromatisés restent une technique élégante et sans problème pour résoudre le refus de lait. En revanche, nous avons conservé les laits demi-écrémés pour aider les parents qui contrôlent légèrement l'alimentation de leurs enfants en cas d'excédent de poids ou d'un enrichissement trop lourd en cacao. Veillez quand même à demander conseil à votre médecin.

- Lait demi-écrémé
- Lait garanti en vitamines, Viva
- Matin léger, Lactel
- Lactel Calcium
- Lait entier
- Lait aromatisé, Nesquik
- Lait concentré demi-écrémé non sucré
- Lait concentré entier non-sucré, Nestlé
- Lait concentré demi-écrémé sucré, Nestlé
- Lait concentré entier sucré, Nestlé
- Lait demi-écrémé en poudre, Régilait
- Lait entier en poudre, Régilait

Laitages

Pour les yaourts nature et les yaourts aromatisés, la gamme est tellement importante que nous avons choisi de privilégier les yaourts qui ne sont pas trop sucrés. Cependant, vous observerez que, dans les yaourts aromatisés, certains ne contiennent que 15 g de sucre ce qui correspond à trois sucres en morceaux. Cela reste raisonnable. Certains yaourts trop gras ont été éliminés, car le fait de les sucrer en faisait de véritables bombes nutritionnelles !

Le problème n'est pas le même pour les yaourts à boire qui

sont à la fois des produits lactés et des boissons sucrées. Nous avons conservé ceux qui avaient les meilleures valeurs nutritionnelles et surtout ceux que les enfants acceptaient de boire.

En ce qui concerne les fromages blancs, leur avantage reste la possibilité de les accommoder soi-même et au goût de l'enfant, en y ajoutant quelques céréales ou de la confiture. Le raisonnement nutritionnel reste le même, on privilégie des fromages à taux de graisse modéré ou sucrés raisonnablement pour faire l'ajustement soi-même.

Les crèmes desserts sont extrêmement intéressantes, car la plupart d'entre elles ont des taux de lipides tout à fait raisonnables. Nous ne sommes pas scandalisés des quantités de sucre car il s'agit d'un dessert sucré dont nous sommes conscients de la valeur nutritionnelle. Nous avons cependant respecté les recommandations prévues à cet âge en restant dans des limites de 20 g de glucides pour 100 g, ce qui permet de faire un couple laitage-produit sucré.

- Yaourt nature, Auchan
- Yaourt nature, Danone
- BA nature
- Bifidus nature, U
- Bio nature, Danone
- Kremly, Nestlé
- Velouté nature
- La Laitière nature
- Crème de yaourt nature
- Yaourt nature de brebis
- Frutos de Yoplait
- Danone et fruits
- Panier de Yoplait
- La Laitière saveur vanille
- Bio saveur
- Velouté Fruix
- Yoco, Nestlé
- Recette crémeuse, Danone
- Crème de yaourt aromatisé, Danone
- Perle de lait vanille

176

- Panier de Yoplait à boire
- Velouté Fruix à boire
- Yop aromatisé
- Yoco à boire saveur fraise
- Gervais à boire aromatisé
- Actimel nature sucré, Danone
- Calin nature (20 % MG)
- Jockey au lait demi-écrémé (20 % MG)
- Fjord nature
- Jockey au lait entier (40 % MG)
- Fromage blanc sucré vanille Casino (20 % MG)
- Le petit équilibre nature 30 % Gervais
- Petits filous aux fruits (21 % MG)
- Petits filous Tub's (20 % MG)
- Petits musclés sucrés aux fruits (20 % MG)
- Gervais aux fruits
- Petits filous énergie, fruits et céréales (30 % MG)
- Faisselle lait entier, Rians
- Crème caramel aux œufs, Auchan
- Crème caramel aux œufs frais, Charles Gervais
- Crème aux œufs saveur vanille, Charles Gervais
- Danette crème dessert (chocolat, vanille, caramel)
- Crème dessert vanille chocolat, U
- Crème dessert café, Bridélice
- Crème au chocolat, La Laitière
- Flanby vanille nappé caramel, Nestlé
- Rik & Rok flan nappé caramel, Auchan
- Flan vanille nappé caramel, Casino
- Dany au chocolat
- Semoule au lait, La Laitière
- Gâteau de riz, La Laitière
- Riz au lait, La Laitière
- Riz au lait, Auchan

Fromages

À cet âge, nous avons surtout décidé de compléter l'offre en fromage en utilisant des produits à la fois plus goûteux et aux consistances différentes. Bien entendu, on peut continuer à utiliser tous les fromages que l'on donne jusqu'à six ans. Des produits comme le Caprice des Dieux ou les Toastinettes sont moins riches en calcium, aussi ne faut-il pas en proposer de façon exclusive. Pour certains enfants, on pourrait utiliser des pâtes à tartiner, plus sophistiquées et moins diététiques (Boursin, Rondelé...), mais nous avons préféré les réserver aux adolescents pour permettre à chaque âge de trouver des plaisirs différents. En fait, l'achat des fromages pourra se faire très rapidement de façon unique pour toute la famille.

- Le Carré, Bridel
- Coulommiers
- Brie à 60 %, Président
- Caprice des dieux
- Mozzarella
- Leerdammer
- Emmenthal
- Comté
- Toastinette
- Beaufort
- Petits chèvres doux, Chevretine
- Salakis nature
- Fromage de chèvre au lait frais, Carrefour Soignon
- Fromage de chèvre au lait cru, Soignon

Barre de céréales

Elles sont tellement devenues à la mode qu'il est inutile de les contourner. Nous avons donc choisi de permettre d'en manger aux enfants qui le désirent. Notre choix se tourne vers des produits qui pèsent environ 20 g, qui ne dépassent pas 100 Kcalories par barre et dont les taux de lipides sont voisins de 10 %. Leur usage convient parfaitement au grignotage dans la matinée ou dans l'après-midi, à condition de les associer à d'autres produits, notamment des laitages ou encore des produits denses, c'est-à-dire qui remplissent l'estomac. Elles peuvent également être parfaitement utiles pour les enfants totalement rebelles au petit déjeuner ou au goûter, dans les mêmes conditions que précédemment.

- Jordans-Fruitsli, Barres de céréales aux fruits des bois
- Jordans-Fruitsli, Barres de céréales raisins et noisettes
- Monoprix, Barres de céréales fruits rouges
- Monoprix, Barres de céréales abricot
- Kellogg's, Special K chocolat
- Ovomaltine, De l'effort
- LU, Grany brut pomme verte
- Kellogg's, Chocopops
- LU, Prince matin
- LU, Grany brut chocolat
- Biosoleil, barres de céréales chocolat
- LU, Prince Énergie +
- LU, Grany Brut noisette
- Monoprix, barres céréalières chocolat au lait et noix de coco

Biscuits

Nous recommandons les mêmes paramètres nutritionnels que pour les 1 à 6 ans, c'est-à-dire des biscuits qui soient des mélanges harmonieux de céréales, de sucres et de graisse. Nous conservons des portions plutôt petites qui permettent d'atteindre la satiété de l'enfant de façon plus progressive. Les taux de glucides et de lipides doivent rester les mêmes, c'est-à-dire être voisins de 10 % de matières grasses, et surtout comporter des glucides complexes pour lesquels il n'y a pas de limitation. L'extrême variété de ces produits n'impose pas de les varier outre mesure. Dès lors que les paramètres nutritionnels sont conservés, notre choix s'est déterminé en fonction des goûts des enfants, du

côté pratique de la conservation et de l'achat. N'oublions pas
que les repas principaux sont ailleurs !

- LU, Mikado chocolat noir
- LU, Paille d'Or
- LU, Petits Cœurs choco'croc
- LU, Petits Cœurs
- LU, Petits Cœurs chocolat
- LU, Barquette abricot
- LU, Barquette fraise
- LU, Barquette framboise
- LU, Coqueline fruits
- LU, Petit Exquis
- LU, Petit Lu au lait
- LU, Coqueline chocolat
- LU, beurré nantais
- LU, Mini Petit écolier chocolat noir
- LU, Thé
- LU, Pépito minirollos lait
- LU, Barquette chocolat
- LU, Pépito mini rollos chocolat
- LU, Petits Bruns extra
- LU, véritable petit beurre
- LU, Petit Lu normand
- LU, Galettes Saint-Sauveur
- LU, Feuilleté doré
- LU, Résille d'or praliné noisette
- LU, Chamonix
- LU, Palmito
- LU, Pim's framboise
- Auchan, Biscuits chocolat au lait
- LU, Pim's orange
- LU, Pim's poire
- LU, Prince fraise
- LU, Petit déjeuner sablé lait et céréales
- LU, Petit déjeuner chocolat coco noisette
- LU, Petit déjeuner miel et pépites de chocolat

- BN, Casse-croûte biscuits petit déjeuner
- Carrefour, Petite Tablette au chocolat noir
- BN, Petit Déjeuner nature

Boissons

Ce sont les mêmes que celles de l'âge précédent. On pourrait y ajouter quelques Ice Tea, en sachant que l'on ne donne que du sucre et que cela ne sert qu'à remplacer les friandises, car ces produits, contrairement aux jus de fruits, ne contiennent pas du tout de vitamine C.

- Nestea légèrethé pêche
- Ice Tea thé vert
- Nestea pêche
- Ice Tea pêche
- Ice Tea Liptonic

Confiseries

Il n'y a pas de raison particulière à modifier les listes de l'âge précédent.

Pains et viennoiseries

Certains produits sont une alternative intéressante au pain et aux féculents. Ils sont choisis en fonction du goût des enfants. On peut s'en servir pour le petit déjeuner et le goûter, voire les proposer en cas de grignotage, en préférant privilégier les féculents et non d'autres produits comme les confiseries ou les biscuits. Les raisons nutritionnelles qui nous poussent à choisir les produits que vous trouverez ci-dessous sont la richesse en glucides complexes, les rations de lipides modestes, une présentation des portions compatibles avec l'éducation des enfants et des goûts relativement simples. Assez curieusement, les viennoiseries industrielles ont des caractéristiques nutritionnelles un peu meilleures que les produits artisanaux. Bien entendu, il convient d'ajuster chaque ration au moment du repas en proportion avec les autres nutriments qui sont conseillés et, dans l'hypothèse où on choisit ce type de produit, on diminuera le beurre, les matières grasses ou les sucreries qui sont conseillées au moment de ce repas.

- Baguette, boulangerie
- Pain de mie, Harry's
- Chouquettes, boulangerie
- Pain aux raisins, La Boulangère
- Viennoise aux raisins, Paul
- American Burger, Harry's
- Viennoise nature, boulangerie
- Pain aux raisins, boulangerie
- Pain de mie, boulangerie
- Pain au lait pépites de chocolat, Harry's
- Brioche tranchée, Carrefour
- Pain au lait, Carrefour
- Doo Wap brioches pépites caramel, Harry's
- Crêpes pur beurre, Les délices d'Anaïck
- Pain au lait, boulangerie
- Pain au lait, Harry's
- Brioche tranchée pur beurre, Harry's
- Brioche Pitch chocolat, Pasquier
- Doo Wap pépites chocolat, Harry's
- Croissant, boulangerie
- Petit pain nature, Heudebert
- Brioche, boulangerie
- Pain au chocolat, La Boulangère

Deuxième partie

DE 10 À 18 ANS

L'ADOLESCENCE

L'avis du nutritionniste

Jusqu'à présent, nous avons toujours considéré l'enfant sans distinction de sexe. À l'adolescence, en revanche, les caractères sexuels féminin et masculin vont se manifester. Dès lors, sur un plan nutritionnel, la puberté aussi a des répercussions. La caractéristique principale du garçon, en effet, est de développer une musculature plus importante que celle de la fille. Comme vous le verrez dans le tableau ci-dessous, à cette période, les apports en énergie sont réellement beaucoup plus conséquents chez le jeune homme.

Âge	Énergie	Protéines	Lipides	Glucides
	kcal/24 h	g/24 h	g/24 h	g/24 h
10 à 18 ans G	2 100-3 700	80-115	82-140	260-460
10 à 18 ans F	2 000-2 900	75-110	78-110	250-360

Pour les deux sexes, cependant, c'est un âge où les besoins de croissance sont les plus élevés. Non seulement en terme d'énergie, c'est-à-dire en quantité et en qualité d'aliments absorbés, mais également pour certains nutriments. Les besoins en calcium sont ainsi excessivement élevés et deviennent une préoccupation prioritaire. Chez la jeune fille, la puberté et l'apparition des règles entraînent en outre des besoins en fer plus conséquents, comme vous le constaterez dans le tableau ci-dessous.

Tableau des apports nutritionnels journaliers en minéraux et vitamines recommandés pour un ado de 10 à 18 ans

Minéraux	Calcium	Phosphore	Fer	Magnésium	Iode	Cuivre	Zinc	Sélénium
	mg/24 h	mg/24 h	mg/24 h	mg/24 h	µg/24 h	mg/24 h	mg/24 h	µg/24 h
10 à 18 ans G	1200	800	12	250-350	0,1-0,15	1,71	12 à 15	60-75
10 à 18 ans F	1200	800	14	250-350	0,1-0,15	1,71	12 à 15	60-75

Vitamines	Vit A	Vit B9	Vit B1	Vit B6	Vit C	Vit D	Vit E
	µg/24 h	µg/24 h	mg/24 h	mg/24 h	mg/24 h	µg/24 h	mg/24 h
10 à 18 ans G	550-800	300	1,3	1,6	100-120	5	15
10 à 18 ans F	550-800	300	1,2	1,5	100-120	5	15

Pour les autres nutriments, l'adolescent a des besoins qui vont ressembler à ceux de l'adulte, puisque c'est le moment où son alimentation devient celle d'un humain à part entière. Désormais, il est donc inutile de distinguer ses repas de ceux des autres « grands » de la famille. Comme nous l'avons vu, les préoccupations nutritionnelles concernent surtout le calcium et le fer, mais il faudra également veiller à ne pas donner de consignes trop diététiques à ces jeunes qui ne doivent pas manquer de l'ensemble des vitamines et oligo-éléments. Ainsi, il est indispensable qu'ils consomment des matières grasses de toutes sortes. Les nouvelles pâtes à tartiner imitant le beurre ou la consommation exclusive d'huile d'olive n'ont pas d'intérêt pour les jeunes.

À présent, l'autonomie de l'enfant, devenu adolescent, a pris de la consistance. C'est l'âge où vont apparaître des choix alimentaires qui risquent de perdurer à l'âge adulte. De même, les parents auront moins de possibilités de contrainte. Sur le plan alimentaire, leur rôle consistera à assurer une alimentation équilibrée au moment des repas. Les règles nutritionnelles sont à peu près les mêmes que pour les adultes :

- 11 à 15 % de protéines ;
- 35 % de lipides ;
- 50 à 55 % de glucides.

La répartition des repas ne change pas : il y a toujours un petit déjeuner, un déjeuner, un goûter et un dîner.

La différence tient au fait que la répartition alimentaire au cours de ces différents repas devient plus l'affaire de l'adolescent que des parents. En effet, il est beaucoup plus difficile qu'auparavant de l'obliger à consommer un petit déjeuner ou un goûter. Il ne faut pas s'inquiéter de ce mécanisme, même s'il est important d'essayer par tous les moyens de lui faire prendre un petit déjeuner, qui assure un éveil et une acuité, autant physique qu'intellectuelle. En revanche, le goûter n'est pas réellement indispensable, il permet juste d'éviter le grignotage qui peut commencer à apparaître.

Les bons apports nutritionnels se répartissent de la même manière que ceux de l'enfant de 6 à 9 ans :

- 15 à 20 % pour le petit déjeuner ;
- 30 % à 40 % pour le déjeuner, en fonction du dîner ;
- 10 à 15 % pour le goûter ;
- 30 % à 40 % pour le dîner, en fonction du déjeuner.

Bien entendu, ces pourcentages sont susceptibles d'évoluer selon le contexte dans lequel l'adolescent évolue et, notamment, en fonction de ses activités sportives.

Il ne faut pas s'inquiéter outre mesure de la variabilité de la consommation alimentaire des enfants. Elle est liée à leur croissance, différente selon l'âge, selon l'adolescent et selon ses activités. Ainsi, le rôle principal des parents consiste à proposer des repas sans trop s'inquiéter des excès ou des manques, surtout si le poids et la taille semblent cohérents dans leur évolution et si aucun trouble n'apparaît.

En revanche, la structuration des repas est extrêmement importante, car le rythme qui s'installe dans l'esprit de l'adolescent lui fera sans doute reproduire les mêmes schémas une fois arrivé à l'âge adulte. L'heure n'est plus à la négociation pour le petit déjeuner, les légumes, les fruits... Le jeune va lui-même décider ce qu'il mange, en respectant les règles de la maison édictées par les parents.

Les différences entre les garçons et les filles s'expriment essentiellement à travers la consommation des féculents qui demeurent la forme d'énergie la plus fréquemment admise par les adolescents, ainsi que par des portions variant sensiblement.

J'en profite d'ailleurs pour souligner que j'ai toujours trouvé étonnant qu'on ne fasse aucune distinction dans les lycées et les restaurants entre les portions qu'on délivre aux filles ou aux garçons, alors qu'on fait attention à celles délivrées aux enfants ou aux adultes.

Les parents doivent être conscients des besoins en calcium et en fer. Ainsi, les laitages, les fromages, les légumes secs, comme les lentilles et les haricots, les abats et surtout le foie, les œufs et notamment le jaune, feront l'objet d'une attention particulière. De même, les fruits secs, également très riches en fer, pourront être proposés, aux jeunes filles par exemple, lorsqu'elles désirent grignoter au lycée.

Enfin, l'adolescence est surtout l'âge de l'émergence de deux problèmes importants : le surpoids, dans les deux sexes, et l'apparition, chez certaines jeunes filles, d'un grave trouble du comportement alimentaire : l'anorexie.

L'apparition du surpoids

L'apparition du surpoids est un réel problème, à la fois pour la relation parents-enfants et pour l'enfant lui-même. De modéré à très élevé, il existe différents types de surpoids. Lorsqu'il s'agit d'un surpoids de type mineur, les parents peuvent intervenir en modifiant simplement les habitudes alimentaires de leur enfant et en l'inscrivant à différentes activités sportives. Dès lors que ce surpoids s'accroît, et nous allons y revenir, il est possible, à partir de 11-12 ans, d'envisager un régime, à condition que l'enfant l'accepte.

Les troubles du comportement alimentaire

Le, désormais célèbre, grignotage se traduit, en fin de matinée ou l'après-midi, au collège ou au lycée, par des achats spontanés destinés à se nourrir ou à reprendre des forces. Souvent, nous avons tendance à le stigmatiser comme un terrible laisser-aller, songeant au cliché de l'adolescent affalé dans un divan devant une télévision en train d'avaler des friandises, des cacahuètes et des boissons sucrées. En fait, il faut surtout s'interroger sur sa double nature. En effet, il peut soit s'agir d'un grignotage d'ennui, le genre d'acte que l'enfant fait de façon psychologique à la maison pour trahir son inoccupation ou son anxiété, soit d'un grignotage de gourmandise, lequel trahit son investissement alimentaire et souligne ses déficits affectifs.

Dans les deux cas de figure, il faut choisir, tout en respectant les goûts de l'enfant, les produits les plus rassasiants et les moins riches en énergie afin de satisfaire sa gloutonnerie ou ses pulsions. Ainsi, nous avons conseillé un ensemble de gâteaux et de friandises qu'il est raisonnable de trouver chez soi. De plus, il convient de sélectionner des produits de consommation courante comme les laitages, les fruits, les fromages ou plusieurs variétés de pains, dans lesquels l'enfant pourra puiser pour assurer une collation substantielle qui l'empêchera d'avoir faim et réduira ses capacités de grignotage de produits non équilibrés. Tout cela, bien sûr, en ayant son approbation afin qu'il ne s'abrite pas derrière le fameux « j'aime paaas ! ».

Avec ce type d'adolescents, les repas doivent être roboratifs et rassasiants, d'où l'intérêt d'inclure de larges rations de fruits et de légumes qu'ils aiment, à valider avec eux, mais encore de modifier les préparations, un peu comme pour les bébés... De la même manière, les rations de féculents seront copieuses, car il n'est pas rare que certains adolescents, au prétexte que la cantine est très mauvaise, fassent de véritables repas à l'heure du goûter. Dès lors, le pain de 16 heures remplacera parfaitement les pâtes ou le riz des repas. Sachant que les parents sont absents à la cantine, il importe de tenir compte de ce facteur pour modifier le goûter ou la collation en un repas plus substantiel. Finalement, il s'agit d'accepter et d'organiser le transfert d'une part du déjeuner vers le goûter de 17 heures. D'où l'utilité de le questionner sur ce qu'il a consommé le midi avant.

Quand il s'agit d'un enfant qui porte un investissement particulier sur la nourriture, la stratégie est plutôt d'ordre intellectuel. Il faut en effet faire dériver son attention vers d'autres occupations, pour que le passage à l'acte lors des repas soit moins important. J'ai, par exemple, connu des parents qui, ayant constaté le rythme quasi journalier de la consommation alimentaire de leur enfant vers 17 heures, ont pris l'initiative, avec son accord, de l'inscrire à une activité sportive se déroulant de la sortie du lycée jusqu'à 18 h 30. Ce qui permit à l'enfant, arrivant à la maison plus tard, d'adopter un *nouveau rythme alimentaire*.

Il ne faut pas l'oublier, les rythmes alimentaires des adolescents sont aussi importants que les nôtres. Et il convient de les accepter même s'il n'est pas évident de leur délivrer de la nourriture, non pas aux heures que nous avons choisies, mais avec un décalage lié aux conditions dans lesquelles ils aiment manger. Voilà un critère très important, dont les parents ne tiennent pas souvent compte, à tort, en raison des difficultés que cela pose.

Lorsque le grignotage semble compulsif, comme un enfant passant à la cuisine toutes les vingt minutes, il faut essayer d'en distinguer les motivations psychologiques. Souvent, nous avons tendance à occulter les réalités affectives, même légères, de nos enfants. Ainsi, une contrariété à l'école, un conflit avec un camarade ou un professeur, une peur de se retrouver seul, une angoisse devant un échec scolaire constituent autant de désordres ou de problèmes inavoués qui, parfois, tentent de trouver leur remède à travers l'alimentation.

Si le souci des parents consiste à servir des quantités suffisantes, à ordonner les repas correctement, à faire attention à la consommation de calcium et de fer et à trouver des solutions pour le petit déjeuner et le goûter, les comportements alimentaires de l'enfant sont également un indicateur de son état psychologique.

D'autant que l'adolescent va devenir beaucoup plus réceptif aux sollicitations alimentaires venant de l'extérieur. L'heure des repas « au restaurant », de la découverte des fast-foods ou des délices de la cuisine exotique... a sonné. À cet âge, l'enfant s'exprime par les systèmes économiques qui lui sont propres. En clair, il parvient seulement à s'offrir des repas peu chers. Résultat, les boulangeries, les fast-foods ou les traiteurs asiatiques reçoivent ses faveurs. Il est inutile de contester ce choix, les acteurs étant trop nombreux et le principe de la diversification et de l'autonomie alimentaire doit être acquis. Pour autant, si un enfant prend l'habitude de consommer des hamburgers deux fois dans la semaine, il est ridicule de lui proposer un fast-food le week-end. Tout comme il est inutile de lui préparer de la nourriture exotique s'il en mange régulièrement avec ses copains à l'extérieur.

En outre, le dénigrement systématique de ce système de restauration n'a aucun effet et ne se justifie pas sur le plan nutritionnel. En effet, on peut tout à fait bien manger chez Quick, McDonald's, « le Grec » ou « le Chinois »... tant que l'on sait choisir et associer ses aliments. Seule l'incorporation de ce système de restauration dans les menus de la maison peut avoir des effets positifs, du type rééquilibrage. Ainsi, lorsqu'un enfant a mangé dans un fast-food un sandwich accompagné d'une portion de frites et d'un produit sucré, le rôle des parents consiste, le soir, à lui servir un potage, des légumes et des produits peu gras afin de lui apprendre non plus l'équilibre alimentaire du repas mais celui de la journée. Dès lors, même si l'adolescent est autonome, les adultes de son entourage demeurent capables de rendre saine sa nouvelle répartition des aliments en compensant avec le repas du soir, le goûter ou le petit déjeuner.

L'important, au petit déjeuner, est d'assurer une variété, en proposant quatre ou cinq formules possibles, tout comme au goûter, pour donner l'impression d'une sélection personnelle. Même si, pour ce dernier, la notion de minirepas salé est plus présente que le matin.

En ce qui concerne le sucre, la recommandation principale demeure de le consommer dans le cadre des repas. Ainsi, les friandises sont-elles proposées au goûter ou juste après le repas plutôt qu'à des horaires intempestifs comme l'interclasse ou avant le dîner. Cette règle, bien que difficile à faire respecter, est un acquis fondamental. De même, on préférera les produits sucrés solides plutôt que les liquides : entre un verre de sirop et une sucette, on choisit la sucette !

La structure des repas recommandée pour un adolescent s'apparente désormais à celle que nous conseillons chez les adultes, à l'exception du goûter bien entendu.

Au petit déjeuner, les laitages sont absolument obligatoires, les glucides complexes délivrent de l'énergie, des fruits et/ou un jus de fruits apportent quelques sucres rapides, de l'énergie en plus et un peu de saveur.

Pendant les repas, la préoccupation majeure restera d'augmenter les teneurs en calcium et de ne pas oublier les laitages. Comme pour un adulte, il ne faut pas omettre d'incorporer des fibres, sous forme de crudités ou de fruits, dont les micronutriments éviteront tout risque de carence. L'apport de féculents se révèle extrêmement important aussi pour fournir en énergie les besoins spécifiques à cet âge.

En élaborant ce « plan alimentaire », je me suis rendu compte que les rations de protéines que nous délivrons actuellement aux enfants, sous forme de viande ou de poisson, sont vraisemblablement trop importantes. Il en est d'ailleurs de même pour les adultes. Le danger n'est pas la surconsommation de protéines, qui se transforment en sucre, mais le fait que ce type de produit amène des rations de graisses saturées beaucoup trop importantes. En fait, en diminuant les rations de protéines, nous avons l'occasion de limiter à la fois les bilans caloriques et l'effet néfaste de ces graisses saturées. Bien entendu, ce souci n'est pas aussi préoccupant chez l'enfant que chez l'adulte. Néanmoins, c'est le moment de leur donner de bonnes habitudes. Les desserts seront donc composés de laitages et de fruits, même s'il n'est pas impossible d'apporter des sucres sous forme de friandises, de miel ou de confiture, dans la mesure où il est extrêmement important d'incorporer des sucres rapides lors des repas. Si bien que préparer des desserts mélangeant glucides simples et complexes s'avère très bénéfique. Le riz au lait, le gâteau de semoule... diminuent par exemple la ration de glucides simples !

Le goûter, qui doit amener moins de matières grasses que les autres repas, sera, lui, composé d'un laitage permettant d'augmenter les apports en calcium. Ainsi, les produits sucrés associés aux laitages et aux glucides complexes, comme le pain ou les céréales, seront-ils tout à fait appropriés. À vous d'adapter cette règle avec le tableau suivant.

Objectif nutritionnel	Énergie	Protéines	Lipides	Glucides
	kcalories	g/jour	g/jour	g/jour
Petit déjeuner	300 à 450	10 à 17	11 à 17	37 à 56
Déjeuner et dîner	700 à 1200	18 à 45	27 à 47	90 à 150
Goûter	200 à 450	7 à 17	7 à 18	25 à 57

Pour une alimentation idéale, il est préférable que l'ado mange un aliment de chaque groupe à chaque repas, selon les quantités minimales et maximales que nous avons indiquées. Bien entendu, rien ne s'oppose à ce qu'il prenne des céréales et du pain. Dans ce cas, il suffit de partager les quantités en proportion de chaque aliment. On peut donc, par exemple, prendre 100 g de pain ou 50 g de pain et 6 cuillères à soupe de céréales. De la même façon, les dérivés du pain, comme les viennoiseries, et les biscuits sont tout à fait utiles. Dans ce cas, on supprime les matières grasses et les glucides rapides, ces produits en contenant déjà. Pour les autres repas, le principe de répartition reste le même.

Pour le goûter, gardons une grande flexibilité sur les aliments, les graisses et le sucre afin de pondérer les goûts et les besoins. Un peu de chocolat n'a jamais tué personne !

Tableau des quantités alimentaires proposées par jour

Petit déjeuner	Quantité proposée	Énergie (kcal)
Groupe protéines		
Lait entier OU	Minimum 200 ml jusqu'à volonté	Minimum 140
Lait demi-écrémé OU	Minimum 200 ml jusqu'à volonté	Minimum 90 à
Laitages OU	Minimum 150 g jusqu'à volonté	Minimum 100
Fromages	Minimum 25 g à maximum 50 g	90 à 200
Groupe glucides complexes		
Pain OU	Minimum 50 g à maximum 100 g	100 à 250
Céréales OU	Minimum 6 cuillères à soupe à maximum 12 cuillères à soupe	150 à 300
Dérivés du pain OU	Maximum 60 g	Maximum 250
Biscuits	Maximum 50 g (5 biscuits)	Maximum 250
Groupe matières grasses		
Beurre OU	Minimum 0 maximum 20 g	0 à 140
Chocolat (cacao ou pâte à tartiner)	Minimum 0 maximum 20 g ou 4 cuillères à café	
Groupe glucides simples		
Produits sucrés (confiture-miel)	0 à 20 g	0 à 80
ET/OU fruit ou jus de fruits	0 à 1 fruit ou 1 verre (125 ml)	0 à 60

Déjeuner ou dîner	Quantité proposée par repas	Énergie (kcal)
Groupe micronutriments **(fibres minimum obligatoire 300 g)**		
Potage OU	Minimum 100 g à volonté	Minimum 40
Crudités OU	Minimum 100 g à volonté	Minimum 40
Légumes OU	Minimum 100 g à volonté	Minimum 40
Fruits	Minimum 100 g à volonté	Minimum 50
Groupe protéines		
Volaille-viande OU	Minimum 100 g à maximum 150	200 à 300
Œuf/pour 1 OU	Minimum 2 à maximum 6 par semaine	Minimum 160
Poisson-crustacés	Minimum 150 g à maximum 250 g	150 à 250
Groupe protéines de lait		
Yaourts/laitages OU	Minimum 125 g ou 125 ml à satiété	Minimum 100
Fromages	Minimum 25 g maximum 100 g	90 à 350
Groupe matières grasses		
Beurre ou huile OU	Minimum 20 g à maximum 40 g	140 à 360
Crème fraîche-sauces	0 à 8 cuillères à soupe	0 à 300
Groupe glucides complexes		
Féculents OU	Minimum 200 g à volonté	Minimum 200
Pain et dérivés secs	0 à 150 g	0 à 400
Groupe glucides simples		
jus de fruits (si pas de fruit au repas)	0 à 1 verre (125 ml)	0 à 60

Goûter	Quantité proposée	Énergie (kcal)
Groupe protéines		
Lait entier OU	100 à 200 ml	70 à 140
Lait demi-écrémé OU	100 à 200 ml	45 à 90
Yaourts/laitages OU	Minimum 125 g ou 125 ml	100 à...
Fromages	Minimum 25 g à maximum 50 g	90 à 200
Groupe glucides complexes		
Pain ou céréales OU	Minimum 40 g à maximum 100 g	100 à 250
Dérivés du pain OU	0 à maximum 50 g	0 à 200
Biscuit (1 biscuit = 10 g) OU	0 à 4 biscuits (0 à 40 g)	100 à 200
Fruit ou jus de fruits OU	0 à 2 verres (250 ml) ou 200 g	0 à 120
Produits sucrés (confiture-miel)	0 à 30 g	0 à 120
Groupe matières grasses		
Beurre	0 à maximum 20 g	0 à 140
Chocolat-friandises	0 à 30 g	0 à 150

Dans l'idéal, un adolescent devrait consommer une protéine de chaque groupe. Dans le cas contraire, il suffit simplement d'augmenter le produit qu'il choisit, que ce soit de la viande ou des laitages. J'ai donné ici la possibilité de modifier à la fois le petit déjeuner ou les autres repas, par des préparations différentes, en indiquant les valeurs caloriques de chaque groupe parce que l'abondance alimentaire contemporaine nous oblige à tenir compte de l'apparition de produits dont les enfants sont friands et qui nous facilitent parfois la vie.

Ainsi, pour le goûter, même si notre préoccupation principale reste les apports en calcium, donner du pain avec du chocolat, de la confiture et du beurre, des brioches ou même des barres chocolatées aide à la consommation de glucides complexes. En ce qui concerne la proportion des apports en sucres ou en graisses, ceux-ci se dosent proportionnellement à ce que contient chaque produit. On partira donc d'un goûter idéal pour décliner plusieurs types de goûters, comme Myriam va vous y convier un peu plus loin.

Chez les deux sexes, on assiste à l'apparition et à l'augmentation de l'obésité. Cependant, pour certaines jeunes filles de 14 ou 15 ans, se profile aussi une maladie nutritionnelle qui frappe également les parents.

L'anorexie

En discutant récemment avec mon ami nutritionniste, Patrick Serog, au sujet de l'anorexie, nous nous sommes rendus compte, même si de nombreuses recherches ont été réalisées dans ce domaine, qu'aucune explication n'était meilleure qu'une autre.

Au risque de choquer, je voudrais d'abord dire que l'anorexie reste la gourmandise des nutritionnistes. En effet, depuis des années, mes amis et moi accueillons toujours cette pathologie avec une curiosité particulière. Pour nous, il s'agit d'une anomalie nutritionnelle terriblement intrigante parce qu'elle présente des symptômes identiques pour des cas très particuliers et individuels.

Personnellement, j'ai commencé à découvrir l'anorexie à l'hôpital Bichat en compagnie de mon maître, le professeur Apfelbaum. C'est à ses côtés que j'ai compris le danger mortel qu'elle représentait et l'attention particulière qu'il fallait porter à ces patientes. Avec lui, celles-ci bénéficiaient en effet d'un traitement privilégié, puisque nous les recevions en moyenne toutes les semaines, alors que les autres patients étaient accueillis seulement une fois par mois. Aujourd'hui, leur nombre n'excède pas celui que nous avions autrefois. J'ai même tendance à dire que c'est un phénomène en diminution, probablement en raison de l'accent qui a été mis ces dernières années sur l'alimentation, et l'anorexie en particulier, attention qui permet un dépistage plus précoce. Au passage, je trouve d'ailleurs choquant le terme « orthorexie », qui est plus comportement qu'une maladie, mis à la mode par quelques psys en panne d'anorexiques dans leur clientèle.

Pendant des années, j'ai vu mon maître batailler avec ces jeunes femmes en tentant plusieurs types d'expériences : la brutalité, la gentillesse, le raisonnement, les influences psychologiques, en leur proposant par exemple de se faire photographier en maillot de bain... Puis, vint l'époque où elles étaient systématiquement adressées au psychologue de service, chacun ayant sa méthode d'approche et sa palette de traitements. Ensuite, nous avons connu la période d'isolement où on les enfermait dans des cellules, qu'on osait appeler des chambres d'hôpital, desquelles elles n'avaient le droit de sortir qu'à la condition d'assumer leurs plateaux repas et de les consommer. Aussi, quand je vois se créer une maison de l'adolescence parrainée par un vrai spécialiste comme Marcel Ruffo sur le thème de l'ouverture et de la liberté, je me sens soulagé. Quelle que soit la méthode, la priorité restait de faire remanger nos patientes, objectif que nous n'atteignions pas toujours, sans comprendre forcément pourquoi. Une chose est sûre, à cette époque, la seule technique qui fonctionnait à peu près correctement semblait, lorsque l'anorexie était dépistée précocement, d'envoyer les patientes dans des services où on les isolait. La plupart du temps, elles en ressortaient en ayant repris un poids de survie, mais cela n'évitait malheureusement pas la rechute. La symptomatologie était bien souvent la même : un arrêt des règles, un caractère affirmé et autoritaire, une extrême capacité à manipuler les différents soignants, un conflit parental sous-jacent que nous avons longtemps affecté (à tort ?) aux relations avec la mère, une grande intelligence ainsi qu'une faculté à nourrir les autres. Curieusement d'ailleurs, beaucoup d'entre elles deviennent par la suite diététiciennes.

Ces années-là, nous avions un leitmotiv qui consistait à dire qu'entre 0 et 2 ans d'anorexie, nous arrivions à guérir la plupart des cas. Et encore, quand je dis « nous », j'émets une extrême réserve car je ne suis pas persuadé que ce ne soit pas elles, à chaque fois, qui aient décidé de se guérir au moment qu'elles jugeaient opportun, notre intervention n'étant finalement que technique lors de la phase de réalimentation.

Entre deux et cinq ans, nous prétendions guérir environ la moitié de nos patientes. Enfin, au-delà de cinq ans, sachant que tout effort était vain, nous nous contentions de surveiller l'étape dangereuse, c'est-à-dire celle où le taux de potassium descend si bas que seule l'hospitalisation évite la mort.

Récemment, une histoire m'a fait beaucoup de peine, celle de la jeune Déborah. Issue d'une famille plutôt bien informée, avec un père médecin et une mère dentiste, cette jeune fille m'avait été adressée pour tenter de stopper une perte de poids que ses parents commençaient à trouver inquiétante. Cette adolescente brune à l'œil pétillant s'est présentée à moi avec un poids d'environ 49 kg pour une taille d'un 1 mètre 56, qui lui conférait une silhouette agréable, mais qu'elle disait ne pas supporter. Dans un cadre quasi amical, j'ai déterminé, comme c'est d'usage, de passer un contrat avec elle pour la laisser descendre jusqu'aux alentours de 46 à 47 kg, mais en utilisant un régime équilibré plutôt que la cessation complète de la nourriture. Son engouement à réaliser cette « mission » faisait que les consultations se déroulaient à un rythme agréable. Durant celles-ci, j'observais une descente de poids modeste et nous avions le temps d'échanger quelques points de vue sur la difficulté d'être adolescent en l'an 2000, les relations avec le sexe opposé, ses rapports avec ses parents...

À cette période, j'ai reçu de nombreux coups de téléphone de ses parents qui, en l'occurrence, m'intriguaient parce que leur fréquence n'avait d'égal que la confusion de leurs propos. Un jour, la mère de Déborah m'appela dans un état d'excitation étonnant pour m'expliquer qu'elle avait découvert que sa fille vomissait et que c'était vraisemblablement la raison pour laquelle nous avions une perte de poids. Dans cette histoire, la présence du père ou de la mère représentait en fait un frein considérable au traitement que je pouvais réaliser avec l'adolescente, moi-même ne voulant être le partisan ni de l'une ni des autres tandis que chacun me parlait « en secret ». Pourtant, une explication eut lieu entre Déborah et moi, durant laquelle elle m'avoua que son amaigrissement, depuis quelque temps, était bien la conséquence de ses vomissements.

Je me suis alors montré extrêmement paternel avec elle, lui expliquant les méfaits des vomissements et de l'anorexie, lui vantant les mérites d'une alimentation équilibrée et ses effets positifs sur la vie en général, mais rien n'y fit. Et de 46 kg, elle descendit rapidement à 40 kg, en dépit des consultations hebdomadaires et des échanges aussi vigoureux qu'intéressants que nous avions. J'ai dès lors enquêté, sans succès, dans la quasi-totalité des secteurs qui, classiquement, posent problèmes : la sexualité, les rapports avec les parents, les difficultés scolaires, les traumatismes non-avoués de l'enfance, l'incapacité à supporter le climat familial... J'ai recherché des raisons les plus secrètes : des relations compliquées ou anormales entre les parents, une volonté de punir son père ou sa mère... mais elle ne m'a jamais délivré la moindre information.

Progressivement, sa vie devint rythmée par la privation de nourriture ou les vomissements lorsqu'elle connaissait des séquences de boulimie. Son discours devenait aussi absurde que celui de la plupart des anorexiques. Ainsi, alors qu'elle paraissait de plus en plus squelettique, elle se plaignait de l'énormité de son ventre, de ses cuisses, en me déclarant que seule la minceur lui provoquait du plaisir.

À la phase la plus terrible, celle où elle arrêta quasiment de manger, elle avait une flamme dans les yeux, assez typique des anorexiques en phase de jouissance personnelle, une forme de surpuissance que ces jeunes filles ressentent en se privant mais qui, bien entendu, contraste avec l'altération de leur état de santé.

Désemparé, je finis par convoquer les parents pour leur

demander d'adopter une attitude beaucoup plus répressive et autoritaire avec leur fille : en somme la forcer à manger. Ceux-ci acceptèrent avec beaucoup de difficultés préférant, au bout du compte, se décharger sur un médecin, s'étant presque, d'une certaine manière, dégagés de toute responsabilité à l'égard de leur enfant.

Un jour, alors que, depuis un moment, je ne parvenais qu'à éviter l'hospitalisation de Déborah, la situation explosa. Une nuit, je reçus un coup de téléphone pour m'informer que la jeune fille était en état de crise convulsive, criant et cassant tout dans sa chambre. Le médecin de garde me fit un compte rendu détaillé de la scène délirante à laquelle il avait assisté : les parents se disputaient violemment dans leur chambre pendant que Déborah hurlait dans la sienne et que la grand-mère, présente ce soir-là, se lamentait de son côté. C'est à renfort de tranquillisants que la nuit s'acheva. Le lendemain, je reçus l'adolescente en consultation d'urgence et lui demandai si ses parents avaient tenté de la faire manger. Pour la première fois, elle osa émettre une critique en me disant qu'elle ne comprenait pas l'attitude de sa famille. Lorsque, par exemple, elle mangeait une pomme dans l'après-midi, on lui disait qu'elle était boulimique, alors que, le reste de la journée, on parlait en permanence de son anorexie. Il était bien évident qu'une simple pomme était pourtant le genre de nourriture que je rêvais de faire manger à Déborah pour essayer de lui réapprendre à s'alimenter progressivement.

Les semaines suivantes, ses résultats scolaires devinrent de plus en plus catastrophiques et elle ne parvenait plus à dormir la nuit. Nous étions clairement passés d'un état d'excitation violente à un autre de dépression. Malgré mon souhait d'éviter l'hospitalisation, nous étions désormais contraints d'y recourir.

Après une phase de réalimentation par perfusion, le médecin de la clinique dans laquelle je l'avais envoyée, spécialiste de l'addiction, m'expliqua que, selon lui, la quasi-totalité de ses troubles était probablement d'ordre biologique. Sa stratégie consistait à utiliser des drogues à fortes doses. Comme nous avions un double problème chez Déborah, l'anorexie et les vomissements, il entama des perfusions de neuroleptiques, assortis d'antidépresseurs et d'anxiolytiques.

J'étais dubitatif quant à la réussite du traitement mais tellement désemparé qu'il me fallait accepter de tout essayer. Régulièrement, je prenais de ses nouvelles. Visiblement, les vomissements avaient cessé. Lors de la consultation suivante, ma surprise fut de constater qu'elle n'avait presque pas grossi, alors que je restais convaincu que la prise de poids était l'un des éléments moteurs de la guérison. L'état de la jeune fille était triste à voir. Vraisemblablement, on lui avait mis ce qu'on appelle une camisole chimique, c'est-à-dire que les doses de médicaments qu'elle avait prises étaient tellement importantes qu'elle devenait l'ombre d'elle-même. Au lieu de discuter avec une anorexique en souffrance, j'essayais de parler avec une anorexique qui certes ne vomissait plus mais semblait totalement abrutie. Et au lieu de lui perfuser les médicaments, les médecins se contentaient de les lui donner par comprimé. Si bien qu'elle resta dans cet état de « zombie » durant plusieurs semaines.

Je lui ai alors demandé si elle n'envisageait pas de diminuer les doses de médicaments, moi-même ne supportant plus cette dépendance qui ne correspondait ni à sa réalité ni à sa situation. Mais en diminuant, même progressivement, les doses de médicaments, les vomissements reprirent de plus belle, entraînant une deuxième hospitalisation et le même traitement. Selon les psychiatres et les médecins de la clinique, comme il s'agissait d'une maladie psychiatrique nécessitant des traitements neuroleptiques, un traitement nutritionnel n'était pas indispensable, sa vie ne se voyant pas menacée par son extrême maigreur. Certes, l'arrêt des vomissements était une victoire, mais, sans prise de poids, on ne pouvait vraiment pas dire que Déborah était guérie.

Aujourd'hui, comme voilà à peine deux ans que l'adolescente est anorexique, il lui reste donc quelques chances de se sortir de ce cauchemar. Mais, parmi les médecins captivés par le phénomène des vomissements, aucun d'entre eux n'a été surpris comme moi de constater que son poids n'avait pas augmenté.

Dans l'histoire de notre société, il est surprenant de réaliser que l'anorexie est une maladie qui est apparue et a augmenté au fur et à mesure de l'abondance alimentaire. Ironiquement, les vomissements sont devenus un mode de gestion du poids et, en quelque sorte, une façon de « maîtriser » les crises alimentaires. D'ailleurs, ils apparaissent souvent pour tenter de compenser des crises boulimiques. Sur la côte Est des États-Unis, il y a vingt ans, on considérait même que la moitié des collégiennes se faisait vomir. Aujourd'hui, il en est de même en Europe. Bien entendu, ces mécanismes se sont développés avec l'apologie de la minceur, mais ils ne datent pas d'hier. Souvenons-nous que dans l'Antiquité des vomissoirs étaient installés à côté des salles à manger.

À l'hôpital Bichat, voilà quelques années, on a pratiqué des endoscopies à des jeunes filles qui se faisaient vomir au moins deux fois par jour depuis quatre ans. Étonnamment, l'œsophage était normal – c'est un organe très résistant –, ce qui démontre bien que, dans de nombreux cas, le problème fondamental n'est pas celui des vomissements mais plutôt celui de l'anorexie.

Dans le cas de Déborah, tout le monde s'est acharné sur ses vomissements, parce qu'il était difficile de concevoir qu'une situation qui pouvait paraître anormale pour les parents et les médecins était rassurante pour l'enfant. On préservait l'apparence alors que le problème de l'anorexie n'était, lui, pas résolu. On peut même se demander si la séquence de boulimies et de vomissements, sous réserve d'un contrôle régulier du potassium, ne la protégeait pas mieux. Et, je le répète, personne ne s'est inquiété de savoir comment une jeune fille qui ne vomissait plus pouvait ne pas grossir.

En racontant l'histoire de Déborah à mon ami nutritionniste, je lui ai demandé si le traitement de l'anorexie ne commençait pas tout simplement par une bonne paire de gifles. Au fond, n'était-ce pas ce que les parents de Déborah n'avaient jamais fait ? Bien entendu, il s'est montré extrêmement surpris par ma question et n'a pu que constater que nous avions encore beaucoup de difficultés à soigner efficacement de telles jeunes filles.

La morale de cette histoire, c'est de dire que cette maladie est gravissime, qu'il n'existe pas encore de traitements efficaces et que, depuis vingt ans, nous n'avons pas beaucoup avancé. Entre

0 et 2 ans de maladie, nous avons toutes les chances de guérir une anorexie. Entre 2 et 5 ans, 50 % des jeunes filles anorexiques guériront. Au-delà de 5 ans, nous n'avons plus qu'à surveiller les paramètres vitaux pour éviter un décès brutal.

Désormais, je pense en fait qu'en l'absence d'un traitement maîtrisé le seul moyen de lutter contre ce fléau consiste à passer par la prévention et le dépistage, associés à une psychothérapie de réconfort ou de soutien. Ce qui justifie, dans le cadre de la famille, de surveiller les premiers signes, surtout lorsqu'une adolescente débute un régime. Autrement dit, les parents doivent rester en permanence sur le qui-vive, sans pour autant angoisser leurs enfants. Il ne s'agirait pas de réveiller une hypothèse qui serait fausse !

Premiers signes : lorsque le désir de régime se fait sentir, il apporte d'évaluer très rapidement la situation et de vérifier si la demande est justifiée ou si une souffrance différente s'exprime, traduction d'un complexe, d'un incident, de la présence d'une amie très mince qu'on admire...

Deuxième signe : dans l'hypothèse où la jeune fille entame ledit régime, il faut se méfier de toutes les exclusions alimentaires et l'accompagner en douceur. Cela veut dire qu'il ne faut pas accepter de voir son adolescente progressivement enlever de son alimentation chaque nutriment pour des raisons qu'elle va justifier les unes après les autres. Ne jamais perdre de vue qu'une jeune fille qui va démarrer une anorexie a déjà un comportement extrêmement manipulateur et pervers. La notion d'exclusion porte sur plusieurs éléments : les matières grasses, les féculents, la viande et les produits carnés. En revanche, elle atteint rarement le lait, les céréales, le pain, les fromages blancs quand ils sont à 0 %.

Troisième signe : les passages répétés aux toilettes après les repas sont le meilleur indicateur des vomissements d'une adolescente. Il en existe deux types : les psychologiques, qui sont finalement une certaine forme d'expulsion du stress, et les vomissements de gestion, qui lui servent à ajuster son poids quand elle a trop mangé.

Quatrième signe : lorsque vous n'avez pas la possibilité de surveiller les repas de ces jeunes filles, regardez leur allure physique et observez la coloration de leurs mains et de leurs poignets. Elles ont tellement l'habitude de se cacher derrière leurs vêtements qu'on ne distingue pas forcément les stigmates de l'extrême maigreur. En revanche, par un mécanisme d'appauvrissement en graisse périphérique qui laisse plus apparaître les vaisseaux et les surfaces musculaires, les attaches deviennent progressivement plus fines et les mains rose et violet.

Enfin, si les résultats scolaires ne souffrent pas pendant longtemps des effets de l'anorexie, c'est au moment de l'extrême fatigue, qui survient lors de la phase d'extrême maigreur, que les résultats plongent systématiquement et qu'une déscolarisation est très fréquente.

Comment guérir ces jeunes filles

Hélas, on ne se soustrait pas à une anorexie aussi facilement qu'on le pense. Certains disent même qu'une femme qui a souffert de cette maladie en garde toute sa vie des stigmates psychiques ou alimentaires. Lors de la guérison, trois facteurs sont déterminants : la présence des parents au moment des repas, la réintroduction progressive des aliments, un psychothérapeute pour apaiser les tensions.

Il est indispensable que l'un des deux parents assiste régulièrement aux déjeuner et dîner de son enfant. Peu importe que l'adolescente conteste cette présence, elle se fera avec autorité s'il le faut. Les premiers temps, d'ailleurs, risquent d'engager un conflit entre le parent et l'enfant. C'est à ce moment qu'il est important de ne pas faiblir et de rester ferme et déterminé.

Sur le plan alimentaire, il ne faut surtout pas passer d'un excès à l'autre. Les quantités ne doivent pas être trop volumineuses, mais il est primordial d'introduire le plus rapidement possible les matières grasses qui, sous un faible volume, délivreront une énergie suffisante. Le contrat entre le parent et l'enfant vise, non pas à passer d'un état de maigreur à un état d'obésité, mais d'un état de maigreur à un état de réalimentation. Les aliments choisis seront donc semi-liquides ou liquides afin d'éviter des efforts de mastication et de digestion.

Le meilleur des petits déjeuners sera constitué de lait chocolaté, de quelques céréales et d'un jus de fruits. Dans le meilleur des cas, on pourra ajouter du fromage blanc à 20 %, en ne cédant pas sur celui à 0 %, histoire de bien montrer qu'il existe une marge de négociation même si elle est étroite.

Les repas, toujours pris en présence des parents, ne comportent pas forcément une entrée, mais contiennent au moins une protéine animale en quantité suffisante. Le poisson est un aliment à privilégier, car il est facilement masticable. De plus, il est très souvent blanc, une couleur qui séduit toujours les anorexiques sans doute parce qu'elle évoque le lait maternel. La plupart du temps, on l'accompagne de purées, soit de pommes de terre, soit de légumes, additionnées de beurre, de crème fraîche ou de lait, qu'il est préférable d'ajouter discrètement. Enfin, un laitage complète le repas. On le choisira à 20 % de matières grasses et légèrement sucré. De plus, on essaiera d'introduire une compote et on proposera du pain, de préférence de mie, ou en biscotte pour favoriser soit le moelleux, soit le digestible.

La plupart du temps, l'adolescente va céder en premier et commencera à se réalimenter progressivement seule. L'arrêt du contrôle parental se fera donc en douceur, même s'il convient de rester vigilant parce que les anorexiques sont capables de s'alimenter normalement à un repas mais de totalement supprimer l'autre.

Les autres enfants de la famille seront tenus à l'écart de ce type de scène, sauf s'ils veulent participer à la thérapeutique générale, en montrant de l'empressement à manger ou de la sollicitude à l'égard de leur sœur.

En formulant cette méthode, je réalise que c'est sans doute ce qui a le plus manqué à Déborah. En effet, la complexité des relations de ses parents était telle que j'ignorais s'ils voulaient vraiment qu'elle s'en sorte ou si sa maladie n'était pas un trait d'union entre les différents membres de la famille. Aujourd'hui, je ne suis pas certain non plus que Déborah guérisse. En revanche, si sa situation s'améliore, ce que je lui souhaite, je suis curieux de savoir qui s'attribuera cette guérison qu'elle aura probablement décidée toute seule. En effet, il y a un énorme décalage entre les discours sophistiqués de certains pseudo-spécialistes de l'anorexie et la réalité de cette maladie.

Au final, le meilleur conseil à donner pour guérir de cette maladie, c'est d'éviter qu'elle apparaisse. Je m'explique : la seule attitude possible, c'est la sollicitude à l'égard de ces enfants anorexiques et du courage au moment de la guérison. En règle générale, je recommande particulièrement aux mères de ne pas considérer leurs filles comme si elles étaient leur double. En effet, j'ai souvent observé des comportements anorexiques chez des adolescentes sur lesquelles les mères faisaient une projection trop intense ou auprès desquelles les pères brillaient par leur absence.

Cependant, je tiens à dire que les résultats obtenus à l'heure actuelle, exceptés ceux des centres hyperspécialisés qui savent créer un rapprochement entre l'enfant et les soignants, sont grotesques par rapport aux ravages que cette maladie provoque. Dans un pays comme la France, n'est-il pas possible d'améliorer le sort de ces jeunes femmes ?

Pour conclure, la paire de gifles n'est sans doute pas nécessaire. En revanche, l'autorité dans le cadre familial est un élément sécurisant pour un enfant qui souffre d'un stress excessif, y compris alimentaire. L'éducation à la nourriture est donc un des éléments structurants de la vie future du jeune adulte. S'en exonérer, c'est passer à côté de l'éveil de son enfant. Car, bien faire manger sa famille, c'est aussi éviter des troubles du comportement alimentaire.

Le surpoids et l'obésité des adolescents

Récemment, les nombreuses campagnes de sensibilisation sur l'obésité ont largement contribué à pousser de plus en plus d'adolescents dans les cabinets des médecins. Hélas, la partie est loin d'être gagnée.

En France, depuis quelques années, le nombre d'enfants obèses ou en surpoids s'est fortement accru. C'est un triste constat. Mais, dans la même période, les consultations ont proportionnellement plus augmenté que le nombre d'adolescents souffrant d'un excès de poids. Une conséquence immédiate de la surmédiatisation d'un fléau qui menace un bon nombre de Français, mais dont les enfants, de par leur âge, sont victimes plus tôt, rendant ainsi les traitements plus difficiles.

Dans ce climat presque paranoïaque, des parents d'enfants sans souci de poids ont sombré dans l'inquiétude, tandis que les vrais concernés n'ont pas trouvé de réponses à leurs questions. Les pouvoirs publics ont cru bon d'intervenir en supprimant les distributeurs automatiques des écoles et en s'emparant de la question de la collation. L'ennui est que s'ils ne complètent pas ces dispositions par de véritables réformes, ils ne freineront pas l'évolution de cette maladie.

En ce qui concerne les distributeurs, le problème était surtout lié à la nature des produits qui s'y trouvaient, principalement des friandises et des boissons sucrées. Personnellement je ne vais pas les pleurer, mais je note qu'on empêchera jamais un adolescent d'acheter une barre de céréales au chocolat avant d'entrer en classe. De plus, le pouvoir des fabricants est tel que l'avenir dira si cette mesure fait long feu.

En revanche, le problème de la collation n'a pas été traité correctement, parce qu'on a voulu régler un problème individuel en utilisant une mesure collective. À l'origine, juste après la guerre, la collation avait été imaginée pour nourrir les enfants qui pouvaient se trouver en situation de carence. Par la suite, elle s'est progressivement transformée pour permettre de fournir un petit déjeuner à ceux qui n'avaient pas le loisir ou l'éducation d'en prendre un. Bien évidemment, les habitudes alimentaires de chaque enfant, mais aussi les conditions économiques de sa famille, déterminent à la fois la possibilité du repas du matin et la nature de ce dernier. Les professeurs des écoles connaissent bien ce problème : il n'est pas rare, en effet, que se côtoient dans la même classe des enfants qui sont venus à l'école le ventre vide et apprécient la collation comme leur petit déjeuner, alors que d'autres se retrouvent à manger un second petit déjeuner.

En réalité, le bon sens consisterait à rendre responsables les enseignants de la possibilité d'en donner ou pas à chaque enfant. Mais cette mesure, qui alourdirait leur copieux travail, est à peu près aussi difficile à mettre en place que compliquée et subjective. La réflexion est donc loin d'être terminée.

Revenons à notre problème de surpoids. Avant l'âge de 18 ans, les enfants ou les adolescents arrivent dans les consultations accompagnés, la plupart du temps, d'un ou des deux parents. C'est d'ailleurs pour nous un premier indicateur, le nombre de personnes présentes à la consultation reflétant bien souvent l'intérêt qui est porté au sujet et le climat émotionnel de la famille. Ainsi, en cas de dramatisation excessive, nous rencontrons à la fois le père et la mère et, lorsqu'il s'agit de parents divorcés, nous aurons la chance de les voir à chaque consultation, ce qui permet aux deux parties de montrer sa responsabilisation ou de ne pas montrer sa déresponsabilisation.

Durant ces rendez-vous, la première démarche est de savoir de qui vient la demande, afin d'éviter les malentendus. Tout le monde a déjà vu, dans des documentaires télévisés, des jeunes gens obèses déclarant que c'était parce que leurs parents les avaient frustrés de nourriture qu'ils avaient fini par surcompenser à l'adolescence, ainsi que des obèses adultes affirmant qu'au bout du compte si le poids n'avait pas été un sujet de préoccupation dans leur famille, ils n'auraient probablement jamais pris autant de kilos.

Devant un adolescent en surpoids, il y a donc plusieurs points à vérifier. D'abord, ses antécédents pour savoir s'il y a une raison génétique au surpoids. Ensuite, il convient de tester l'évolution de ce surpoids, pour découvrir s'il s'agit d'un événement accidentel ou d'une évolution régulière et permanente en direction de l'obésité. Ainsi, il est particulièrement important de vérifier s'il existe un point de départ du surpoids. Souvent, en effet, un incident psychologique est à l'origine d'un changement de mode de comportement alimentaire. Dans ce cas, le traitement n'est pas le même et il faut traiter le facteur psychologique conjointement au facteur de poids.

Dans l'hypothèse contraire, l'interrogatoire s'attache à vérifier à quel moment l'enfant est susceptible de consommer plus. Parfois, il peut prendre du poids de façon volontaire, c'est-à-dire en mangeant beaucoup plus qu'il ne devrait, par exemple, lors du repas à la cantine ou à l'occasion de grignotages. Mais il n'est pas rare non plus de constater qu'une famille tout entière a un véritable problème alimentaire. Un coup d'œil sur la taille des parents suffit bien souvent à prononcer un diagnostic.

Combien de mères, désireuses de faire plaisir à leur enfant, les attendent en effet avec un pain au chocolat à la sortie de l'école ? Combien de mères préparent une cuisine trop riche, trop grasse ou trop sucrée, pour montrer maladroitement l'affection qu'elles portent à leurs petits.

En réalité, lorsqu'on appréhende l'obésité d'un enfant, le régime n'est qu'un des éléments du traitement. D'ailleurs, on constate dans les centres d'amaigrissement créés pour les adolescents que la prise en charge se fait à plusieurs niveaux. Elle est d'une part physique, car on engage ces jeunes à faire du sport, et d'autre part éducative puisqu'on leur réapprend à se nourrir correctement. Ensuite, vient la mise en place d'un régime alimentaire, qui n'est pas forcément restrictif, et qui peut même être un régime normal, notamment lorsqu'on a la « chance » d'avoir des adolescents mangeant beaucoup. Pourquoi la chance ? Parce que plus l'alimentation est riche au démarrage, plus la mise sous régime permet de prescrire des régimes moins restrictifs avec une grande liberté dans le choix des aliments, ce qui facilite à la fois la tâche de celui qui donne le régime et de celui qui le suit.

Quand la détermination des parents est à l'origine du rendez-vous de l'enfant chez le médecin, l'amaigrissement a une chance sur deux d'échouer. Et, quand je dis une chance sur deux, c'est une manière de parler, puisque c'est seulement après l'étape de la consultation que l'adolescent va manifester son désir ou non de maigrir.

De même, la mise sous régime ou le problème de poids est souvent l'occasion, pour les adolescents et leurs parents, de cristalliser des conflits qui autrefois s'exprimaient par des mots ou des conduites violentes. J'irais jusqu'à dire que les cheveux longs de Mai 68 ont été remplacés par les ventres rebondis des années 2000. Non pas que la question de l'obésité se résume seulement à un problème psychologique, les facteurs étant bien entendu nombreux, mais manger plus ou manger trop pour manifester son opposition à ses parents s'apparente fréquemment à une banale crise d'adolescence. Dans ce cas, le médecin ne peut choisir son camp. S'il épouse la cause des parents, il devient immédiatement l'ennemi de l'enfant qui a de fortes chances de refuser le régime. S'il se fait trop ami avec l'enfant et trop laxiste dans sa démarche vis-à-vis des conduites alimentaires, les parents vont alors lui retirer leur confiance et empêcher l'enfant de maigrir dans un contexte convivial.

La demande est plus souvent spontanée chez les filles, qui souffrent beaucoup plus que les garçons, même si les deux complexent tout autant. Dans notre société, le jeune homme a la possibilité de s'exprimer par la force, par l'autorité ou par l'humour, tandis que la jeune femme n'a d'autre choix que d'être mince.

Le plus dur à vivre demeure sans doute le regard des parents sur leur fille ou leur fils quand ils les amènent pour la première fois en consultation. Parfois, leur souffrance d'avoir un enfant plus gros que la normale est telle que le médecin passe plus de temps à parler avec eux qu'avec l'adolescent qui, le plus souvent, reste muet.

En tout cas sachons-le : personne n'a jamais réussi à mettre de force un adolescent au régime ! Il faudrait passer le message à certains parents et surtout à ceux qui déposent leurs enfants chez le nutritionniste comme on dépose un vêtement au pressing !

Lorsqu'un enfant n'a pas de résistance psychologique, il n'ose pas toujours avouer qu'il a peur d'entamer un régime, un peu comme un écolier qui redoute de rater son devoir. Dès le début, il faut donc décrisper la situation, en lui expliquant qu'on ne réussit pas à chaque fois et qu'un échec provisoire peut être le prélude d'une nouvelle éducation alimentaire. Dès lors, il est préférable de ne pas demander de choses trop strictes ou trop difficiles à un jeune en surpoids et de se faire aider par ses parents. Ainsi, le contact sera établi avec le jeune homme ou la jeune fille en lui expliquant que le régime sera fait à sa mesure et selon ses besoins, ainsi qu'avec les aliments qu'il aime le plus.

Comme vous l'avez vu dans les tableaux des besoins nutritionnels et énergétiques des enfants, à cet âge les quantités sont relativement importantes. Dans le cadre d'un régime restrictif, c'est donc un avantage, de bons résultats pouvant être obtenus avec des régimes tout à fait modérés, comme vous le constaterez dans les deux exemples qui suivent. Bien entendu, la modération est un des critères de la réussite du régime. De plus, il est important d'expliquer à l'adolescent que son corps est un chewing-gum, c'est-à-dire que son amaigrissement résulte à la fois de son désépaississement et de son allongement, quand il n'a pas encore atteint sa taille d'adulte.

Le régime doit être fait uniquement avec l'enfant, mais en se souciant des obligations matérielles des parents qui peuvent être des contraintes d'horaire, de préparation des repas, d'achats alimentaires, quand les moyens économiques sont modestes. Il est important également de montrer à l'enfant que le régime est son régime. Qu'il peut en faire ce qu'il veut et privilégier les repas les plus importants pour lui. Ainsi, certains enfants – comme certains adultes d'ailleurs –, préfèrent le petit déjeuner au déjeuner ou le goûter au dîner. De même, j'ai souvent un malin plaisir à glisser dans les régimes des aliments interdits pour bien montrer aux patients qu'il s'agit d'un système libéral et non d'un carcan autoritaire. Par exemple, l'introduction de hamburgers ou de gâteaux soigneusement choisis, la libéralisation de certains repas, comme celui du dimanche midi, sont des gestes positifs pour que l'adolescent accepte beaucoup plus facilement son régime qui doit respecter ses goûts et ses dégoûts.

Le respect des horaires alimentaires de l'adolescent sera également très important, car c'est sa propre liberté qui est en jeu. En résumé, l'amaigrissement doit être volontaire, sinon l'échec est à la clé.

Il importe d'ailleurs de dire aux parents que l'on peut maigrir à tout âge. De même qu'il faut les rassurer dans leur demande frénétique de provoquer une baisse de poids chez leurs enfants, en leur expliquant qu'ils sont probablement un peu responsables de cette situation et qu'il vaut mieux la corriger progressivement plutôt que provisoirement afin de satisfaire leur envie fugace. De la même façon, il est essentiel de faire comprendre aux adolescents que ceux qui ont eu un problème de poids jeunes risquent de le retrouver à l'âge adulte et que c'est le moment pour reprendre en main leur alimentation.

Les contraintes du régime obéissent approximativement aux mêmes règles nutritionnelles que les besoins des autres adolescents, à savoir les mêmes répartitions en protéines, en lipides et en glucides. La plupart du temps, les restrictions s'opèrent sur les matières grasses, sur les friandises, en utilisant plutôt des systèmes de substitution que des suppressions. Ainsi, il est facile de faire plaisir à un adolescent en remplaçant un pain au chocolat de boulanger par une brioche « Doo Wap », qui permet d'obtenir une réduction d'environ 150 calories. De la même façon, l'introduction de quelques éléments ludiques comme les pizzas, les hamburgers, ou des aliments « à la mode », tels les sushis, permet de leur faire occasionnellement plaisir.

En règle générale, il ne faut guère faire maigrir un adolescent de plus de 2 à 3 kg par mois, sous peine de l'entraîner dans des mécanismes beaucoup plus inquiétants, comme la spirale infernale de l'anorexie des jeunes filles. Pour surveiller l'évolution de votre enfant, il suffit de calculer la différence entre sa taille en centimètres et son poids, car un adolescent qui grandit en gardant son poids est en réalité un jeune qui maigrit.

Vous trouverez, dans les pages suivantes, deux modèles de régimes, l'un à 1 600 calories, l'autre à 1 800 calories. Le premier est utile soit pour les jeunes filles entre 14 ans et 18 ans, soit pour des jeunes gens de stature moyenne. Le second est réservé aux adolescents plus puissants et aux grands gabarits. Bien entendu, je tiens à préciser que rien ne remplace des prescriptions personnalisées. Cependant, ces deux régimes peuvent, sans danger, aider à démarrer un projet entre les parents et leur enfant.

RÉGIME STANDARD À 1 600 CALORIES

En cas de surcharge pondérale chez les adolescents

Matin

• Café léger, thé, eau, infusion à volonté, sans sucre, avec ou sans édulcorant de synthèse.
• 2 biscottes ou 30 g de pain (1/8 de baguette) + 10 g de matière grasse (1 portion individuelle du commerce ou 2 cuillerées à café rase) ou 2 cuillerées à café de pâte à tartiner au chocolat ou 5 à 6 cuillerées à soupe de céréales (choisir celles qui contiennent moins de 400 kcal/100 g) + lait demi-écrémé.
• 25 g de fromage à moins de 50 % de matière grasse ou équivalences ou 1 verre de jus de fruits.
• 1 yaourt à 20 % de matière grasse sans sucre avec ou sans édulcorant de synthèse ou équivalences ou 1 verre de lait demi-écrémé.

Matinée

• Café léger, thé, eau, infusion à volonté, sans sucre, avec ou sans édulcorant de synthèse.

213

Déjeuner

- Crudités à volonté + 1 seule cuillerée à soupe d'huile avec à volonté citron, vinaigre, échalotes, oignons, fines herbes...
- 125 g de viande maigre, dégraissée, grillée ou équivalences.
- Légumes à l'eau, nature + 5 g de beurre.
- 1 yaourt à 20 % de matière grasse sans sucre ou équivalent avec ou sans édulcorant de synthèse en poudre ou liquide.
- 150 g de fruits.

On peut remplacer ce repas par 1 sandwich ou 8 sushis ou 12 makis ou 1 à 2 rouleaux de printemps ou 1 part de pizza (choisir des pizzas surgelées à 200 calories pour 100 g et en donner 250 g) ou 1 cheeseburger (ou plusieurs produits de fast-food sans dépasser 500 kcal) + 150 g de fruits.

Le sandwich est fait avec 1/4 de baguette + 2 tranches de jambon ou 90 g de thon ou 75 g de fromage sans beurre ni matière grasse.

Goûter

- Thé, eau, infusion à volonté sans sucre avec ou sans édulcorant de synthèse.
- 30 g de céréales + 1 verre de lait demi-écrémé + 1 fruit ou 1 jus de fruits.

Dîner

En cas de faim, donnez des bâtonnets de crudités à tremper dans du fromage blanc à 0 % assaisonné de sel, de poivre, de ciboulette...

- Crudités + 1 cuillerée à soupe d'huile, avec à volonté citron, vinaigre, moutarde, échalotes, oignons, fines herbes ou 1 potage (100 kcal).
- 125 g de viande maigre, dégraissée, grillée ou équivalence.
- 150 g de féculents (5 à 6 cuillerées à soupe cuits ou 40 g avant cuisson) + 5 g de matière grasse (ketchup ou concentré

de tomates à volonté) et, en cas de faim, légumes à l'eau, nature à volonté.

- 25 g de fromage à moins de 50 % de matière grasse.
- 150 g de fruits.

On peut remplacer la viande et les légumes verts ou les féculents par 1 plat surgelé autour de 350 calories.

RÉGIME STANDARD À 1 800 CALORIES

Pour un enfant de beau gabarit ou trop enveloppé

Ajoutez au régime précédent 200 calories prises au choix dans la liste ci-dessous et les répartir à votre guise.

Équivalences caloriques apportant chacune 200 calories :

- Viande : 100 g
- Charcuterie : 50 g
- Fromage : 50 g
- Lait entier : 350 ml
- Lait écrémé : 500 ml
- Pomme de terre, pâtes, riz, semoule, couscous (poids cuit) : 200 g
- Pâtes, riz, semoule (poids cru) : 50 g
- Légumes secs : 60 g (poids cru)
- Pain : 80 g (1/3 baguette)
- 6 à 7 biscottes
- Pain (40 g) + Fromage (25 g)
- Pain (40 g) + Charcuterie (25 g)
- Pain (50 g) + 10 g de beurre (1 noix)
- 2 cuillères à soupe d'huile (d'arachide, d'olive, etc.)
- Beurre : 25 g
- Pommes de terre (150 g) + 1 noisette de beurre (5 g)
- 4 biscottes + 10 g de beurre
- 2 œufs cuits dans 1 cuillère à café d'huile

217

- 3 à 4 cuillères à soupe de sauce ou de jus
- 40 g de chocolat

Équivalences

1 cuillerée à soupe d'huile peut être remplacée par 40 g de pain.

125 g de viande maigre (bœuf, cheval, veau, filet de dinde, rôti de dindonneau, gigot maigre, rôti ou côtes de porc très maigres, viande hachée) peuvent être remplacés par :

- 150 à 175 g de poisson maigre sans déchets (merlan, colin, morue, carrelet, limande, sole, congre, lieu, aiglefin, dorade, loup, cabillaud, sar, rouget, turbot... en consommer plusieurs fois par semaine) ou 125 g de thon ou de saumon.
- 150 g de crustacés ou coquillages (crevettes, langoustines, crabe, langouste, homard, 6 huîtres, seiche, coquilles Saint-Jacques).
- 100 g de volaille (poids cuit – poulet, pintade, faisan à consommer sans la peau, lapin, rôti de veau).
- 125 g de jambon dégraissé non persillé (2 tranches).
- 2 yaourts nature + un œuf dur ou 25 g de fromage à moins de 50 % de matière grasse.
- 3 œufs ou 2 œufs + une demi-tranche de jambon ou deux œufs + 25 g de fromage à moins de 50 % de matière grasse.
- 75 g de fromage à moins de 50 % de matière grasse.

Vous pouvez proposer les légumes suivants, cuits ou en crudités :

- Artichaut entier, asperge, aubergine, blette, brocoli, cardon, champignon de Paris, cèpe, cœur de palmier, côte de céleri, chou blanc, chou vert, chou-fleur, chou rouge, choucroute cuite non cuisinée, courgette, endive, épinards, fenouil, girolle, navet, oseille, poivron, potiron, salade, radis, concombres ou tomates, betteraves, carottes, céleri rave, haricots verts, oignons, poireaux, pousses de soja, chou de Bruxelles, fonds d'artichauts, petits pois, salsifis, maïs.

Vous pouvez remplacer 1 yaourt à 20 % de matière grasse par :
- 100 g de fromage blanc à 20 % de matière grasse.
- 1 préparation lactée à 100 kcal/100 g.

Vous pouvez **remplacer 25 g de fromage à moins de 50 %** de matière grasse par :
- 50 g de fromage à 25 % ou moins de matière grasse.
- 1 yaourt entier sans sucre.
- 150 ml de lait demi-écrémé (un grand verre).
- 125 g de fromage blanc à 20 % de matière grasse.
- Une demi-tranche de jambon.
- 1 œuf.

Vous pouvez proposer 150 g des fruits suivants :
- Pommes, poires, oranges, abricots, pêches, mandarines, clémentines, kiwis...
Mais attention :
- Jusqu'à 300 g de melon ou 200 g de fraises, pastèque, mûres, myrtilles, ananas, pamplemousse.
- Et seulement 125 g de cerises ou de raisins ou 80 g de banane ou 125 g de fruits au sirop sans le sirop.

Système de récupération

En cas d'écart alimentaire (invitation, envies alimentaires...), on peut compenser le petit excès du jeune homme ou de la jeune fille par des repas de récupération :
- S'il s'agit d'un « petit » écart, faire 1 repas de récupération.
- S'il s'agit d'un « gros » écart (4 plats), faire 2 repas de récupération à 2 jours d'intervalle.

Pour faire un repas de récupération remplacer un repas du régime par :
- 2 blancs d'œuf dur.
- 1 yaourt à 0 %.
- Crudités sans huile ou légumes bouillis ou à l'eau ou vapeur ou du potage, sans matières grasses et féculents, sans limitation.

LES MENUS ET RECETTES DE LA MAMAN
POUR DES RÉGIMES À 1 600 OU 1 800 CALORIES PAR JOUR

(Les produits avec une astérisque sont réservés
au régime à 1 800 calories)

Pour vous aider à respecter les régimes proposés par Jean-Michel, je vous propose quelques idées de menus à 1 600 et 1 800 calories, et de recettes applicables aux adolescents rencontrant quelques problèmes de poids. Des conseils qui doivent, avant de décider de les suivre, être validés par une visite chez un médecin ou un nutritionniste. Ne l'oublions jamais, à cet âge la prudence s'impose.

Pour les sauces de salade, utilisez seulement une cuillerée à soupe d'huile et du vinaigre ou du jus de citron à volonté. Pour les cuissons, essayez de ne pas utiliser de matières grasses sauf celles qui sont indiquées dans les recettes.

Jour 1

Petit déjeuner :
Café ou thé édulcoré
30 g de pain + 10 g beurre
1 jus de fruits
1 yaourt 0 % aux fruits, édulcoré

Déjeuner :
Tomates farcies à la feta et basilic
Colin aux herbes et aubergines grillées
Salade de fruits épicée

Goûter :
Pain au chocolat
+ 1 chocolat chaud 250 ml*

Dîner :
Salade de champignons
Poulet à l'aigre-doux
Riz
100 g de fromage blanc 0 % MG
2 clémentines

Tomates farcies à la feta et au basilic

Pour 8 personnes
Ingrédients : 2 aubergines, 8 tomates fraîches, 100 g de feta, 3 cuillères à soupe d'huile d'olive, 1 pincée de piment en poudre, 1 petit oignon blanc, 1 piment doux vert allongé, 2 cuillères à soupe de basilic ciselé, sel, poivre

Cuire les aubergines avec leur peau préalablement lavées au four 40 minutes à 200 °C. Ébouillanter et peler les tomates. Couper la partie supérieure comme si vous enleviez un couvercle. Avec une cuillère, évider les tomates, puis les poser à l'envers sur du papier absorbant pour qu'elles s'égouttent. Égoutter la feta et la couper en tout petits dés. Les mettre dans un bol avec la moitié de l'huile, du sel, poivre et piment en poudre. Mélanger délicatement et laisser mariner. Quand les aubergines sont cuites, les couper en deux et prélever la chair. La hacher au couteau puis ajouter le petit oignon blanc haché, sel, poivre et la moitié du basilic. Verser le reste d'huile et mélanger. Couper le piment doux en fines rondelles. Mélanger la purée d'aubergines avec les dés de feta et la moitié des rondelles de piment. Farcir les tomates avec cette préparation. Décorer du reste de basilic et des piments. Servir bien frais.

Salade de fruits épicée et petit-suisse

Pour 5 personnes
Ingrédients : 1 pêche jaune et 1 pêche blanche, 1 banane, 1/2 citron, 1 petit melon, 6 reines-claudes, 3 figues mûres, 3 oranges à jus, 20 g de sucre, 1 cuillère à soupe d'eau de fleur d'oranger, 1 demi-cuillère à café de cannelle en poudre, 1 demi-cuillère à café de coriandre en poudre

Peler les pêches et les couper en morceaux. Couper la banane en rondelles. Arroser les fruits de jus de citron. Retirer la peau et les pépins des melons et couper la chair en morceaux. Laver les prunes et figues. Ouvrir les reines-claudes et les couper en deux. Couper les figues en quatre sans les peler. Peler une orange à vif et les segments à vif. Recueillir le jus. Mettre les fruits dans un saladier. Presser les deux autres oranges. Mettre le jus des oranges dans un bol, ajouter le sucre, l'eau de fleur d'oranger et les épices. Faire chauffer au micro-ondes jus-

qu'à ce que le sucre soit fondu. Verser ce sirop sur les fruits. Mettre au réfrigérateur.

Poulet à l'aigre-doux et riz

Pour 4 personnes

Ingrédients : 500 g de blancs de poulet, 3 cuillères à soupe de sauce soja
claire, 1 poivron vert de 220 g, 50 g d'oignon doux, 1 gousse d'ail, 2 tomates,
250 g de concombre, 2 tranches d'ananas frais soit 220 g, 2 cuillères à soupe
d'huile, 2 cuillères à soupe de hot ketchup, 2 cuillères à soupe de vinaigre de
cidre, 1 cuillère à soupe de sucre, 1 demi-cuillère à café de poudre de piment,
1 cuillère à café de fécule de pomme de terre, sel, poivre

Couper les blancs de poulet en cubes. Les mettre dans un plat et ajouter la
sauce soja. Poivrer et mélanger pour bien parfumer les morceaux. Laisser mariner
30 minutes. Peler le poivron, l'ouvrir et retirer les pépins et les peaux blanches.
Couper la chair en cubes. Peler et émincer l'oignon. Peler l'ail et le hacher. Peler
et épépiner les tomates, les couper en 6 ; laver le concombre, le peler à demi,
l'épépiner et le couper en gros dés. Couper les tranches d'ananas en morceaux.
Égoutter les cubes de poulet. Faire chauffer 1 cuillère à soupe d'huile dans une
poêle ou un wok et faire sauter les cubes de poulet sur toutes leurs faces à feu
vif. Lorsqu'ils sont bien dorés, baisser le feu, saler, poivrer et laisser cuire
5 minutes à feu doux. Puis les retirer de la poêle et tenir au chaud. Ajouter
1 cuillère à soupe d'huile dans le poêle et faire revenir l'ail sans laisser colorer.
Ajouter ensuite les poivrons, oignon et le concombre et laisser cuire 3 minutes
en remuant. Ajouter ensuite, les tomates, l'ananas et le piment, faire cuire à feu
moyen pendant 6 minutes. Saler et poivrer. Dans un bol mélanger le ketchup, le
vinaigre et le sucre, verser le mélange dans la poêle, remuer et ajouter 150 ml
d'eau. Incorporer enfin la fécule délayée dans 2 cuillères à soupe d'eau. Faire
cuire 3 minutes. Avant de servir, réchauffer le poulet dans la sauce.

Jour 2

Petit déjeuner :
Café ou thé édulcoré
30 g de pain + 25 g de fromage < 50 % MG
100 g de fromage blanc 0 %
25 g de céréales sans sucre

Déjeuner :
Céleri rémoulade et carottes râpées
Viande hachée aux petits pois
2 petits-suisses 0 %
Orange soufflée

Goûter :
2 yaourts 0 %
1 poire
+ 2 madeleines*

Dîner :
Pois chiches au yaourt
Endives au jambon gratinées
100 g de compote sans sucre ajouté

Viande hachée aux petits pois

Pour 4 personnes
Ingrédients : 400 g de viande hachée de bœuf ou agneau, 100 g d'oignon
émincé, 100 g de tomates en petits morceaux, gingembre en poudre, piment en
poudre, curcuma, cumin, massalé, sel, 125 g de petits pois frais ou surgelés,
1 piment vert, 2 cuillères à soupe de feuilles de coriandre
Mettre dans une casserole la viande, les oignons, les tomates, le gingembre,
l'ail, le piment en poudre, le curcuma, le cumin, le massalé et le sel. Bien mélanger, couvrir et laisser mijoter à feu doux 30 minutes. Faire évaporer le liquide
restant. Ajouter ensuite les petits pois et le piment vert. Couvrir et laisser encore
cuire 7 minutes Ajouter la moitié des feuilles de coriandre et laisser cuire
3 minutes puis garnir avec le reste de coriandre.

Orange soufflée

Pour 6 personnes
Ingrédients : 6 grosses oranges à peau épaisse, 3 œufs, 90 g de sucre en poudre,
30 g de maïzena
Couper le chapeau de chaque orange et retirer une mince rondelle à la base
afin que les oranges tiennent bien. Évider la chair des oranges. Presser la chair
et filtrer le jus recueilli. Mélanger jaunes d'œufs, sucre et maïzena. Délayer avec
le jus d'orange. Faire chauffer ce mélange à feu doux en remuant. Retirer quand
le mélange est épaissi. Battre les blancs en neige. Les ajouter à la crème. Répartir
dans les oranges. Au four, cuire 20 minutes (thermostat 7). Servir sans attendre.

Pois chiches au yaourt

Pour 4 personnes
Ingrédients : 240 ml de yaourt nature allégé, 75 g de poivrons rouges et verts,
75 g de concombre coupé en morceaux, 2 petits oignons blancs hachés, 280 g
de pois chiches en boîte, égouttés, 1 demi-cuillère à café de piment en poudre,
1 gousse d'ail, cumin, sel, menthe fraîche hachée
Incorporer 80 ml d'eau au yaourt en remuant vigoureusement pour bien le

diluer. Laver, essuyer et couper les poivrons. Verser les pois chiches dans le yaourt. Ajouter le piment en poudre, l'ail, le cumin, le sel, le poivre et mélanger soigneusement. Ajouter les légumes et la menthe et bien mélanger. Servir très frais.

Jour 3

Petit déjeuner :
Café ou thé édulcoré
40 g de céréales sans sucre
125 ml de lait demi-écrémé
1 jus de fruits

Déjeuner :
Salade de haricots verts à la vanille
Rôti de porc
Duo carotte et navets
Entremets sans sucre du commerce (130 Kcal maximum)
1 pomme cuite à la cannelle

Goûter :
3 chouquettes + 1 yaourt 0 %
5 chouquettes + 1 yaourt + 1 clémentine*

Dîner :
Soupe de chou-fleur et tomate
1/2 part de quiche lorraine
Salade verte sauce yaourt
100 g d'ananas frais

Quiche lorraine

Pour 4 personnes
Ingrédients : 1 pâte brisée toute faite, 3 œufs, 300 ml de lait demi-écrémé, 60 g de jambon blanc dégraissé, 60 g d'allumettes de bacon, sel, poivre, muscade
Préchauffer le four à 200 °C. Battre les œufs entiers avec le lait. Saler, poivrer et muscader. Garnir le plat à tarte de la pâte. Y ajouter le jambon et le bacon. Verser le mélange lait et œufs. Cuire 45 minutes.

Jour 4

Petit déjeuner :
Café ou thé édulcoré
1 croissant
2 petits-suisses 0 %
1 clémentine

Déjeuner :
Salade d'artichaut à l'orange
Flan de poisson au gruyère
Ratatouille
Salade de fruits

Goûter :
1 bol de lait 200 ml + 30 g de céréales + 1 yaourt 0 %
300 ml de lait + 50 g de céréales + 1 yaourt 0 % + 1 sablé*

Dîner :
Salade de boulgour à la menthe
Crevettes à la piperade
25 g de comté
Gratin de pamplemousse, orange et kiwi

Salade d'artichaut à l'orange

Pour 4 personnes
Ingrédients : 6 fonds d'artichaut, 2 oranges, 1 citron, 1 gousse d'ail, 2 cuillères à soupe d'huile d'olive, sel, poivre, salade verte

Cuire les fonds d'artichaut 10 minutes dans de l'eau bouillante. Peler une orange à vif, la couper en rondelles épaisses et les recouper en quatre. Presser le citron ainsi que la deuxième orange au-dessus d'un bol pour recueillir le jus. Peler la gousse d'ail et la hacher. Porter à ébullition 100 ml d'eau avec le jus d'orange et de citron. Ajouter une cuillère à soupe d'huile, l'ail haché et les morceaux d'orange, saler et poivrer. Bien égoutter les fonds d'artichaut, les couper en quatre et les ajouter à la préparation. Couvrir et laisser cuire 50 minutes à feu doux. Laisser refroidir totalement, puis arroser avec le reste de l'huile. Servir cette salade bien froide accompagnée de salade verte.

Flan de poisson au gruyère

Pour 4 personnes
Ingrédients : 600 g de poisson, 3 œufs, 4 cuillères à soupe de crème fraîche allégée, 60 g de gruyère, sel, poivre, herbes au choix à volonté

Battre les 3 œufs, mixer avec le poisson, ajoutez à la fois les quatre cuillères de crème allégée. Passer au four 10 à 15 minutes. Sortir à mi-cuisson répandre le gruyère, recuire 10 à 15 minutes puis servir avec la ratatouille qui a été préparée sans matières grasses ou achetée au rayon surgelé.

Crevettes à la piperade

Pour 4 personnes

Ingrédients : une grosse boîte de piperade ou un sachet congelé, 16 à 20 crevettes, une petite boîte de concentré de tomate, 2 cuillères à soupe d'huile, sel, poivre, citron

Faire chauffer l'huile dans une poêle, ajoutez la piperade, réduire, ajoutez le concentré de tomate. Décortiquez les crevettes, les couper dans le sens de la longueur, ajouter à la préparation. Salez et poivrez avant de servir chaud.

Salade de boulgour à la menthe

Pour 4 personnes

Ingrédients : 80 g de boulgour cru, 30 g d'abricots secs hachés, 2 tasses d'eau bouillante, 1 gros concombre, menthe, persil et coriandre hachés, 1 petit oignon rouge très finement haché, 2 cuillères à soupe de jus de citron, quelques feuilles de laitue

Mettre le boulgour et les abricots secs dans un grand récipient muni d'un couvercle. Mouiller d'eau bouillante, couvrir et laisser reposer 15 minutes, jusqu'à ce que l'eau soit absorbée. Peler et couper finement le concombre en dés et laisser égoutter pendant 15 minutes. Incorporer le concombre, la menthe, le persil, la coriandre, les oignons et le jus de citron dans la préparation au boulgour et mélanger bien. Servir la salade dans des feuilles de laitue, décorée de persil.

Gratin de pamplemousses, d'oranges et kiwis

Pour 6 personnes

Ingrédients : 2 pamplemousses roses, 2 oranges, 2 kiwis, 3 œufs, 70 g de sucre, le jus d'un citron

Éplucher les pamplemousses et les oranges. Détailler-les en quartiers en enlevant soigneusement la peau blanche. Séparer le blanc des jaunes d'œufs. Faire mousser les jaunes avec 35 g de sucre. Monter les blancs en neige pas trop ferme avec le jus de citron et le reste de sucre. Ajouter cet appareil à celui des jaunes d'œufs. Répartir le mélange dans 6 assiettes allant au four. Disposer sur le mélange les quartiers de fruits en rosace avec les quartiers de kiwis. Mettre au four à 220 °C.

Jour 5

Petit déjeuner :
Café ou thé édulcoré
40 g de pain aux céréales
1 portion de fromage à tartiner
150 g de fromage blanc
1 fruit

Déjeuner :
Salade de soja frais
Steak haché 5 % MG
Chou-fleur aux herbes et aux épices
1 yaourt 0 % nature
1 fruit

Goûter :
1/4 tourteau au fromage + 1 fruit
1/2 tourteau au fromage + 1 fruit + 100 ml de lait*

Dîner :
Soupe de potiron
1/3 de pizza jambon-champignons
Salade verte
2 petits-suisses 0 %

Jour 6

Petit déjeuner :
Café ou thé édulcoré
2 croissants

Déjeuner :
Salade de carottes au cumin
Cuisse de lapin à la moutarde au four
Fenouil
100 g de fromage blanc 0 %
1 fruit

Goûter :
Brochettes de fruits frais
+ 150 g de fromage blanc
+ 1 part de marbré*

Dîner :
Salade d'endives
Omelette aux oignons et poivrons
Aumônière exotique croustillant

Salade de carottes au cumin

Pour 6 personnes
Ingrédients : 500 g de jeunes carottes, 2 gousses d'ail, 2 cuillères à soupe de vinaigre de xérès, 4 cuillères à soupe d'huile d'olive, 1 cuillère à café de piment poudre, 1 cuillère à café de cumin en poudre, 1 pincée d'origan séché

Éplucher les carottes et les plonger entières dans une casserole d'eau bouillante salée (les carottes doivent juste être recouvertes d'eau). Les faire cuire 20 minutes à feu doux, puis les égoutter. Peler les gousses d'ail et les râper finement. Mélanger dans un saladier l'ail, le vinaigre, l'huile, le piment, le cumin et l'origan. Saler. Couper les carottes en rondelles et les ajouter à la sauce. Remuer bien et laisser macérer la salade toute la nuit au réfrigérateur.

Omelette aux oignons et aux poivrons

Pour 2 personnes
Ingrédients : 4 œufs, 200 g de poivrons, 100 g d'oignons, 3 cuillères à soupe de vinaigre balsamique

Battre 4 œufs, faire revenir les poivrons dans une poêle antiadhésive avec un fond de vinaigre balsamique jusqu'à réduction, faire blanchir les oignons hachés dans une casserole. Ajouter les œufs dans la poêle avec le poivron, sécher les oignons, les ajouter et faire cuire jusqu'à cuisson désirée. Agrémenter avec du sel, du poivre, des herbes.

Aumônière exotique croustillante

Pour 4 personnes
Ingrédients : 4 feuilles de brick, 250 ml de lait, 2 jaunes d'œufs, 30 g de sucre, 20 g de farine, vanille, 200 g de fraises, 2 pommes, 100 g d'ananas, 3 kiwis, carambole pour décorer, 1 œuf battu pour colorer les bricks, un peu d'huile pour les bricks

Prendre 4 ramequins et passer un peu d'huile au pinceau. Garnir chaque ramequin d'une feuille de brick repliée pour qu'elle ne dépasse pas. Enduire d'œufs battus au pinceau. Mettre au four 10 minutes à 160 °C. Préparer la crème pâtissière : mélanger les 2 jaunes d'œufs aux 30 g de sucre, puis ajouter la farine. Faire chauffer le lait additionné de vanille. Verser le lait chaud sur le mélange en remuant bien et remettre sur le feu pour épaissir. Ne pas arrêter de remuer jusqu'à épaississement. Couper les fruits. À la sortie du four, les bricks ont durci et s'enlèvent des ramequins. Elles seront les supports de la crème et des fruits.

Mettre dans chaque brick un peu de crème pâtissière et recouvrir de fruits mélangés. Décorer avec une étoile de carambole.

Jour 7

Petit déjeuner :
Café ou thé édulcoré
30 g de pain complet
10 g beurre
1 œuf
1 fruit

Déjeuner :
Salade de tomates aux échalotes
Saumon au four
Brocolis vapeur
Banane au lait de coco

Goûter :
100 g de fromage blanc 0 % MG
1 tranche de pain d'épice (40 g)
150 g de fromage blanc 0 % MG*
2 tranches de pain d'épice*

Dîner :
Soupe de poireaux et oseille
Croque-monsieur
Salade verte
1 yaourt nature 0 % MG
Raisins 120 g

Bananes au lait de coco

Pour 6 personnes
Ingrédients : 6 bananes, 200 ml de lait de coco, 1 demi-cuillère à café de sel, 2 cuillères à soupe de sucre
Éplucher les bananes et les couper dans le sens de la longueur en 4 morceaux ou 6 ; les disposer dans une casserole avec le lait de coco, le sucre et le sel. Porter à ébullition, retirer du feu et servir chaud.

Croque-monsieur

Pour 1 personne

Ingrédients : 2 tranches de pain de mie (40 g), 25 g de gruyère, 1 tranche de jambon blanc dégraissé, béchamel sans matières grasses avec 50 ml de lait et 1 cuillère à café de maïzena

Faire la béchamel : délayer la maïzena dans le lait froid puis faire épaissir à feu doux. Saler, poivrer et muscader. Enduire chaque tranche de pain de mie de béchamel, mettre le jambon et le gruyère puis faire cuire au four sans ajout de matières grasses.

Jour 8

Petit déjeuner :
Café ou thé édulcoré
150 g de salade de fruits
2 yaourts 0 %
40 g de céréales Spécial K

Déjeuner :
Salade de betteraves sauce aigre-doux
Pièce de bœuf grillé
Courgettes au four
Mousse au chocolat allégée
1 clémentine

Goûter :
2 petits-suisses 0 % MG
1 pomme au four
1 petit-beurre
+ 4 petits-beurre*

Dîner :
Salade de blé aux haricots
Tian à la provençale
Fraises 250 g

Salade de betteraves rouges sauce aigre-douce

Pour 6 personnes

Ingrédients : 1,5 kg de betteraves fraîches ou 1 kg de betteraves cuites, 3 cuillères à soupe de sucre, 1,5 cuillère à soupe de miel, 1 cuillère à soupe de jus de citron frais, 100 ml de vinaigre de vin blanc, 1 pincée de paprika, 1 cuillère à café de cumin, 30 ml d'huile végétale, 2 cuillères à soupe d'oignons nouveaux finement hachés

Pour la sauce, passer tous les ingrédients au mixeur sauf l'huile et l'oignon. Verser ensuite l'huile en filet sans cesser de remuer jusqu'à ce que la sauce émulsionne. Incorporer l'oignon. Couper les betteraves (précuites) en fines rondelles, mettre dans une terrine et verser la sauce. Mettre au frais au moins 2 heures avant de servir.

Salade de blé aux haricots

Pour 4 personnes

Ingrédients : 120 g de blé type Ebly, 1 boîte de haricots rouges cuits (265 g égouttés), 2 tomates, 1 poivron vert, 1 gousse d'ail, 2 petits oignons blancs, 30 g de mimolette, 1 poivron vert, 1 gousse d'ail, 2 petits oignons blancs, 30 g de mimolette, 2 cuillères à soupe d'huile d'olive, 2 cuillères à café de moutarde, 2 cuillères à soupe de vinaigre, sel, poivre

Faire cuire le blé pendant 15 minutes à l'eau bouillante salée, l'égoutter. Pendant ce temps, rincer et égoutter les haricots rouges. Laver les tomates et le poivron. Les couper en dés. Peler et émincer l'ail et les oignons. Couper la mimolette en fins bâtonnets. Disposer tous les ingrédients dans un saladier. Préparer la vinaigrette : mélanger l'huile, la moutarde, le vinaigre, le sel et le poivre. Verser la vinaigrette dans le saladier. Mélanger et servir.

Tian à la provençale

Pour 4 personnes

Ingrédients : trois aubergines, quatre courgettes, un poivron vert, un poivron rouge, 12 tomates cerises, 2 gousses d'ail, un demi-bouquet de persil, sel, poivre, thym, gros sel, deux cuillerées à soupe d'huile

Couper les aubergines en rondelles, parsemer de gros sel, les laisser rendre leur eau une demi-heure, puis les éponger. Faire chauffer l'huile dans une poêle, faire dorer les aubergines, ajouter les courgettes en rondelles et les faire dorer également. Couper les poivrons lanières et les mélanger avec les légumes dorés. hacher le persil et l'ail, les ajouter à la préparation. Assaisonner avec du sel et du poivre. Mettre la préparation dans un plat, ajouter la mozzarella, après avoir coupé en cubes. Passer au four chaud et au dernier moment décorer avec les tomates cerises coupées en deux.

Jour 9

Petit déjeuner :
Café ou thé édulcoré
1 yaourt 0 % aux fruits

232

20 g de corn flakes
30 g pain complet
40 g de fromage

Déjeuner :
Biscuit à la courgette à l'oseille sauce au fromage blanc
Haddock poché au lait
Navets à la coriandre
1 petit-suisse 0 % MG
Compote de mangue

Goûter :
2 crêpes au citron
100 g de fromage blanc % MG
3 crêpes au citron*
150 g de fromage blanc 0 % MG*
1 fruit*

Dîner :
Salade de tomates et thon blanc
Feuilleté de poulet en rouleaux
Tomates provençales
25 g de camembert
250 g de fraises

Biscuit de courgettes à l'oseille, sauce au fromage blanc

Pour 4 personnes
Ingrédients : 1 cuillère à soupe d'huile d'olive, 500 g de courgettes, 1/2 botte
d'oseille, 50 g de mie de pain, 6 cuillères à soupe de lait tiède, 4 jaunes d'œufs,
3 blancs d'œufs, le jus d'un demi-citron, 100 g de fromage blanc à 20 % MG,
sel, poivre

Couper les extrémités des courgettes. Les émincer grossièrement sans les éplucher, puis les faire revenir dans l'huile sans les laisser colorer. Ajouter la moitié
de l'oseille équeutée et lavée. Cuire à couvert 7 minutes. Égoutter légèrement le
mélange et le mixer. Préchauffer le four à 200 °C. Tremper la mie de pain dans
le lait tiède. L'égoutter soigneusement, en réservant le lait, et l'incorporer au
mélange mixé. Ajouter les jaunes d'œufs. Saler et poivrer. Monter les blancs en
neige. Les détendre avec du jus de citron, puis les incorporer délicatement à la
préparation précédente. Verser ce mélange dans une terrine tapissée de papier
sulfurisé. Enfourner et cuire au bain-marie 35 minutes. Laisser refroidir avant de
démouler. Battre légèrement au fouet le fromage blanc additionné de quelques
gouttes de lait. Saler et poivrer. Ajouter le reste de l'oseille taillée en chiffonnade.

Couper le biscuit en tranches et servir tiède ou froid avec un cordon de sauce au fromage blanc.

Feuilleté de poulet en rouleaux

Pour 10 personnes

Ingrédients : 450 g de blanc de poulet, 1 oignon découpé en quartiers, 2 côtes de céleri hachées grossièrement, sel et poivre, persil frais, 2 cuillères à soupe d'aneth frais haché, 50 g de feta râpée, 1 œuf battu, 10 feuilles de brick

Mettre le blanc de poulet dans un poêlon avec l'oignon, le céleri, poivre, sel et persil. Ajouter suffisamment d'eau pour recouvrir le poulet et laisser mijoter 25 minutes jusqu'à ce que le poulet soit cuit. Mettre le poulet dans un mixeur avec l'oignon et le céleri. Mixer le tout et remettre dans une poêle à feu doux et ajouter l'aneth et le fromage râpé. Retirer du feu et laisser refroidir complètement, puis battre l'œuf dans le mélange. Préchauffer le four à 190 °C. Mettre un peu de farce au centre de chaque feuille de brick et la rouler en cigare en la collant avec de l'œuf battu. Procéder de la même façon pour les 9 autres. Cuire au four jusqu'à ce que les bricks soient dorées et croustillantes. Dans ce plat, aucun ajout de matières grasses n'est nécessaire.

Jour 10

Petit déjeuner :
Café ou thé édulcoré
30 g de pain
40 g de jambon dégraissé
125 ml lait
25 g de céréales non-sucrées

Déjeuner :
Œuf dur mayonnaise allégée
Salade de tofu aux pousses d'épinards au yaourt et aux herbes*
1 yaourt 0 % MG aux fruits
Macédoine de fruits

Goûter :
Pain au chocolat
+ 1 chocolat chaud 250 ml*

Dîner :
Soupe de tomate au basilic
Poisson grillé à la mexicaine
Riz sauvage

25 g de chèvre en crottin
Coupe de litchis aux groseilles

Salade de tofu aux pousses d'épinards au yaourt et aux herbes

Pour 4 personnes
Ingrédients : 200 g de tofu, 250 g de pousses d'épinards, 1 demi-yaourt nature, 2 cuillères à soupe de basilic ciselé, 2 cuillères à soupe d'huile de germe de blé, 1 cuillère à soupe de vinaigre de cidre, sel, poivre

Rincer et égoutter le tofu. Porter à ébullition une casserole d'eau, ajouter le tofu et le laisser cuire à petits frémissements 2 minutes. L'égoutter sur du papier absorbant et le couper en petits dés. Équeuter, laver et essorer les pousses d'épinards. Mélanger le yaourt avec le basilic, le vinaigre et l'huile. Saler et poivrer. Disposer les dés de tofu et les pousses d'épinards dans un saladier. Verser la sauce au yaourt et mélanger. Servir sans attendre.

Poisson grillé à la mexicaine

Pour 4 personnes
Ingrédients : 4 pavés de julienne de 120 g chacun, 2 cuillères à café d'huile d'olive, 2 petits oignons blancs, 1 piment vert doux, 1 tomate, 1 cuillère à soupe de coriandre fraîche effeuillée, 2 cuillères à soupe de jus de citron, 1 cuillère à soupe d'huile de tournesol, 1 avocat, 1 concombre, sel, poivre

Peler les oignons, éplucher le piment, peler et épépiner la tomate. Hacher finement ces ingrédients et les mettre dans un bol, ajouter 1 cuillère à café d'huile d'olive et la coriandre ciselée. Mélanger. Peler et couper la chair de l'avocat en fines lamelles. Peler et épépiner le concombre, le couper en fines lamelles. Mettre le concombre et l'avocat dans un saladier avec du sel, poivre, le jus de citron et l'huile de tournesol. Mélanger délicatement. Faire chauffer 1 cuillère à café d'huile olive dans une poêle et faire cuire les morceaux de julienne des deux côtés. Les assaisonner de sel et poivre. Pour servir, mettre un morceau de poisson au centre de chaque assiette, le surmonter d'un petit tas du mélange tomate/piment et l'entourer de concombre à l'avocat.

Jour 11

Petit déjeuner :
Café ou thé édulcoré
150 g de fromage blanc 0 %
1 kiwi
2 madeleines

Déjeuner :
Avocat au pamplemousse
Foie de veau persillé
Aubergines grillées
Flan du commerce
Orange

Goûter :
1 bol de lait 200 ml + 30 g de céréales + 1 yaourt 0 %
300 ml de lait + 50 g de céréales + 1 yaourt 0 % + 1 sablé*

Dîner :
Soupe de chou aux croûtons de pain grillé
Hamburger maison
Salade verte
Panaché de prunes

Hamburger maison

Pour 1 personne
Ingrédients : 1 pain Harry's pour hamburger, 100 g de bifteck haché, deux grosses rondelles de tomates, deux à trois fines rondelles d'oignons, une tranche de fromage cheddar à cuire

Griller le steak des deux côtés, le placer entre les deux tranches de pain tartinées avec du ketchup puis ajouter la tranche de fromage, et garnir avec les tomates et les oignons.

Jour 12

Petit déjeuner :
Café ou thé édulcoré
40 g de pain
1 carré frais
1 bol de lait écrémé 300 ml
1 clémentine

Déjeuner :
Champignons à la grecque
Rumsteck grillé
Poêlée de légumes
100 g de fromage blanc 0 % MG
Poires pochées aux épices

Goûter :
1 cookie
1 yaourt 0 % MG nature
2 cookies*
2 yaourts 0 % MG nature*

Dîner :
Velouté d'asperge
Spaghettis carbonara
1 banane

Poires pochées aux épices

Pour 4 personnes

Ingrédients : 4 belles poires, le jus d'un citron, 10 g de beurre, 20 g de sucre, cannelle, quatre épices, gingembre en poudre, 1 gousse de vanille, le jus de 2 oranges

Peler les poires et les couper en deux dans le sens de la hauteur. Ôter le cœur à l'aide d'un petit couteau pointu. Arroser les demi-poires de jus de citron. Faire fondre le beurre dans une poêle. Faire dorer les demi-poires dans le beurre avec le sucre. Lorsqu'elles commencent à caraméliser, ajouter les épices et la gousse de vanille. Laisser cuire 8 minutes. Déglacer le jus de cuisson des poires avec le jus d'orange. Disposer 2 demi-poires caramélisées dans chaque assiette. Les arroser de sauce. Servir aussitôt accompagné d'un petit-suisse.

Spaghettis carbonara

Pour 4 personnes

Ingrédients : 160 g de spaghettis crues, 240 g d'allumettes de bacon, 4 cuillères à soupe de crème fraîche à 15 % MG, sel, poivre

Cuire les spaghettis puis les mélanger à la crème fraîche et au bacon (le bacon est beaucoup moins gras que les lardons).

Jour 13

Petit déjeuner :
Café ou thé édulcoré
1 croissant
250 ml de lait
1 cuillère à café de cacao amer

Déjeuner :
Fonds d'artichaut et petit chèvre grillé
1 papillote de poisson blanc avec légumes râpés
Sorbet au kiwi

Goûter :
Brochettes de fruits
150 g de fromage blanc 0 % MG
+ 30 g de pain*
+ 3 carrés de chocolat*

Dîner :
Poireaux vinaigrette
1 crêpe jambon fromage
Salade verte
Compote pomme-poire

Jour 14

Petit déjeuner :
Café ou thé édulcoré
150 g de fromage blanc 0 %
2 p'tits grillés complets
Salade de pruneaux aux zestes d'orange (4 pruneaux)

Déjeuner :
Salade de céleri branche et betteraves
Bœuf mariné au soja
Pois gourmands
1 yaourt 0 % MG aux fruits
150 g de mangue fraîche

Goûter :
1 muffin aux myrtilles
+ 1 petit-suisse 0 % MG
2 muffins aux myrtilles*
+ 1 petit-suisse 0 % MG*

Dîner :
Gaspacho
2 œufs mollets + 1 poêlé au wok
1 yaourt 0 % aux fruits
Tarte aux fruits frais et fromage blanc

Bœuf mariné au soja

Pour 4 personnes

Ingrédients : 1 tranche épaisse de steak (480 g), 2 cuillères à soupe d'huile, 1 gousse d'ail, 2 cm de gingembre frais, 1 cuillère à soupe de sauce soja, 1 demi-cuillère à café de graines de coriandre, 800 g de pois gourmands, sel, poivre

Découper la viande en petits cubes. Dans un plat, mélanger la gousse d'ail hachée, le gingembre haché, la sauce soja, les graines de coriandre légèrement écrasées et du poivre. Rouler les morceaux de viande dans cette préparation pour bien les imprégner. Laisser mariner 30 minutes. Éplucher et laver les pois gourmands. Les faire cuire à couvert avec 1,5 cuillère à soupe d'huile et un peu de bouillon dégraissé. Après 30 minutes, glisser les cubes de viande sur 8 petites brochettes en bois et les cuire à la poêle avec 1/2 cuillère à soupe d'huile ou sous le gril du four. Servir les brochettes aussitôt avec les pois gourmands.

Muffins aux myrtilles

Pour 12 muffins

Ingrédients : 200 g de myrtilles, 200 g de farine, 1 pincée de sel, 1 demi-sachet de levure chimique, 100 g de beurre, 60 g de sucre, 3 œufs, le zeste d'un citron râpé

Préchauffer le four à 180 °C. Mélanger la farine, le sel, la levure dans un saladier. Réserver. Dans un autre saladier, travailler 125 g de beurre en pommade (pour qu'il devienne lisse). Ajouter le sucre, sans cesser de mélanger. Incorporer les œufs un à un, en mélangeant à chaque adjonction. Ajouter le mélange précédent, sans cesser de mélanger, puis le zeste de citron et les myrtilles. Remplir les moules individuels papier de pâte aux trois-quarts. Enfourner à mi-hauteur du four et cuire 15 à 20 minutes. Démouler les muffins et les laisser refroidir sur une grille.

Tarte aux fruits frais et au fromage blanc

Pour 10 personnes

Ingrédients : 1 pâte sablée toute prête, 200 g de fromage blanc 0 % matière grasse, 3 cuillères à soupe de sucre, 2 oranges, 1 mangue, 2 kiwis, 2 pommes, 5 abricots, 1 carambole, brins de menthe

Préchauffer le four à 240 °C. Mettre la pâte dans un moule beurré et fariner. Piquer le fond de tarte avec une fourchette. Réfrigérer 30 minutes. Détailler le zeste d'une demi-orange en julienne. Le blanchir quelques minutes. Dans une casserole, verser 100 ml d'eau et 1 cuillère à soupe de sucre. Porter à ébullition. Plonger la julienne de zeste d'orange dans ce sirop et laisser confire 20 minutes. Couvrir le fond de tarte de papier aluminium ou sulfurisé avec des haricots secs. Enfourner et cuire 10 minutes. Démouler et laisser refroidir. Éplucher tous les fruits, les émincer en tranches fines. Presser les oranges. Dans un saladier, mélanger le jus d'orange, le fromage blanc, le reste de sucre et le zeste confit. Répartir et égaliser la préparation sur le fond de tarte. Disposer les tranches de fruits et décorer avec des feuilles de menthe.

L'ADOLESCENCE

Les conseils d'une maman

De l'entrée au collège à la sortie du lycée, les adolescents grandissent de 20 à 40 cm et doublent leur poids. Alors, pas d'affolement si votre jeune se jette sur le réfrigérateur dès la sortie des cours : c'est tout simplement parce que ses besoins nutritionnels augmentent considérablement durant cette période. Aussi, devrez-vous gérer vos provisions pour qu'il mange ce que vous aurez choisi selon son goût, ses habitudes, et sous votre contrôle. J'ai presque envie de dire que c'est la dernière ligne droite dans l'éducation alimentaire : si vous avez été vigilante pendant la petite enfance, ce n'est pas le moment de baisser les bras.

Mais attention ! Ses besoins, son début d'indépendance, son univers – il mange désormais à l'extérieur sans votre regard et goûte peut-être des produits qu'il n'avait jamais essayés auparavant – l'exposent à des risques de déséquilibre alimentaire et de prise de poids excessive. De 10 à 15 ans, comme vous avez encore une certaine autorité, vous pouvez compenser ses erreurs par les repas pris à la maison, en revanche cela sera bien plus difficile à partir du lycée.

À vous, adultes responsables, de proposer à vos enfants des aliments qu'ils pourront manger « presque » sans compter et qui n'auront d'influence négative ni sur leur poids ni sur leur santé. Et même si cette période est le temps de toutes les révoltes, gardez votre table ouverte et accueillante pour conserver intact l'espace d'échanges et de partage dont ils ont tant besoin et où ils trouveront équilibre et plaisir, tout en surveillant dans la mesure du possible leur grignotage.

À cet âge, comme aux autres d'ailleurs, pas de régime sévère sans consultation d'un nutritionniste. En effet, les besoins en vitamines et minéraux sont très importants en ces temps de forte croissance et une alimentation trop restrictive pourrait stopper celle-ci et ralentir la puberté.

40 % des adolescentes se trouvent trop grosses alors que seulement 10 % d'entre elles ont réellement besoin de perdre du poids. Et le plus grand risque pour ces jeunes filles est de devenir obèses à 30 ans pour avoir voulu perdre 3 à 4 kg à 15 ans.

En toute logique, le comportement alimentaire devrait donc être simplement commandé par l'alternance faim/satiété, mais certaines maladies, comme l'anorexie ou la boulimie, prouvent malheureusement que ce n'est pas si simple. Comme Jean-Michel vient de le montrer, ce sujet est trop sérieux pour que vous cherchiez à vous débrouiller seule. Et les relations affectives y sont tellement impliquées que vous ne pourrez probablement pas cerner tous les problèmes lorsque plusieurs membres de la famille sont impliqués.

Aujourd'hui, les troubles du comportement alimentaire touchent environ 20 % des « ados ». Si ces troubles sont parfois graves, comme nous l'avons vu, ils sont le plus souvent mineurs.

Les enfants obèses, par exemple, ont tendance à ne pas prendre de petit déjeuner, à peu manger à la cantine pour se rattraper au goûter et au dîner. Ainsi, les repas sautés semblent être un facteur prédisposant au surpoids parce qu'ils entraînent des « rattrapages » en fin de journée. Bien souvent, l'enfant grignote « en cachette », si le repas n'a pas été suffisant ou si la restriction est trop importante. Dès lors, il vit ces « grignotages » avec une très grande culpabilité qu'il faut vite dépister dans la mesure où elle peut renforcer une mauvaise estime de soi. L'ennui est le motif le plus avoué des grignotages, il témoigne de la difficulté d'être seul. Si personne n'est là pour accueillir l'enfant lorsqu'il rentre de l'école, le problème risque de se poser.

Quelques conseils pour éviter les dérèglements alimentaires

• Faites 4 repas par jour, dont le goûter, si possible en famille ou accompagné.
• Ne simplifiez pas les repas.
• Mangez doucement, en mastiquant bien.
• Ne mangez pas devant la télévision.
• Buvez de l'eau à table.

Lorsque vous préparez les repas :
• Cuisinez en contrôlant les matières grasses si vous voyez apparaître un problème de poids.
• Attention à la mayonnaise.
• Évitez les plats en sauce et les plats cuisinés du commerce ou alors vérifiez leur composition.
• Limitez au maximum la consommation de charcuteries, de viennoiseries, de friture, de cacahuètes...
• Limitez les fromages trop gras.
• Commencez systématiquement le repas par des légumes.
• N'oubliez pas les féculents.
• Terminez le plus souvent le repas par un fruit ou un dessert à base de fruit.
• Limitez les boissons sucrées, quitte à me répéter : la boisson à table est l'eau.
• L'enfant doit se sentir rassasié à la fin du repas.

Pour la lutte contre la sédentarité :
• Limitez à 2 ou 3 heures par jour la télévision ou les jeux vidéo pendant les périodes de vacances.
• Plusieurs fois par semaine, il doit marcher plus d'une heure, ne l'amenez pas systématiquement en voiture à l'école. Si vous l'accompagnez, marchez également.
• Faites-lui faire une activité sportive au moins une fois par semaine et régulièrement.
• Et faites-le jouer dehors si possible.
• Promenez-vous en famille le week-end.

Planification des courses et des repas

Fixez un jour pour faire les grandes courses, un autre pour aller au marché acheter les légumes et les produits que vous n'achetez pas en grande surface, écoutez les goûts de vos enfants et prévoyez ce que vous allez manger afin de ne pas y passer la journée. En pratique, notez les menus de tous les repas de la semaine. Vous allez un peu vous creuser la tête, mais ensuite vous profiterez du temps gagné. Ayez également un bloc-notes à disposition dans la cuisine pour que chacun puisse inscrire ses besoins ou ses désirs. Cela permet de prévoir les achats à faire ou les envies de menus... et plus personne ne râlera pour les biscuits ou les sardines oubliés. Attention en outre aux « phénomènes de mode », ces produits qu'il vous réclame parce qu'il en a mangé chez un copain. La plupart du temps, en cas d'achat, cet aliment reste dans vos placards et vous continuez à en acheter alors que son débit ne varie pas. Tentez de multiplier les choix de biscuits, achetez la quantité pour une semaine, et s'il n'en reste plus n'en rachetez pas. Il n'y aura pas eu refus de friandise, mais contrôle et gestion par l'enfant.

La nutrition des ados

Restauration rapide, saut de repas, distributeur, grignotage... Comment allier l'univers chaotique des ados à leurs besoins nutritionnels élevés ? Soyez souple, mais faites-les demeurer dans un cadre alimentaire contrôlé. Difficile, me direz-vous, mais la période entre 10 et 15 ans est, à mon avis, cruciale pour l'avenir. Ne cherchez pas à tout maîtriser, de toute façon vous n'y parviendrez pas, mais si le grignotage est caractéristique de cet âge, rappelez à votre enfant ce qu'il doit manger, rééquilibrez par le petit déjeuner, le goûter et le dîner. Étonnamment, les enfants se plaignent souvent du manque de fermeté des parents ! Entre 15 et 18 ans, les repas du midi sont souvent anarchiques. Faites-lui des recommandations s'il mange à la cantine, au bistrot, proposez-lui d'emporter des sandwichs faits maison, donnez-lui une idée de menu pour le fast-food. Prévoyez des grignotages qui occupent ou qui rassasient en période d'examen. Quand il rentre peu avant le repas, ne le laissez pas manger ou donnez-lui du pain et du fromage que vous ne proposerez pas au dîner qui suit.

Le fast-food

Le fast-food doit sa popularité auprès des adolescents à divers facteurs : mets goûteux selon eux, prix peu élevé, facilité et rapidité de consommation, ouverture à toute heure. C'est également un moment de détente et de convivialité à partager avec des copains. En choisissant bien ses repas pris aux fast-food, en compensant par ceux pris à la maison, l'équilibre alimentaire peut être conservé. L'idéal étant de :
- Choisir un hamburger sans mayonnaise, le plus souvent le moins cher, le plus simple, quitte à en prendre deux.
- Éviter les frites, préférer une salade.
- Ne boire que des sodas *light* ou de l'eau.
- Privilégier les salades de fruits plutôt que les crèmes glacés.

Ne faites pas un drame si tous ces conseils ne sont pas immédiatement suivis. J'ai souvent remarqué que, malgré la contestation latente, des recommandations sans cesse répétées finissent souvent par porter leurs fruits et sortir de leur propre bouche. Pour rattraper ce genre de repas, donnez-leur des repas qui compenseront les manques du fast-food.
- Un petit déjeuner avec du pain ou des céréales, un produit laitier, un fruit frais.
- Un goûter avec un fruit et un yaourt.
- Un dîner avec un féculent, des légumes verts ou un potage, du poisson ou des œufs ou volaille, un yaourt, un fruit.

Par curiosité, j'ai demandé à ma fille ce qu'elle aimait grignoter ou manger quand nous prenions nos repas ensemble. Eh bien, sa réponse a été surprenante. Elle aime grignoter ce qui se trouve dans nos placards et apprécie tout autant les plats que je cuisine habituellement. Je ne doute pas que ce soit une enfant très affectueuse et aimante et que sa réponse ait été dictée dans ce sens, mais peu importe : la notion de bon équilibre alimentaire est entrée dans sa tête.

Grignotages pensés

Pour de nombreux adolescents, les collations fournissent près de 30 % des calories totales de la journée. Plus l'enfant mangera des petites quantités en dehors des repas de façon répétée, plus les repas habituels risquent de disparaître et l'anarchie alimentaire de s'installer. Le grignotage est souvent concomitant à un stress, une sensation d'ennui ou d'inactivité. Proposez-lui des collations pratiques et faciles à manger : un muffin, du fromage, des fruits, des fruits secs mélangés, des crackers, des céréales croquantes peu caloriques, des chewing-gums ou des bonbons sans sucre... car il grignote rarement par faim. Il semblerait, d'après un questionnaire non-scientifique auprès des amis de mes enfants, que les distributeurs les attirent le plus souvent à l'âge du collège, alors que, plus tard, ils préfèrent aller dans la cour de récréation retrouver leurs amis plutôt que de faire la queue devant les appareils. À vous de leur faire comprendre que cela doit rester occasionnel. Préparez-lui des mets qu'il affectionne pour compenser ce stress ou ce vide.

Ne soyez pas négatifs

Faites preuve de souplesse à l'égard des comportements alimentaires désordonnés de votre adolescent. Un trop grand contrôle peut conduire à l'effet inverse.

Restez vigilants

L'insatisfaction corporelle est un problème de plus en plus fréquent chez les adolescents. En effet, près de deux adolescentes sur trois sont mécontentes de leur poids. Quels que soient leur nombre de kilos ou leurs connaissances en nutrition, la crainte de l'obésité peut entraîner, chez elles, des restrictions alimentaires injustifiées qui risquent de dégénérer en troubles graves, comme

246

l'anorexie ou la boulimie. On ne le répétera jamais assez, si vous avez des inquiétudes concernant les comportements de votre adolescente, n'hésitez pas à consulter un nutritionniste.

Les adolescentes et la nourriture : une relation difficile

À l'adolescence, l'augmentation du gras corporel est inévitable, mais ce phénomène est perturbant en cette période de la vie où l'image de soi est primordiale. Les préoccupations à l'égard du poids et de l'alimentation s'allient alors à la peur de « devenir grosse ».

Manque de confiance de soi

Certaines adolescentes mettront toute leur volonté à modifier leur apparence pour avoir le contrôle sur les changements que subit leur corps, pallier temporairement leur sentiment d'infériorité, se trouver un petit copain ou ressembler à leurs modèles. Cependant, en pleine croissance, la volonté de perte de poids chez elles peut devenir dangereuse : ralentissement de la croissance et de la formation des os, arrêt des menstruations, dépression, incapacité d'établir des relations normales avec les autres...

Attention, votre adolescente souffre de troubles de l'alimentation si elle...

- mange très peu ou ne consomme que des salades ou des légumes ;
- mange énormément puis disparaît aux toilettes ;
- évite complètement certaines catégories d'aliments comme la viande, le pain et les pâtisseries ;
- utilise des laxatifs pour éliminer la nourriture plus rapidement ;
- ne mange que lorsqu'elle est seule, dit-elle, et évite les repas en famille ou en public ;
- refuse de manger des choses qu'elle aimait auparavant ;
- a tendance à porter tout le temps des vêtements très amples ;

247

- a perdu une quantité importante de poids ;
- est obsédée par l'exercice.

Comment aider votre adolescente

Par leurs paroles, leurs attitudes et leurs gestes, les membres de la famille jouent un rôle majeur dans la prévention des troubles alimentaires. Pour aidez votre adolescente à accepter son corps en développement, voici quelques principes à respecter :

- **Telle mère, telle fille...** Adoptez une attitude saine et équilibrée à l'égard du corps et de l'alimentation. Ne choisissez pas cette période pour vous mettre au régime ou ne le lui montrez pas. En effet, la jeune fille, bien qu'elle soit en pleine période de contestation, vous observe et à tendance à vous mimer. Si vous ne mangez pas ou peu pendant les repas, elle voudra faire pareil. Allégez vos repas quand vous mangez sans elle. En sens inverse, si elle fait une taille de plus que vous, attention aux remarques maladroites. Je me rappelle qu'une de mes amies avait une jeune adolescente de 15 ans qui lui empruntait très souvent des petits hauts. Tout allait bien jusqu'au jour où cette amie a refusé de lui prêter un nouveau pull en cashmere parce qu'elle allait le lui agrandir. La petite est partie en sanglots en criant qu'elle était grosse et moche. Il m'a alors fallu faire preuve de tact pour conseiller à la maman d'envoyer sa fille chez un nutritionniste avant que le désordre alimentaire ne s'installe.

- **Pas de remarques désobligeantes.** Votre adolescente est préoccupée par les changements corporels qu'amène la puberté. Une moquerie de votre part sur son apparence physique peut faire plus de ravages chez votre ado que les blagues de ses amis.

- **Dites-lui que vous l'aimez comme elle est.** Acceptez votre adolescente comme elle est et dites-lui combien vous êtes fière d'elle. La confiance en soi est l'une des meilleures armes contre les troubles alimentaires. Insistez sur ses qualités et expliquez-lui que l'aisance et un sourire donnent plus de charme que les os saillants d'un mannequin.

- **Attention aux signes précurseurs.** Votre adolescente se préoccupe-t-elle de façon excessive de son poids, de sa forme, des calories ou de son alimentation ? A-t-elle perdu du poids de façon importante à la suite d'un régime restrictif ? S'éloigne-t-elle de ses amies et s'isole-t-elle ? Critique-t-elle son corps sévèrement ? Si vous pensez avoir besoin d'aide, n'hésitez pas à consulter un nutritionniste. Je sais, je me répète, mais le problème est trop grave et il faut agir rapidement avant que le trouble ne s'installe de façon durable. Ne vous laissez pas non plus amadouer ou berner.

Exemple de répartition alimentaire pour garçons et filles de 10 à 12 ans

---

Petit déjeuner
Ce repas devrait idéalement couvrir
20 % des besoins énergétiques de la journée

Un laitage :
Exemple : yaourt à boire, lait, fromage blanc, fromage fondu
1 bol de lait entier ou 1 bol de lait 1/2 écrémé
ou 1 yaourt sucré
ou 1 portion de fromage 25 à 30 g

Des céréales :
Exemple : biscottes céréales, pains variés
Garçons : 1/6 à 1/4 de baguette ou autre pain (40 g à 60 g) + 2 à 3 cuillères à café de beurre ou de pâte à tartiner au chocolat (10 à 15 g) ou 1 bol de céréales légèrement sucrées (environ 50 g)
Filles : 1/8 à 1/5 de baguette (30 à 50 g) + 1 à 2 cuillères à café de beurre ou de pâte à tartiner au chocolat (5 à 10 g) ou 1 petit bol de céréales légèrement sucrées (30 à 40 g)

Un produit frais :
1 fruit ou 120 ml de jus de fruits sans sucre ajouté

Un produit sucré selon le goût :
2 à 4 cuillerées à café de sucre confiture, miel ou chocolat en poudre pour le lait (10 à 20 g)

Même repas que pour les parents :

Déjeuner

Matières grasses d'assaisonnement ou de cuisson : 1 à 2 cuillerées à soupe d'huile ou de beurre ou de sauces ou de crème (10 à 20 g)
Des légumes :
Une entrée de crudités
ou/et un plat de légumes cuits

Des féculents ou du pain (on peut mixer les 2)
Garçons : 4 à 8 cuillerées à soupe de pâtes ou riz ou semoule ou maïs ou pommes de terre ou légumes secs (150 à 250 g en poids cuits) ou 1/5 à 1/3 de baguette (50 à 80 g de pain ou autre)
Filles : 4 à 6 cuillerées à soupe de pâtes ou riz ou semoule ou maïs ou pommes de terre ou légumes secs (150 à 200 g en poids cuits) ou 1/5 à 1/4 de baguette (50 à 60 g de pain ou autre)

Des protéines animales
100 g de viande ou 150 g de poissons
ou 2 œufs
ou 2 tranches de jambon
Bœuf, veau, agneau, volaille pourquoi pas en ragoût avec les légumes viande des grisons, jambon de dinde

Un laitage
1 portion de fromage (20 à 30 g)
ou 1 yaourt + 2 cuillères à café de sucre

Un dessert
1 fruit frais de préférence (surtout s'il n'y a pas de crudités)
ou 1 pot de compote (100 à 150 g)

Goûter

Un laitage :
Exemple : yaourt à boire, lait, fromage blanc, fromage fondu
1 bol de lait entier ou 1 bol de lait demi-écrémé
ou 1 yaourt sucré
ou 1 portion de fromage 25 à 30 g

Des céréales
Filles : 1 petit bol de céréales peu sucrées (30 à 40 g)
ou 1/8 de baguette (30 g) + 1 petite barre de chocolat (max. 20 g) ou
4 cuillerées à café de pâte à tartiner au chocolat
Garçons : 1 bol de céréales peu sucrées (40 à 50 g)
ou 1/5 de baguette (50 g) + 1 petite barre de chocolat (max. 20 g) ou
4 cuillerées à café de pâte à tartiner au chocolat

Un produit frais
un fruit frais
ou 120 ml de jus de fruits
brick de lait, pains variés, brioche, tartine de fromage, friandises ou
barres de céréales de temps en temps

Même repas que pour les parents :

Dîner

Matières grasses d'assaisonnement ou de cuisson : 1 à 2 cuillerées à
soupe d'huile ou de beurre ou de sauce ou de crème (10 à 20 g)

Des légumes
Une entrée de crudités ou potage
ou/et un plat de légumes cuits

Des féculents ou des céréales
4 cuillerées à soupe de féculents (100 à 150 g en poids cuits) selon
l'appétit
ou 40 g de pain
Exemple : riz, pâtes, semoule, lentilles, pommes de terre...

Des protéines animales
50 g de viande ou poisson
ou 1 œuf
ou 1 tranche de jambon
Bœuf, veau, agneau, volaille pourquoi pas en ragoût avec les légumes
viande des grisons, jambon de dinde...

Un laitage
1 yaourt + 2 cuillères à café de sucre
ou 1 portion de fromage (20 à 30 g) ou fromage blanc, entremets

251

Un dessert
1 petit pot de compote (100 à 150 g) environ 3 à 4 cuillerées à soupe
ou 1 fruit frais

Boisson
Nous ne répéterons jamais assez que l'eau est la seule boisson indispensable à l'organisme. Contrairement aux idées répandues, vous pouvez en donner tout au long de la journée, pendant ou en dehors des
repas.

Exemple de répartition alimentaire pour garçons et filles de 13 à 15 ans

Petit déjeuner
Ce repas devrait idéalement couvrir
20 % des besoins énergétiques de la journée

Un laitage : exemple : yaourt à boire, lait, fromage blanc, fromage
fondu
1 bol de lait entier ou 1 bol de lait 1/2 écrémé
ou 1 yaourt sucré
ou 1 portion de fromage 25 à 30 g

Des céréales : exemple : biscottes céréales, pains variés
Garçons : 1/4 à 1/3 de baguette ou autre pain (60 g à 80 g) + 3 à
4 cuillères à café de beurre ou de pâte à tartiner au chocolat (15 à 20 g)
ou 1 grand bol céréales légèrement sucrées (environ 60 g)
Filles : 1/5 à 1/4 de baguette (50 à 60 g) + 2 à 3 cuillères à café de
beurre ou de pâte à tartiner au chocolat (10 à 15 g) ou 1 bol de céréales
légèrement sucrées (40 à 50 g)

Un produit frais :
1 fruit ou 1 verre de jus de fruits sans sucre ajouté (120 ml)

Un produit sucré selon le goût :
2 à 4 cuillerées à café de sucre confiture, miel ou chocolat en poudre
pour le lait (10 à 20 g)

Même repas que pour les parents :

Déjeuner
Matières grasses d'assaisonnement ou de cuisson : 1 à 2 cuillerées à soupe d'huile ou de beurre ou de sauces ou de crème (10 à 20 g)

Des légumes
Une entrée de crudités
ou/et un plat de légumes cuits

Des féculents ou du pain (on peut mixer les 2)
Garçons : 6 à 8 cuillerées à soupe de pâtes ou riz ou semoule ou maïs ou pommes de terre ou légumes secs (200 à 250 g en poids cuit) ou 1/4 à 1/3 de baguette (50 à 80 g de pain ou autre)
Filles : (4 à 8 cuillerées à soupe de pâtes ou riz ou semoule ou maïs ou pommes de terre ou légumes secs (150 à 250 g en poids cuits) ou 1/5 à 1/3 de baguette (50 à 80 g de pain ou autre)

Des protéines animales
120 g de viande ou 180 g de poissons
ou 2 œufs
ou 2 tranches de jambon
Exemple : Bœuf, veau, agneau, volaille pourquoi pas en ragoût avec les légumes,
viande des grisons, jambon de dinde.

Un laitage
1 portion de fromage (20 à 30 g)
ou 1 yaourt + 2 cuillères à café de sucre

Un dessert
1 fruit ou plus (frais de préférence, surtout s'il n'y a pas de crudité)
ou 1 pot de compote ou plus (100 à 150 g)

Goûter

Un laitage : exemple : yaourt à boire, lait, fromage blanc, fromage fondu
1 bol de lait entier ou 1 bol de lait demi-écrémé
ou 1 yaourt sucré
ou 1 portion de fromage 25 à 30 g

Des céréales
Filles : 1 petit bol de céréales peu sucrées (30 à 40 g)
ou 1/8 de baguette (30 g) + 1 petite barre de chocolat ou 4 cuillerées à café de pâte à tartiner (max. 20 g)
Garçons : 1 bol de céréales peu sucrées (40 à 50 g)
ou 1/5 de baguette (50 g) + 1 petite barre de chocolat ou 4 cuillerées à café de pâte à tartiner (max. 20 g)

Un produit frais
un fruit frais
ou 120 ml de jus de fruits
brick de lait, pains variés, brioche, tartine de fromage, friandises ou barres de céréales de temps en temps

Même repas que pour les parents :

Dîner

Matières grasses d'assaisonnement ou de cuisson : 1 à 2 cuillerées à soupe d'huile ou de beurre ou de sauces ou de crème (10 à 20 g)

Des légumes
Une entrée de crudités ou 1 potage
ou/et un plat de légumes cuits

Des féculents ou des céréales
4 à 6 cuillères à soupe de féculents (100 à 150 g en poids cuits) selon l'appétit
ou 1/6 à 1/4 de baguette (40 à 60 g)
exemple : riz, pâtes, semoule, lentilles, pommes de terre...

Des protéines animales
80 g de viande ou 120 g de poisson
ou 2 œufs
ou 1 tranche de jambon
Exemple : bœuf, veau, agneau, volaille pourquoi pas en ragoût avec les légumes, viande des grisons, jambon de dinde...

Un laitage
1 yaourt + 2 cuillères à café de sucre
ou 1 portion de fromage (20 à 30 g)
ou fromage blanc, entremets

Un dessert
1 petit pot de compote (100 à 150 g) environ 3 à 4 cuillerées à soupe
ou 1 fruit frais

Boisson
Nous ne répéterons jamais assez que l'eau est la seule boisson indispensable à l'organisme. Contrairement aux idées répandues, vous pouvez en donner tout au long de la journée, pendant ou en dehors des repas.

Exemples de goûter

- Tartines de pain beurré – 2 mandarines ou fruit de saison – 1 brick de lait
- 2 tranches de pain d'épices beurré – 1 portion de fromage – 1 jus de fruits
- 1 chausson aux pommes – 1 fruit – 1 brick de lait aromatisé
- 1 pain au lait – 2 carrés de chocolat – 1 jus de fruit
- 1 yaourt – 1 part de cake – 1 fruit
- 1 bol de lait + céréales – des fraises
- 1 tasse de chocolat au lait – tartines de beurre
- biscottes ou crackers + fromage type mimolette – 1 orange pressée
- sandwich pain + jambon – salade de fruits
- pain – pâte au chocolat à tartiner – 1 fruit
- 1 barre de céréales – 1 jus de fruits
- lait concentré sucré – 1 tranche de quatre-quart – jus de fruits
- 2 biscuits secs – lait à la grenadine
- 1 tartine de fromage fondu – 1 compote

Idées de repas simples équilibrés, vite faits bien faits

Pour les enfants mangeant peu à la maison, entre 15 et 18 ans.

Repas 1
Poireaux vinaigrette
Pâtes au saumon (vous rajoutez des dés de saumon fumé, une fois les pâtes cuites et égouttées)
Fromage
Fruit

Repas 2
Cœur de laitue au parmesan et croûtons
Escalope de volaille aux champignons et riz
Fromage
Tarte à la rhubarbe

Repas 3
Concombre au fromage blanc
Œufs brouillés aux champignons
Pain grillé
Flan à la vanille (tout prêt)

Repas 4
Pousses d'épinards au saumon fumé
Côtes de porc + pommes de terre en robe des champs
Saint-paulin
Sorbet aux fruits

Repas 5
Potage de légumes (en brick)
Salade composée aux blancs de volaille (salade, maïs, tomate, blancs de volaille)
Fromage
Fruit

Repas 6
Salade composée avec des champignons coupés en lamelles, des dés d'avocats et des tomates accompagnés d'une sauce bulgare
Dorade au four + tomates au four
Gâteau de riz (du commerce)

Repas 7
Salade de riz
Escalopes à la poêle
Chou-fleur
Fromage
Salade de fruits rouges

Repas 8
Croque-monsieur avec pain de mie, jambon et une tranche de fromage, moutarde
Salade verte
Fraise

Repas 9
Salade verte
Cannellonis à l'italienne (plat préparé)
Fromage blanc
Compote

Repas 10
Tomates mozzarella
Steak haché + pommes de terre sautées (que vous aurez pré-cuites dans l'eau pour qu'elles absorbent moins de graisses)
Fruit de saison

Repas 11
Salade mâche-betterave
Côte d'agneau
Riz
Entremets

257

Repas 12
Salade de pommes de terre et thon cornichons
Jambon
Fromage
Pommes au four

Repas 13
Soupe de potiron (faite maison ou toute prête)
Rosbif froid
Endives en salade
Fromage
Tarte aux pommes

Repas 14
Taboulé à la menthe
Poisson en papillote
Épinard en branches
Fromage
Fruit

Repas 15
Chou blanc râpé au roquefort
Hachis parmentier (surgelés)
Fromage
Compote

Repas 16
Salade de tomates feta
Escalope de dinde sauce au curry (du commerce)
Lentilles
Compote de fruits

Repas 17
Carottes râpées
Quiche lorraine (toute prête)
Purée de céleri (surgelée)
Fromage blanc aux fruits

Repas 18
Cœurs de palmier
Œufs brouillés à la ciboulette
Coquillettes + parmesan
Mousse au chocolat (maison ou commerce)

Repas 19
Salade de mesclun à la braseola
Un cordon bleu + haricots verts à la sauce tomate
Fromage blanc à la confiture

Aidez votre ado à équilibrer ses repas

Bien qu'à l'adolescence les besoins nutritionnels augmentent considérablement, les habitudes alimentaires des ados s'avèrent souvent chaotiques : restauration rapide, omission de repas, grignotage... Aidez votre ado à équilibrer ses repas en assurant la qualité des aliments disponibles à la maison et en lui proposant des aliments appétissants, qu'il aime et qui sont faciles à manipuler et à manger.

Protéines, calcium, fer et vitamines au menu

À la maison, servez-lui des repas équilibrés offrant des aliments qui proviennent des quatre groupes alimentaires : produits laitiers, produits céréaliers, fruits et légumes, viandes ou équivalents. Adoptez une attitude saine et stable face à l'alimentation. Continuez de donner l'exemple !

Le petit déjeuner : une priorité

Pressés, les adolescents ont tendance à sauter des repas, en particulier le petit déjeuner et le dîner. Insistez sur l'importance d'un petit déjeuner équilibré. Si votre ado ne déjeune pas, il y a fort à parier que ses besoins nutritifs, particulièrement en calcium et en fer, ne seront pas comblés. Si le temps lui manque pour s'asseoir devant un petit déjeuner classique, offrez-lui des solutions de rechange vite préparées et faciles à transporter : boîtes de céréales en portions individuelles, muffins maison, yogourt en tube, jus de fruits exotiques, barres de céréales aux fruits, petits sandwich au fromage, des fruits secs comme les abricots...

Quelques idées de repas simples et nourrissants pour vos ados

Pour les repas pris en votre absence
Voici des idées de repas simples, rapides et nutritifs qu'il peut se préparer lui-même en votre absence.

• **Les restes de la veille.** Solution facile et tellement pratique. Cuisinez en double et congelez les restes en portions individuelles. Le midi, votre ado n'aura qu'à réchauffer le tout.

• **Des minipizzas maison.** Préparées avec des pitas ou des muffins anglais, elles dépassent largement, en goût et en valeur nutritive, leurs comparses du commerce. Il suffit d'avoir sous la main les ingrédients suivants : des pitas ou muffins anglais, de la sauce tomate ou concentré de tomate, des légumes (poivrons, champignons, aubergines, oignons), du fromage râpé, de la mozzarella ou du thon.

• **Œufs en tout genre.** Au plat, brouillés, en omelette, dans des crêpes ou du pain perdu, les œufs sont très pratiques et nourrissants. De plus, ils sont rapides et simples à préparer.

• **Le sandwich.** Impossible de l'éviter. Pour changer du traditionnel « pain de mie, fromage fondu, jambon », variez les types de pains (pita, baguette, panini...) et les mélanges de garnitures (salade de poulet, de thon, de jambon, de viande des grisons, au tsatsiki, aux œufs, au fromage, aux carottes râpées, aux tomates, aux concombres, aux olives...). Mettez toujours des légumes ou des crudités dans le sandwich et faites-leur finir le repas par un fruit.

• **Les fajitas.** De préparation très rapide, elles sont très appréciées. Prenez des escalopes de dinde en lanières que vous pouvez précuire avec une sauce du commerce, des légumes que vous pouvez congeler, des tortillas en sachet qui se conservent très bien.

• **Les pâtes.** Oui, mais à l'italienne, c'est-à-dire avec beaucoup de garniture. Vous préparez, par exemple, une sauce tomate avec des tomates cuisinées du commerce, de la ratatouille ou du thon. L'adolescent n'aura qu'à cuire les pâtes, qu'il pourra agrémenter avec des morceaux d'olives, d'anchois ou des câpres.

• **Les plats tout prêts surgelés.** Ils ont l'avantage d'avoir un décompte calorique, d'être attractifs et variés. La décongélation est le plus souvent très rapide. Choisissez bien des portions individuelles (en plusieurs exemplaires si votre enfant à tendance à amener ses amis).

• **Des repas chinois, des shushis.** Achetés chez le traiteur.

Pour les repas pris en famille

Vous vous devez de compenser les erreurs qui auront été commises au cours des repas pris à l'extérieur. Nous avons déjà vu l'importance du petit déjeuner, vous donnerez un repas équilibré et complet le soir qui doit contenir :

• un féculent ou du pain ;
• des légumes verts (ou salade ou potage) ;
• un produit laitier (yaourt, fromage) ;
• un fruit ;
• du poisson, de la viande, des œufs ou de la volaille ;
• peu de fritures, peu de matières grasses.

Encore un petit effort pour que ce repas soit goûteux, appétissant et qu'il donne envie à votre ado de partager ce moment de convivialité avec vous. Ne le servez pas sur un coin de table, surtout si vous êtes nombreux, mangez dans la salle à manger et faites desservir par vos enfants. Ce repas compensera les erreurs de la journée et lui fera retrouver des plats plus gastronomiques que la nourriture des fast-foods. Ainsi, vous le ferez avancer sur le chemin de la gastronomie.

EXEMPLES DE REPAS ÉQUILIBRÉS

Menu 1

Avocat au jambon de Parme
Poulet grillé à la mangue
Émincé de courgettes au basilic
Riz sauvage
Salade de fruits

Avocat au jambon de Parme

Pour 4 personnes

Préparation : 5 minutes

Ingrédients : 1 citron jaune, parmesan râpé, 2 avocats, 4 tranches de jambon de Parme

Ouvrir les avocats en deux, enlever le noyau et couper la chair en morceaux. Répartir dans deux assiettes les quartiers des avocats épluchés. Laisser tomber quelques gouttes de jus de citron frais. Ajouter une chiffonnade de jambon de parme et quelques copeaux de parmesan.

Poulet grillé à la mangue

Pour 4 personnes

Préparation : 10 minutes

Cuisson : 10 minutes

Ingrédients : 400 g de mangue, 1/2 oignon, 1 tomate, 8 feuilles de menthe fraîche, 1 cuillère à soupe d'huile d'olive, 4 blancs de poulet

Couper la mangue en petits dés. Couper la tomate en petits dés. Émincer l'oignon. Laver et ciseler la menthe. Dans une casserole, faire chauffer l'huile.

Ajouter l'oignon. Laisser cuire 5 minutes. Ajouter la mangue et la tomate. Saler et poivrer. Faire cuire 5 minutes. Dans une poêle, faire griller les blancs de poulet. Saler et poivrer. Ajouter au dernier moment la menthe dans la sauce à la mangue. Servir le poulet nappé de sauce.

Émincé de courgettes au basilic

Pour 4 personnes
Préparation : 10 minutes
Cuisson : 6 minutes
Ingrédients : 6 courgettes moyennes, 1 tomate bien mûre, 1 cuillère à café d'huile d'olive, 1 jus de citron, quelques feuilles de basilic, thym, laurier

Laver et émincer les courgettes et la tomate. Faire revenir les légumes dans une poêle antiadhésive avec l'huile d'olive. Ajouter les herbes. Saler, poivrer et laisser cuire 6 minutes. Rajouter le jus de citron et le basilic ciselé et servir aussitôt.

Menu 2

Salade colorée
Médaillons de veau au citron
Tagliatelles + julienne de légumes (congelée)
Fruit

Salade colorée

Pour 4 personnes
Préparation : 10 minutes
Cuisson : 10 minutes
Ingrédients : 4 œufs, 400 g de betteraves rouges en dés, 300 g de mâche, 1 demi-botte de persil, 2 cuillères à soupe d'huile végétale, 1 cuillère à soupe d'huile de noix, 2 cuillères à soupe de vinaigre de cidre, sel, poivre, 8 cerneaux de noix

Faire cuire les œufs durs. Laver et essorer la mâche. Laver et ciseler le persil. Préparer la vinaigrette. Émulsionner les huiles et le vinaigre. Saler et poivrer. Écaler les œufs. Dans un saladier, mettre la salade, les betteraves et les œufs coupés en quartiers. Verser la vinaigrette. Décorer de noix et de persil.

Médaillons de veau au citron

Pour 4 personnes
Préparation : 10 minutes
Cuisson : 15 minutes

Ingrédients : 4 de grenadins de veau de 80 g, 1 orange non traitée, 1 pample-mousse, 2 citrons non traités, 30 g d'huile d'olive, 10 g de fond de veau déshy-draté, sel, farine de blé

Demander à son boucher de préparer 4 grenadins (médaillons) de veau. Laver soigneusement les agrumes sous l'eau chaude. Presser le jus d'un citron. Prélever le zeste de l'autre citron, de l'orange et du pamplemousse. Couper les zestes en morceaux de 3 cm. Faire chauffer l'huile dans une casserole. Ajouter les zestes. Les faire revenir quelques minutes. Préparer le fond de veau en ajoutant 100 g d'eau chaude au fond de veau déshydraté. Saler légèrement les médaillons de veau. Les passer dans la farine de chaque côté. Les poêler de chaque côté 1 à 3 minutes à sec jusqu'à coloration. Ajouter le jus de citron et le fond de veau. Porter à ébullition 2 à 3 minutes pour faire réduire la sauce. Ajouter le beurre aux agrumes et mélanger jusqu'à ce que le beurre soit fondu. Dresser les médaillons, napper de sauce aux agrumes. Décorer chaque médaillon d'un zeste d'orange, de pamplemousse et de citron.

Menu 3

Salade d'endives au roquefort
Saumon grillé à l'ail et au poivre
Pommes de terre vapeur + macédoine de légumes
Compote de fruits

Salade d'endives au roquefort

Pour 6 personnes
Préparation : 15 minutes
Cuisson : 5 minutes
Ingrédients : 7 endives, 150 g de roquefort, 50 g de noix, 10 brins de cibou-lette, 4 cuillères à soupe d'huile de tournesol, 2 cuillères à soupe de vinaigre de cidre, sel, poivre

Passer rapidement sous l'eau les endives. Réserver une endive pour la décora-tion. Couper les autres en rondelles après avoir retiré le trognon. Laver et ciseler la ciboulette. Couper le fromage en dés. Effeuiller l'endive réservée. Mettre les feuilles en corolle sur les bords d'un plat creux. Déposer au centre les endives. Ajouter les noix et le fromage. Dans un bol, mélanger l'huile, le vinaigre et la ciboulette. Saler et poivrer. Napper la salade de sauce. C'est prêt.

Saumon grillé à l'ail et au poivre

Pour 6 personnes
Préparation : 5 minutes
Cuisson : 10 minutes

Ingrédients : 3 citrons jaunes, 2 gousses d'ail, 10 cl de vin blanc sec, 6 pavés de 125 g de saumon, 1 cuillère à soupe de poivre concassé

Presser le jus d'un citron. Couper les autres en rondelles. Éplucher et presser l'ail. Placer les pavés de saumon dans un plat creux. Mélanger le jus de citron, l'ail, le vin et les grains de poivre. Verser sur les pavés de saumon. Recouvrir de rondelles de citron. Laisser mariner 2 heures ou si vous avez le temps une nuit au réfrigérateur. Ôter et réserver les rondelles des pavés de saumon. Placer ces derniers sous le gril du four et laisser griller 4 à 5 minutes de chaque côté en badigeonnant avec la marinade en cours de cuisson. Servir décoré de rondelles de citron.

Menu 4

Cocktail de légumes
Œufs au jambon
Haricots verts aux tomates
Crêpes au sucre

Cocktail de légumes

Pour 4 à 6 personnes
Préparation : 15 minutes
Ingrédients : 600 g de betteraves rouges en dés, 3 carottes, 4 branches de céleri, 1 orange, Tabasco

Acheter les betteraves en dés. Peler et couper les carottes en deux. Laver et couper chaque branche de céleri en deux. Presser l'orange. Passer les betteraves et les carottes à la centrifugeuse. Ajouter l'orange et 3 gouttes de Tabasco. Mélanger bien. Servir accompagné des branches de céleri à croquer.

Œufs au jambon

Pour 4 personnes
Préparation : 5 minutes
Cuisson : 10 minutes
Ingrédients : 50 g de beurre, 8 œufs, 1 verre de lait, 1 tranche de jambon blanc, 2 cuillères à soupe de concentré de tomate, sel, poivre

Couper une tranche de jambon en petits dés. Faire fondre le beurre dans une casserole sur feu doux. Y casser les œufs. Sans cesser de remuer avec une cuillère en bois, ajouter le concentré de tomate et le jambon. Mélanger et verser progressivement un verre de lait jusqu'à ce que la préparation prenne une consistance crémeuse. Saler, poivrer, verser dans des ramequins individuels et servir accompagné de petits croûtons.

Haricots verts aux tomates

Pour 4 à 6 personnes
Préparation : 5 minutes
Cuisson : 15 minutes
Ingrédients : 1 kg de haricots verts congelés, 1 bocal de sauce tomate préparée, 3 feuilles de laurier, 1 pincée de gros sel
Faire bouillir les haricots 15 minutes dans une grande casserole d'eau salée. Les égoutter. Mettre les haricots dans une poêle antiadhésive et rajouter la sauce tomate. Vous pouvez remplacer les haricots verts par des carottes en rondelles.

Menu 5

Salade aux épinards
Brochettes de poisson blanc
Maïs
Fromage
Salade de fraises à la menthe

Salade aux épinards

Pour 6 personnes
Préparation : 15 minutes
Ingrédients : 1 demi-tasse de sauce de soja, 30 ml de jus de citron frais, 1/2 à 3/4 cuillère à thé de poivre noir fraîchement moulu, 1 demi-cuillère à thé de sucre, 1/8 d'oignon moyen, 1 demi-cuillère à thé de graines de sésame, 1 tasse d'huile de colza, épinards frais, champignons tranchés
Mélanger ensemble la sauce de soja, le jus de citron, le poivre noir, le sucre, l'oignon et les graines de sésame au mélangeur jusqu'à ce que l'oignon soit complètement défait. Ajouter lentement l'huile de colza et mélanger encore quelques secondes. (Si la vinaigrette est préparée à l'avance, bien la mélanger avant de l'utiliser.) Bien laver et essorer autant de feuilles d'épinard que désiré ; les déchirer avec les mains et retirer la queue. Ajouter les champignons. Verser la vinaigrette et servir.

Brochettes de poisson blanc

Pour 4 personnes
Préparation : 15 minutes
Cuisson : 10 minutes
Ingrédients : 600 g de poisson blanc (sole, turbot, morue, etc.), 6 petites

tomates, huile d'olive pour badigeonner au pinceau, 1 cuillère à café d'huile en purée, sel et poivre au goût

Couper le poisson et les tomates en dés. Embrocher les morceaux de poisson en alternant avec les morceaux de tomates. Chaque brochette devrait avoir environ 5 morceaux de poisson et 4 morceaux de tomates. Badigeonner au pinceau l'huile dans laquelle vous aurez mis une cuillère à café de purée d'ail. Faire cuire sur le gril en assaisonnant de sel et poivre. Servir avec le beurre à l'ail fondu.

Menu 6

Asperges
Tomates farcies
Riz petits pois
Yaourts aux fruits

Tomates farcies

Pour 4 personnes
Préparation : 20 minutes
Cuisson : 90 minutes (C'est un peu long mais vous pouvez préparer les tomates à l'avance, cuisinez autre chose en même temps, et en faire une quantité suffisante et en congeler pour un usage futur.)
Ingrédients : 12 tomates de belles tailles, 700 g de bœuf haché, 2 œufs, un vieux croûton de pain, 2 cuillères à café de sel fin, 1 pincée de poivre, 50 g de margarine, 2 gousses d'ail, 2 échalotes, 1 bouquet de persil

Préchauffer le four à thermostat 7 (210 °C). Vider les tomates (en laissant un peu de chair à l'intérieur) et en conservant les chapeaux. Déposer les tomates (la partie ouverte vers le bas) dans le plat qui servira à les cuire dans le four afin de laisser s'écouler le jus. Réserver l'intérieur des tomates ainsi que leur jus. Mettre dans un récipient la viande hachée, les gousses d'ail et les échalotes hachées, ainsi que les 2 œufs, le persil, le sel et le poivre. Écrasez le croûton de pain que vous aurez ramolli dans l'eau, puis essoré. Mouiller avec un peu d'eau. Mélanger le tout. Remplir les tomates avec le mélange, mettre les chapeaux. Dans un plat allant au four, déposer délicatement les tomates farcies et ajouter plusieurs noix de margarine. Avant d'enfourner le plat, ajouter le restant du jus des tomates et la pulpe dans le fond du plat. Cuire au four pendant environ 90 minutes.

Menu 7

Soupe de poisson (achetée dans le commerce)
À présenter avec des croûtons et du fromage râpé
Filets de lotte sauce citron

Haricots beurre
Fromage + pain grillé
Ananas frais en tranches

Filets de lotte sauce citron

Pour 4 personnes
Préparation : 10 minutes
Cuisson : 15 minutes
Ingrédients : 4 filets de lotte de 175 grammes environ chacun, 15 cl d'eau froide, 2 cuillères à café de maïzena, 15 cl de lait écrémé, 100 g de yaourt nature à 0 %, 2 cuillères à café de jus de citron, le zeste râpé d'un citron, 1 demi-cuillère à café de sucre, brins de persil

Placer les filets de lotte dans l'eau froide au fond d'une sauteuse et les porter doucement à ébullition. Laisser mijoter pendant 5 à 10 minutes selon l'épaisseur du filet. La cuisson est terminée quand la chair est devenue blanche et se désagrège facilement avec une cuillère. Soulever délicatement les filets à l'aide d'une palette, les disposer dans un plat à poisson préchauffé, couvrir et garder au chaud. Pendant la cuisson, mélanger la maïzena avec le lait et porter à ébullition en remuant constamment jusqu'à épaississement. Baisser le feu et laisser cuire à feu doux pendant 3 à 4 minutes en remuant de temps en temps. Hors du feu, incorporer le yaourt, le jus de citron, la moitié du zeste de citron râpé et l'édulcorant. Remettre à chauffer sans faire bouillir. Verser la sauce chaude sur les filets en attente, parsemer du reste du zeste et piquer 1 ou 2 feuilles de persil.

Menu 8

Soupe de potiron (congelée)
Omelette aux pommes de terre
Salade verte
Faisselle au coulis de framboises

Omelette aux pommes de terre

Pour 4 personnes
Préparation : 10 minutes
Cuisson : 10 minutes
Ingrédients : 8 œufs, 4 grosses pommes de terre, 1 demi-verre de persil haché

Faire sauter les pommes de terre coupées en dés. Verser dessus les œufs auxquels vous ajoutez du persil haché. Faire cuire dans une poêle chaude pendant environ 10 minutes.

Menu 9

Tomate mozzarella
Boulettes de viande aux légumes
Ratatouille (surgelée) + riz
Fromage
Sorbet aux fruits

Boulettes de viande aux légumes

Pour 4 personnes
Préparation : 15 minutes
Cuisson : 10 minutes
Ingrédients : 3 œufs, 2 cuillères à soupe d'huile d'arachide, 2 tranches de pain de mie, 500 g de bœuf haché, sel, poivre, 1 reste de légumes cuits (courgettes, carottes ou selon votre imagination), 2 cuillères à soupe de farine de blé, une demi-botte de persil
Faire tremper le pain dans l'eau. Mixer les légumes. Laver et ciseler le persil. Dans un saladier, verser la viande, le pain égoutté, l'œuf, la farine, les légumes, le persil et la muscade. Saler et poivrer. Prendre un peu de farce dans la paume des mains et façonner des boulettes. Les fariner. Faire chauffer l'huile dans une poêle et y faire dorer les boulettes 10 minutes environ.

Menu 10

Taboulé aux tomates et au persil
Filet de bar en papillotte
Tomates au four à la provençale
Fromage
Fruits express

Taboulé aux tomates et au persil

Pour 4 personnes
Préparation : 20 minutes (à préparer la veille ou le matin)
Ingrédients : 1 citron vert, 3 cuillères à soupe d'huile d'olive, 1 botte de menthe, 4 oignons blancs, 1 botte de persil plat, sel, poivre, 100 g de semoule moyenne, 3 tomates grappes, 1 demi-concombre
Faire gonfler 100 g de semoule moyenne dans un peu d'eau chaude. Ajouter 3 cuillères à soupe d'huile d'olive et le jus d'un citron. Peler et émincer les oignons blancs. Laver et ciseler le persil et la menthe. Laver et couper les tomates, les concombres en petits dés. Ajouter tous les légumes et aromates à la semoule. Saler, poivrer. Réserver au frais jusqu'au moment de servir.

270

Filet de bar en papillote

Mettre du fenouil en poudre et un filet d'huile d'olive avant de fermer la papillote.

Tomates au four à la provençale

Tomates coupées en deux et parsemées d'herbes de Provence ; vous pouvez les cuire en même temps que la papillote.

Fruits express

Pour 4 personnes
Préparation : 5 minutes
Cuisson : 3 minutes
Ingrédients : 3 bananes, 5 poires, 2 cuillères à café de sucre vanillé, 2 cuillères à café de jus de citron, 2 poignées de pépites de chocolat
Verser le jus de citron au fond des récipients. Couper les bananes épluchées dans le sens de la longueur. Les disposer dans un récipient pouvant aller au micro-ondes. Éplucher les poires (vous pouvez aussi conserver la peau), les couper en deux et les placer à leur tour dans le récipient. Ajouter les grains de chocolat et le sucre vanillé avant ou après la cuisson. Placer 3 minutes au micro-ondes. C'est très parfumé.

Menu 11

Coleslaw
Médaillon de dinde aux épinards
Blé cuit
Pomme au four + gelée de groseilles

Coleslaw

Pour 4 personnes
Préparation : 15 minutes (à préparer le matin)
Ingrédients : 1 petit chou blanc de 800 g environ, 3 carottes, 20 cl de crème fleurette, 1 cuillère à café de moutarde mi-forte, sel, poivre
Couper le chou en quatre, le laver et l'émincer très finement. Éplucher et râper les carottes avec la râpe à trous moyens. Mettre le tout dans un saladier et mélanger. Dans un grand bol, mélanger la crème et la moutarde. Saler et poivrer cette sauce, puis l'incorporer aux carottes et au chou. Mélanger. Mettre la salade au réfrigérateur pendant 1 heure. Servir très frais.

Médaillon de dinde aux épinards

Pour 4 personnes
Préparation : 15 minutes
Cuisson : 15 minutes
Ingrédients : 1 kg d'épinards congelés, 4 filets de dinde, 30 g de beurre, 1 sauce béchamel toute prête, 1 pincée de muscade, 1 jaune d'œuf, 80 g de gruyère râpé, sel, poivre

Décongeler les épinards au micro-ondes, les égoutter, puis les presser pour retirer le maximum d'eau. Faire dorer les filets de dinde quelques minutes de chaque côté avec 30 g de beurre. Assaisonner. Mettre les épinards dans un plat à gratin. Disposer les filets sur les épinards et les napper avec la sauce béchamel additionnée d'un jaune d'œuf, saupoudrer de gruyère râpé et de muscade. Saupoudrer du reste de gruyère et faire gratiner vivement sous le gril du four. Servir aussitôt.

Menu 12

Bouillon de légumes (tout prêt) + vermicelles
Omelette aux asperges
Gouda
Coupe clémentines

Omelette aux asperges

Pour 4 personnes
Préparation : 5 minutes
Cuisson : 10 minutes
Ingrédients : 8 œufs, sel, poivre, 3 brins de ciboulette, quelques brins de persil, 2 tranches de saumon fumé coupées en fines lanières, 3 cuillères à soupe de beurre, 200 g de pointes d'asperges en boîte, 1 cuillère à soupe de crème fraîche

Ciseler la ciboulette, émincer le persil. Réserver sur le plan de travail. Casser les œufs dans un saladier avec sel et poivre, la ciboulette, le persil, la crème. Battre en omelette. Faire fondre le beurre et réchauffer les asperges à feu doux, saler et poivrer très légèrement. Réserver au chaud. Verser les œufs battus dans la poêle et quand l'omelette commence à prendre sur les bords, déposer les pointes d'asperges au centre ainsi que le saumon fumé. Plier les deux côtés de l'omelette sur les asperges. Glisser sur un plat de service. Servir aussitôt.

Coupe clémentines

Pour 4 personnes
Préparation : 15 minutes
Ingrédients : 2 clémentines, 1 banane, 3 cuillères à soupe de lait écrémé, jus

d'un demi-citron, 100 g de fromage blanc à 20 % ou 1/4 de yaourt nature, 2 cuillères à soupe d'édulcorant, 1 cuillère à soupe de vanille, 1 pomme

Presser le jus de citron. Dans un bol, ajouter le sucre, la vanille, le citron, le lait. Mélanger. Détailler tous les fruits en petits dés, rondelles. Verser la sauce sur les fruits. Mélanger. Verser dans le plat de service. Remuer. Ajouter le fromage blanc. Mélanger. Mettre au frais 1 heure avant de servir. Tous les fruits de saison peuvent être utilisés.

Menu 13

Mousse d'avocats
Pavés de rumsteck à l'italienne
Poêlée de champignons
Gnocchis
Salade d'orange à la cannelle

Mousse d'avocat

Pour 4 personnes
Préparation : 10 minutes
Ingrédients : 2 beaux avocats bien mûrs, 2 citrons verts, 2 blancs d'œufs, 100 g de fromage blanc (à 0 % ou non), sel, poivre, cerfeuil

Prélever la pulpe des avocats, la passer au mixer en même temps que le jus d'un citron vert. Y ajouter le fromage blanc, saler et poivrer. Incorporer délicatement les 2 blancs d'œufs battus en neige très ferme et répartir la mousse dans des coupelles. Mettre au frais une heure environ, avant de servir parsemé de cerfeuil et garni de fines rondelles de citron vert.

Pavés de rumsteck à l'italienne

Pour 4 personnes
Préparation : 10 minutes
Cuisson : 5 minutes
Ingrédients : 4 tranches de rumsteck, 1 boîte de tomates concassées, 2 gousses d'ail, quelques feuilles de basilic (ou basilic congelé), sel, poivre

Faites revenir les tomates concassées (égouttées) dans une poêle antiadhésive. Ajouter l'ail pilé et le basilic ciselé. Laisser réduire quelques minutes. Pendant ce temps, faire cuire les tranches de rumsteck sur le gril. Réserver au chaud. Servir napper de la sauce tomate.

Pour un repas non-conventionnel un dimanche soir

Petites entrées à picorer

Petites crevettes grises
Bigorneaux
Minitomates farcies au boursin
Panier de crudités

Pizza au thon

Pour 4 personnes
Préparation : 15 minutes
Cuisson : 15 minutes
Ingrédients : 500 g de pâte à pain acheté chez le boulanger, 1 boîte de sauce
à pizza toute prête, une boîte de 150 g de thon entier ou en miettes à l'eau,
2 boules de mozzarella, herbes de Provence
　　Étaler la pâte à pain (très élastique) car elle gonflera à la cuisson. Étaler la
sauce spécial « pizza ». Couper la mozzarelle en petits dés et la disposer sur la
sauce. Rajouter le thon égoutté et émietté. Parfumer avec des herbes. Rajouter
un filet d'huile d'olive. Mettre au four.

Fruits en papillotes

(à mettre au four quand vous mangez la pizza)

Pour 4 personnes
Préparation : 15 minutes
Cuisson : 10 minutes
Ingrédients : 8 cuillères à soupe de sucre roux en poudre, 2 kiwis, 1 barquette
de fraises de 250 g, 1 petite barquette de framboises, 1 petit melon, 1 citron,
2 cuillères à soupe de menthe ciselée
　　Utiliser le four déjà chauffé 220 °C (thermostat 7). Éplucher, laver tous les
fruits. Couper les grosses fraises en deux, les kiwis en rondelles et le melon en
petits cubes. Couper 4 feuilles carrées de papier aluminium. Mettre du papier
sulfurisé dessus pour que les fruits ne soient pas en contact avec l'aluminium.
Répartir au centre les fruits, un morceau de zeste et le jus de citron et la menthe.
Fermer les papillotes et les faire cuire 5 minutes au four. Les ouvrir délicatement
et saupoudrer les fruits de deux cuillerées de sucre, refermer et remettre au four
éteint 3 minutes. Servir chaque papillote ouverte sur une assiette.

PRODUITS RECOMMANDÉS CHEZ LES ADOLESCENTS
DE 10 À 18 ANS

Le lait

On peut proposer aux adolescents soit du lait entier, soit du lait demi-écrémé. C'est la situation pondérale de l'enfant qui permet de choisir l'un ou l'autre. Pour un enfant qui a tendance à manger gras, on préférera le demi-écrémé. Pour les autres, le lait entier. Aujourd'hui, on peut trouver dans les grandes surfaces des laits enrichis en vitamine D, intéressants à utiliser dans les périodes de faible ensoleillement ou quand l'enfant ne consomme pas assez de matières grasses. Tous les laits ne sont pas pour autant fondamentaux. Cependant, nous avons tenu à en proposer différentes versions pour montrer les différentes alternatives possibles. Ainsi, le lait concentré sucré est trop sucré pour un enfant qui mange bien, mais très intéressant pour ceux qui manquent d'appétit à table.

- Lait demi-écrémé
- Lait garanti en vitamines, Viva
- Lactel calcium
- Lait entier
- Lait concentré demi-écrémé non sucré, Nestlé
- Lait concentré entier non sucré, Nestlé
- Lait concentré demi-écrémé sucré, Nestlé
- Lait demi-écrémé en poudre, Régilait
- Lait entier en poudre, Régilait

Les laitages

Ce qui est important à cet âge, c'est d'habituer les jeunes à consommer du fromage blanc et des yaourts pour que, par la suite, ils conservent ce goût et continuent à manger des produits laitiers. L'offre alimentaire actuelle étant extrêmement riche en produits sucrés que les enfants apprécient particulièrement, il n'est bien sûr pas question de les interdire. Néanmoins une alternance semble raisonnable. Ainsi, est-il astucieux, par exemple, d'introduire ce type de produits les jours où l'enfant n'a pas une grande consommation sucrée ou de s'en servir pour remplacer les friandises. En revanche, il faut éviter d'habituer les enfants à des produits allégés, leur besoin de croissance se révélant encore relativement important. Dans la liste qui suit, comme nous avons choisi des produits dont les teneurs en calcium sont bonnes, nous avons éliminé les fromages blancs aromatisés et presque tous les petits-suisses. Chez les enfants particulièrement rebelles à la consommation de laitages, les flans, les riz au lait, les gâteaux de semoules sont conseillés.

- Calin 20 % nature
- Jockey au lait demi-écrémé (20 % MG)
- Fjord nature
- Petit encas nature, Jockey
- Jockey au lait entier (40 % MG)
- Le petit équilibre nature 30 %, Gervais
- Petits filous aux fruits 21 %
- Gervais aux fruits
- Rians faisselle 0 %
- Rians faisselle lait entier
- Yaourt nature, Auchan
- Yoghourt nature, Danone
- BA nature
- Bifidus nature, U
- Bio nature, Danone
- Kremly, Nestlé
- Velouté nature

- La Laitière nature
- Yaourt nature brebis
- Frutos, Yoplait
- Danone et Fruits
- Panier de Yoplait
- La Laitière saveur vanille
- Bio saveur
- Velouté Fruix
- Yoco, Nestlé
- Yaourt aux fruits, Carrefour
- La Laitière fruits pâtissiers
- Perle de lait vanille
- Crème caramel aux œufs, Auchan
- Crème caramel aux œufs frais, Charles Gervais
- Danette crème dessert (chocolat, vanille, caramel)
- Crème dessert vanille-chocolat, U
- Liégeois café ou chocolat, Auchan
- Viennois chocolat ou café, Nestlé
- Mousse au chocolat au lait, Casino
- Mousse au chocolat noir, Casino
- Mousse au chocolat noir, Nestlé
- Flamby vanille nappé caramel, Nestlé
- Rik & Rok, flan nappé caramel, Auchan
- Flan vanille nappé caramel, Casino
- Dany au chocolat
- Semoule au lait, La Laitière
- Gâteau de riz, La Laitière
- Riz au lait, La Laitière
- Riz au lait, Auchan
- Île flottante, Bridélice
- Clafoutis à la cerise, Bridélice
- Œufs en neige, Rians
- Clafoutis pomme-poire, Casino

En ce qui concerne les fromages, optez pour tous les classiques, même si les enfants les apprécient moins que les préparations à tartiner. Nous avons néanmoins tenté de conserver ceux aux goûts les plus « doux » que l'on trouve dans la liste des fromages de 6 à 9 ans, les enfants étant, sauf exception, relativement rebelles aux saveurs trop prononcées. Nous avons retenu les fromages au taux de calcium les plus élevés et avec un pourcentage de matières grasses convenable.

Le pain et ses dérivés

Il est très important de sensibiliser les adolescents à la consommation de pain, car c'est une source de glucides complexes essentielle qui apporte un grand nombre de calories et un effet rassasiant important. Ces dernières années, les industriels ont largement développé les pains de mie que les enfants apprécient pour leur aspect moelleux. Cependant, comme ces produits sont un peu plus gras que les autres, il faut en tenir compte lors de l'organisation de la journée alimentaire. Personnellement, j'ai une très nette préférence pour le pain blanc du boulanger qui contient très peu de matières grasses. Et si l'enfant insiste pour consommer du pain de mie, on le réservera pour le goûter ou le petit déjeuner où il s'apparentera à une viennoiserie qu'il agrémentera avec du fromage, en évitant le beurre. Ainsi, de la pâte à tartiner au chocolat associée à du pain de mie apporte autant de calories que du vrai pain avec du beurre et du chocolat. À l'enfant de choisir ! Les viennoiseries, quant à elles, ne doivent pas être condamnées. En revanche, il faut faire attention aux portions et aux préparations trop grasses. Ainsi, dans cette catégorie, notre choix ira vers les viennoiseries industrielles en sachet ou vers les tranches de pain brioché avec des pépites de chocolat que les enfants apprécient énormément.

- Bretzel
- Quality mie, Jacquet
- Pain brioché
- Baguette
- Pain de mie spécial sandwich, Carrefour
- Pain de mie nature, Harry's
- Chouquettes

- American burger, Harry's
- Viennoise nature
- Pitch fraise, Pasquier
- Chausson aux pommes
- Pain au lait pépites chocolat, Harry's
- Brioche Fugo, Pasquier
- Viennoise chocolat
- Brioche tranchée, Carrefour
- Pain au lait, Carrefour
- Doo Wap, brioche pépites caramel, Harry's
- Crêpes pur beurre, Les délices d'Anaïck
- Briochette fourrée chocolat, Carrefour
- Brioche pépites chocolat, Pasquier
- Pain au lait, Harry's
- Brioche tranchée pur beurre, Harry's
- Brioche Pitch chocolat, Pasquier
- Pain au lait, Auchan
- Doo Wap pépites chocolat, Harry's
- Doo Wap tout chocolat, Harry's

Les matières grasses

Pour les enfants, il n'y a pas lieu de faire de sélection particulière, mais il serait dommage de provoquer des carences en acides gras. Seul le goût de l'adolescent vous permettra de choisir un produit plutôt qu'un autre, certains enfants aimant la crème fraîche, d'autres le beurre. Cependant, on exclura les margarines, les produits allégés, et on évitera d'utiliser systématiquement de l'huile de colza ou d'olive, à moins que l'enfant le sollicite, même si rien n'indique qu'elles soient bonnes pour les jeunes.

Concernant le chocolat, notre préférence va nettement aux produits non enrichis en différentes substances pour que le goût initial ne soit pas parasité par d'autres. Qu'il soit au lait ou noir, seule l'envie de l'enfant doit différencier la sélection du produit. Bien entendu, on conservera les chocolats enrichis en céréales ou en fruits secs, en évitant les noisettes et les amandes.

Les produits sucrés

Trop souvent, on oublie de dire que boire du jus de fruits équivaut à boire un soda ou n'importe quel autre sucre. Bien entendu, il ne s'agit nullement d'interdire ces produits aux enfants mais de les réguler. Ainsi, notre préférence ira-t-elle vers les jus dits « naturels », c'est-à-dire uniquement fait avec des fruits. Les préparations dites « lactées » contiennent, quant à elles, trop peu de lait pour présenter un intérêt nutritionnel quelconque.

Au rayon épicerie, toutes les confitures se valant, là encore il s'agit d'une question de goût. Cependant, il est intéressant de montrer aux jeunes qu'il existe d'autres produits sucrés comme le miel ou le sirop d'érable.

Les glaces et les sorbets sont une alternative agréable aux autres produits sucrés. Méfiez-vous cependant des nombreuses crèmes glacées parfois vraiment très riches en matières grasses. En règle générale, tout ce qui a un caractère exceptionnel ne pose aucun problème. Ainsi, il n'est absolument pas interdit de donner des produits trop gras ou trop sucrés à un enfant, à condition d'équilibrer son alimentation entre plaisir, normalité et excès.

Le groupe des protéines

À cet âge, il faut goûter de tout et alterner les viandes maigres et grasses. Ces dernières serviront d'ailleurs à préparer des ragoûts dont la cuisson ne nécessite pas de graisses ajoutées. Il en va de même pour les poissons, tout en sachant qu'il est préférable de faire consommer les poissons dits gras pour la qualité de leurs graisses et vitamines. Ainsi, le thon, le saumon et les sardines à l'huile seront les bienvenus une à deux fois par semaine. Nous avons également choisi quelques charcuteries, en étant très sélectifs, pour améliorer le quotidien, les pâtés se révélant souvent riches en vitamine A. Dans ce cas, on les servira à la place de la viande ou du poisson.

Viande
- Blanc de dinde doré au four en sachet
- Blanc de dinde cuit au torchon en sachet

- Filet de poulet aux fines herbes en sachet
- Jambon de dinde en sachet
- Filets de poulet à la marocaine en sachet
- Blanc de poulet fumé en sachet
- Blanc de poulet doré au four en sachet
- Escalope de poulet
- Escalope de dinde
- Poulet
- Cuisse de poulet rôti
- Rumsteck grillé
- Bavette poêlée ou grillée
- Hampe grillée
- Faux-filet rôti
- Jarret bouilli (pot-au-feu)
- Collier braisé (bourguignon)
- Entrecôte grillée
- Paleron bouilli (pot-au-feu)
- Macreuse braisée
- Escalope de veau grillée
- Foie poêlé
- Noix de veau poêlée
- Jarret sauté (osso-bucco)
- Paupiette de veau
- Gigot
- Épaule
- Côte filet
- Selle
- Steak haché 5 % MG
- Steak haché 10 % MG
- Filet rôti maigre
- Porc filet rôti
- Côte grillée
- Jambon en sachet
- Pâté et terrine de foie
- Pâté et terrine de campagne
- Knacki qualité maigre, Herta

- Saucisse de Francfort
- Saucisse de Strasbourg

Poisson
- Thon albacorre à l'huile d'olive citron et basilic, Saupiquet
- Filets de thon au citron, Saupiquet
- Filet de thon à l'huile d'olive, Saupiquet
- Thon blanc à l'huile d'olive, Connétable
- Filet de sardines citron-basilic, Saupiquet
- Filets de sardines aux huiles équilibrées, Petit Navire
- Filets de sardines à l'huile d'olive, Petit Navire
- Filets de sardines à l'huile d'olive et citron, Petit Navire
- Filets de sardines à l'huile d'olive, Connétable
- Filet de sardine à l'huile d'olive, Saupiquet
- Sardines à l'huile de tournesol et citron, Auchan
- Sardines à l'huile d'olive, Auchan
- Filets de sardines à l'huile d'olive, Pêche Océan
- Colin d'Alaska/Lieu noir
- Espadon
- Cabillaud
- Limande
- Colin/Merlu
- Sole
- Carrelet/Plie
- Dorade
- Thon
- Saumon

Les féculents

Tout le monde le sait, les enfants sont fans des frites. Cependant, notre mission est de leur apprendre à consommer également des légumes secs parce qu'ils présentent des valeurs nutritionnelles extrêmement intéressantes. Essayez la salade de lentilles, tentez les différentes variétés de riz (sauvage, complet, basmati...), osez le boulgour, riche en magnésium...

Les condiments

Si les jeunes sont friands de condiments et de sauces toutes prêtes, nous ne recommanderons pas forcément ce dernier type de produits pour deux raisons. D'une part, les vinaigrettes toutes prêtes sont souvent préparées avec des huiles de moins bonnes valeurs nutritionnelles que celles faites à la maison. D'autre part, comme il s'agit d'un condiment et non d'un aliment, il n'est pas utile d'augmenter inutilement le taux de matière grasse. Quant aux vinaigres, afin de faire découvrir de nouveaux goûts, il est intéressant de disposer de plusieurs variétés.

Les ketchups, de leur côté, sont tous recommandables, le plus riche d'entre eux ne contenant que 110 calories et 26 g de glucides pour 100 g.

- Vinaigrette allégée olive-citron, Rustica
- Vinaigrette olive-basilic, Carrefour
- Vinaigrette nature allégée, Rustica
- Vinaigrette allégée moutarde, Rustica
- Vinaigrette légère aux fines herbes, Amora
- Vinaigrette à l'italienne au balsamique, Lesieur
- Mayonnaise légère, Lesieur
- Mayonnaise légère, Benedicta
- Mayonnaise allégée, Amora
- Ketchup, Amora
- Ketchup, Carrefour
- Ketchup, Heinz
- Vinaigre de vin blanc
- Vinaigre de vin élevé en fût
- Vinaigre de Xérès
- Vinaigre de cidre
- Vinaigre de framboise
- Vinaigre balsamique

Les boissons

Comme nous venons de le voir en abordant les produits sucrés, les jus de fruits contiennent autant de sucre que les sodas. Il est

283

donc étonnant de les mettre en avant juste parce qu'ils ont une bonne teneur en vitamine C. D'autant que, pour certains, celle-ci provient d'un enrichissement industriel.

Le vrai problème dans ce domaine est de savoir si on doit ou non donner des glucides supplémentaires et s'il est vraiment utile d'en frustrer les enfants. Pour essayer de trouver des réponses à ces questions, nous allons veiller au conditionnement de ces boissons. Ainsi, nous préférerons utiliser des bouteilles vendues en litre et demi pour servir l'enfant par verre, dont la contenance est en moyenne de 125 ml, alors que la bouteille individuelle de Coca-Cola, par exemple, est passée, en France, de 19 cl à 22 cl, puis de 25 à 50 cl... Bientôt sans doute, nous serons comme aux États-Unis, où elles font déjà 1 litre !

- Tropicana calcium, pur jus (43 calories/100 ml, 9 g de glucides/100 ml)
- Joker orange, concentré (40 calories/100 ml, 9 g de glucides/100 ml)
- Réa orange, nectar (43 calories/100 ml, 10,3 g de glucides/100 ml)
- Limonade (36 calories/100 ml, 9 g de glucides/100 ml)
- Sprite (40,4 calories/100 ml, 10,1 g de glucides/100 ml)
- Coca-Cola (42, 4 calories/100 ml, 10,6 g de glucides/100 ml)

Les céréales et barres de céréales

Dans ce rayon apparaissent de nouveaux produits tous les jours. En ce qui concerne les céréales, la recommandation consiste à choisir en fonction du goût de l'enfant des produits qui ne dépassent pas 10 % de matières grasses et 400 kcal au 100 g. Ce qui permet de rester dans une gamme traditionnelle.

Les barres de céréales, quant à elles, sont des variantes compressées des céréales. Dans ce domaine, nous préférons celles qui ne dépassent pas 25 g par unité, ne contiennent pas plus de 110 kcal par barre et un maximum 12 % de lipides au 100 g, soit 3 g de lipides par barre.

- Barres de céréales aux fruits des bois, Jordans
- Barres de céréales aux écorces d'agrumes, Jordans
- Barres de céréales raisins et noisettes, Jordans
- Barres de céréales aux fruits rouges, Monoprix
- Barres de céréales abricot, Monoprix
- Special K fruits rouges, Kellogg's
- Special K chocolat, Kellogg's
- Barres de céréales pomme-framboise, Biosoleil
- Barres de céréales abricot, Biosoleil
- Fitness aux abricots, Nestlé
- Fitness aux figues, Nestlé
- De l'effort, arôme chocolat, Ovomaltine
- Grany brut abricot, LU
- Barres de céréales chocolat-écorces d'orange, Biosoleil
- Grany brut pomme verte, LU
- Prince matin, LU
- Prince Énergie +, LU

Les biscuits salés et sucrés

À cet âge, les enfants deviennent friands de biscuits à apéritif qui remplacent parfois les biscuits sucrés. Nous avons essayé d'en proposer quelques-uns en sachant que notre préférence ira toujours aux produits les moins gras... ce qui reste particulièrement difficile quand on parle de chips. Pour les biscuits sucrés, on privilégiera ceux nature ou fourrés aux fruits, comme pour les enfants plus jeunes, en tentant de mettre en avant les madeleines et le pain d'épice.

Salé
- Chettos nature salés, Fritelle
- Chips finement salées, Carrefour J'aime
- Chettos goût emmenthal, Fritelle
- Mélange tropical, Daco Bello
- Fines feuilles salées, Taillefine
- Cocktail exotique 5 fruits, Carrefour
- Paille croustillante fromage

- Croustillants olive romarin, Taillefine
- Épis croustillants au sésame, Taillefine
- Crackers sésame, Taillefine
- Apérifruits vert, Balzen
- Croustinette pomme de terre, Vico
- Stick salés, Beigel et Beigel

Sucré
- Minigourmandises au citron, Carrefour
- Parenthèse, petites bouchées au citron, Brossard
- Madeleines longues aux œufs frais, Monoprix
- Madeleines longues corinettes, Colibri
- Ourson petit déj', LU
- Pain d'épice gourmand au miel, LU
- Pain d'épice Prosper nature, LU
- Pain d'épice Prosper au lait, LU
- Madeleines au citron, Les secrets de Pauline, LU
- Miniroulés fraise, Captain Choc, LU
- Fondant citron, Les secrets de Pauline, LU
- Cake aux fruits, LU
- Cake pur beurre, LU
- Fourrés aux fruits, Captain Choc, LU
- Oursons fourrés fraise, LU
- P'tits Savane, LU
- Oursons fourrés au lait, LU
- Oursons fourrés chocolat, LU

Confiseries

C'est le même problème que pour les biscuits, s'il faut en avoir à la maison autant favoriser les sucreries qui sont pur sucre. Ainsi, nous conserverons les listes des autres âges, sans en augmenter le nombre.

Troisième partie

L'ÂGE ADULTE

Les conseils du nutritionniste

L'alimentation des êtres humains a toujours reposé sur trois fonctions essentielles. Biologique, elle apporte l'ensemble des nutriments dont le corps a besoin. Hédoniste, elle permet de prendre du plaisir au moment de manger. Sociale, elle se déroule en famille ou avec les autres membres de la société.

Depuis une dizaine d'années environ, une nouvelle fonction est apparue : l'alimentation est porteuse soit d'un bénéfice, soit d'un déficit pour la santé. Cette notion, pas vraiment neuve, s'est donc surtout développée parallèlement à la diffusion au grand public de la science et des nouvelles connaissances s'appliquant aux effets de la nourriture sur le corps humain.

Depuis la nuit des temps, l'homme a une peur instinctive de l'aliment « poison ». L'expérience de nos ancêtres morts après avoir mangé des produits toxiques nous a permis de ne plus en consommer et de sélectionner progressivement nos aliments. Dans l'antiquité, par exemple, le risque de poison est tel que chaque homme puissant a son propre goûteur, lui permettant d'éviter les drogues cachées à l'intérieur des repas qui pourraient le tuer.

De nos jours, la notion de peur du poison est renforcée par la conjonction de la rumeur et de la modernité. En effet, tout aliment contemporain arrivant sur le marché peut, selon le moment et sa nature, bénéficier d'une réputation spontanée bonne ou mauvaise pour le corps. Les méthodes de communication actuelles permettant d'amplifier et de diffuser rapidement une information, on voit de plus en plus souvent circuler sur Internet des tracts de « corbeau » révélant les soi-disant risques de cancer de tel ou tel produit. Ainsi, les goûteurs d'autrefois sont désormais remplacés par des laboratoires de toxicologie, de bactériologie, de parasitologie, de génie génétique, car, non seulement nous tentons d'apprécier si l'aliment ou le produit manufacturé est « poison », mais nous cherchons également à savoir s'il porte ou non un potentiel de danger pour nous-mêmes ou pour notre espèce. C'est ce qui s'est passé notamment pour les OGM.

La raison commande de continuer de rester prudent dans l'usage des aliments, les modifications qui leurs sont faites et les associations que peuvent en faire les industriels, mais la propension de chacun à vouloir tout connaître, l'explosion des modes de communication et la déformation des informations a transformé une action pragmatique et sensée en une source d'angoisse et de phobie majeure. Ainsi, depuis quelques années, nous observons deux comportements très intéressants :

• La vente et la promotion par les industriels de produits réputés bénéfiques pour la santé et leur usage proposé à titre préventif ;
• La recherche effrénée de cocktails qui seraient bons pour la santé, à la fois pour améliorer chaque organe, mais aussi pour assurer la longévité.

Aujourd'hui, il n'y a pas un magazine qui ne soit obligé de recommander tel ou tel produit pour améliorer l'état de la peau, tenter de guérir l'ostéoporose... bref, qui n'explore l'ensemble des maladies du quotidien qui frappe la population pour lui proposer ensuite des traitements simples en utilisant la substance la plus porteuse de fantasmes, c'est-à-dire la nourriture.

Pourtant, combien de sottises sont écrites chaque jour ! Si vous avez la curiosité de feuilleter certains journaux, vous observerez que les données sont tantôt contradictoires, tantôt approximatives ou fantaisistes, car il n'existe aucune sanction qui punisse à l'heure actuelle celui qui véhicule une mauvaise information. Seul le scoop compte !

Ainsi, dans ce guide du bien manger, nous avons tenu avec Myriam à proposer des tableaux pour chaque gamme d'aliment ou de nutriment intéressant pour que chacun puisse disposer d'une information exacte.

Bien entendu, nous pourrions jouer les gourous en proposant telle ou telle association d'aliments pour bonifier une situation ou pour guérir une maladie. Cependant, je tiens à rappeler qu'à ce jour toutes ces tentatives sont totalement expérimentales et qu'aucune d'entre elles, y compris les plus sophistiquées comme l'usage de certaines graisses ou certains régimes régionaux, ne peuvent donner une garantie absolue de résultat.

L'explication en est simple. Dans un repas, il n'est pas exceptionnel de consommer au moins six classes différentes d'aliments. Or, chacun de ces aliments contient, selon le cas, de 40 à 700 molécules. Lorsque vous croisez l'ensemble des composants moléculaires de chaque substance avec les composants de son voisin, vous obtenez le chiffre de 400^6 qui dépasse largement le nombre d'hypothèses qu'un statisticien peut imaginer.

Aujourd'hui, nous ne connaissons que quelques classes de nutriments. Les plus anciens sont les protéines, les lipides, les glucides, les vitamines, les minéraux, les oligo-éléments et l'eau. Ensuite, nous avons progressivement découvert que dans le groupe des minéraux, il y en avait d'aussi variés que le potassium, le sodium, le calcium... Enfin, nous avons appris qu'il existait de plus petits nutriments, que nous avons appelés les micronutriments ou les oligoéléments, comme le cuivre, le zinc, le sélénium... De même, il est vraisemblable que, dans les années futures, nous allons « redécouper » chaque nutriment ou micronutriment pour arriver à des substances de plus en plus petites qui nous permettrons probablement de mieux comprendre la physiologie du corps humain. Et, parallèlement à cette connaissance, nous apprendrons peu à peu à analyser la composition de chaque aliment de façon beaucoup plus performante. Dès lors, l'apprenti gourou d'aujourd'hui risque d'être la risée de demain, car la connaissance progressant à chaque seconde, les scientifiques savent qu'à peine la vérité énoncée, elle se démode avec l'arrivée de nouvelles informations.

Les experts qui déterminent les apports nutritionnels conseillés comprennent bien ce genre de mécanisme, car les chiffres sont établis à partir des habitudes de la population à un moment donné. Cela signifie que ces chiffres ne sont pas issus d'expérimentations scientifiques mais du constat de l'époque concernée. Ainsi, ces informations n'ont pas de valeur prévisionnelle, mais permettent de mettre en rapport l'état de santé de la population et sa consommation alimentaire.

Sur quels critères bien manger ?

Si, avec ma femme, nous avons tenu à faire ensemble cet ouvrage, c'est parce qu'en terme d'alimentation il existe deux types de critères. Les premiers sont scientifiques et les seconds sont pratiques ou familiaux. Dans l'usage quotidien de la nourriture, se cache aussi la notion de tradition, de convivialité, d'environnement et d'adaptation de chaque famille. Les uns se mélangeant intimement avec les autres.

Les critères biologiques objectifs du bien manger sont exprimés dans le corps humain par deux sensations principales : la faim et la soif. Toutes les autres sensations, le plaisir, le manque de sucre, la satiété, l'envie de manger ou de grignoter... sont, quant à elles, des sensations acquises.

Pendant des années, on nous a martelé l'utilité d'appréhender la faim, de maîtriser l'envie de manger, de comprendre ce que signifiait avoir envie de sucre, de distinguer l'envie alimentaire de l'hypoglycémie... des listes de notions qui ont marqué la fin du XXe siècle, mais qui ne seront probablement plus de mise dans les décennies à venir. Car, s'il était possible de juste maîtriser sa faim, à une époque où nous ne disposions que de produits simples comme les légumes, les fruits, la viande... l'éclosion de l'abondance alimentaire nous impose désormais de vérifier que nous ne déformons pas trop notre alimentation spontanée pour aboutir à une nouvelle consommation de nutriments ayant une incidence négative sur notre santé.

Récemment, j'ai questionné un certain nombre de collègues pour savoir s'ils connaissaient l'explication de deux traditions fortement ancrées qui consistent à donner, en cas de diarrhée chez les nourrissons, des carottes et du Coca-Cola sans bulle. Dans les deux cas, peu de personnes ont pu me donner une explication scientifique. En fait, ni la carotte, ni le Coca-Cola ne contiennent de substances anti-diarrhéique. On donne de la carotte essentiellement parce que c'est un légume sucré, fortement hydraté et riche en fibres, qui ralentit le transit et permet une absorption maximum d'eau par l'enfant. Quant au Coca-Cola, il semble que la rumeur de son efficacité soit simplement liée au désir d'hydrater l'enfant. Le produit en question se révélant quasiment l'équivalent de l'eau sucrée. Voilà comment on construit des légendes autour de l'alimentation...

Cependant, nous progressons. Il existe désormais des données sur l'utilisation des matières grasses qui ont profondément changé la consommation alimentaire des Français, sans entraîner de chaos médiatique, avec l'unanimité des experts grâce à une rigueur dans la recherche de l'explication. Quant aux tentatives d'améliorer la santé par l'usage d'autres systèmes non « consensuels », ils relèvent d'appréciations empiriques, qui se révéleront peut-être exactes dans les années à venir mais non certifiées à ce jour.

Ainsi, dans les conseils que nous vous délivrons, nous avons pris soin de ne répertorier sélectivement que les données confirmées. De même, nous retenons comme critère dans l'acte de bien manger, la tradition familiale, géographique et personnelle d'un individu, associée aux recommandations arithmétiques, ceci dans le souci de préserver le caractère identitaire de notre nourriture, qui nous rattache à la fois à notre pays, notre région, mais également à l'histoire alimentaire de notre famille. Ainsi, tout ceci passe autant par des anecdotes que par des coutumes parfois utiles à la santé.

L'homme a pour habitude d'utiliser les aliments selon l'environnement dans lequel il vit. Ainsi, on consomme plus de boissons alcoolisées dans les pays froids que dans les pays chauds, car l'alcool est éliminé par la chaleur. De même, on mange plus de fruits et de légumes dans les régions du Sud, quand c'est possible, car ce sont des régions où l'ensoleillement nécessite un état d'hydratation cohérent avec la survie. La nature est souvent bien faite et l'homme, autant que possible, adapte son alimentation à son environnement. C'est pour cette raison qu'il faut se méfier des changements de régime quand on déplace les gens d'une région à une autre, car certains produits peuvent se révéler bénéfiques dans un environnement et moins bénéfiques dans un autre. Ainsi, dans l'acte de bien manger, il faut donc :

• Manger pour vivre, c'est-à-dire ne pas avoir faim et ne pas avoir de sensation de trop-plein ;

• Prendre du plaisir en mangeant, c'est-à-dire ne pas se contraindre à manger des aliments dont on n'a pas envie et ne pas refuser d'éprouver une satisfaction dans l'acte de manger ;

• Manger en groupe, c'est-à-dire favoriser les repas en famille et les repas avec l'extérieur pour accomplir une fonction sociale ;

• Conserver les traditions alimentaires pour mêler nos connaissances individuelles aux connaissances collectives ;

• Manger pour sa santé, car la nourriture peut être porteuse d'un bénéfice ou d'un déficit pour la santé, mais sans se crisper autour des aliments car l'ensemble des connaissances dont nous disposons n'est pas encore suffisamment affiné pour affirmer des théories définitives.

Existe-t-il une façon idéale de bien manger ?

Avant de répondre à cette question, vous trouverez ci-dessous les apports recommandés pour les adultes jusqu'à 40 ans ou plus, en sachant que les besoins se réduiront d'environ 10 à 20 % avec l'âge.

Âge	Énergie	Protéines	Lipides	Glucides
	kcal/24 h	g/24 h	g/24 h	g/24 h
20-40 Homme	2400-2700	90-100	90-105	300-330
20-40 Femme	1900-2200	70-85	75-85	230-275
41-60 Homme	2500	90	100	310
41-60 Femme	2000	75	75	250

Minéraux	Calcium	Phosphore	Fer	Magnésium	Iode	Cuivre	Zinc	Sélénium
	mg/24 h	mg/24 h	mg/24 h	mg/24 h	µg/24 h	mg/24 h	µg/24 h	µg/24 h
20-40 H	900	750	9	350-450	0,15	1,5	12	60-75
20-40 F	900	750	16	350-450	0,15	1,5	10	60-75
41-60 H	1200	750	9	350-450	0,15	2	11	60-75
41-60 F	1200	750	9 à 16	350-450	0,15	1,5	11	60-75

Vitamines	Vit A	Vit B9	Vit B1	Vit B6	Vit C	Vit D	Vit E
	µg/24 h	µg/24 h	mg/24 h	mg/24 h	mg/24 h	µg/24 h	mg/24 h
20-40 H	550-800	300	1,3	1,8	100-120	5	12
20-40 F	550-800	300	1,2	1,5	100-120	5	12
41-60 H	550-800	300	1,3	1,8	100-120	5 à 10	12
41-60 F	550-800	300	1,2	1,5	100-120	5 à 10	12

Pour vous aider à décrypter ces tableaux, nous vous proposons cinq comportements alimentaires :

• **Manger plus et mieux de fruits et légumes, avec minimum 400 g par jour.**

Le meilleur exemple de désinformation reste celui de la consommation de fruits et de légumes. Selon le message actuel, il faut absolument en consommer cinq fois par jour et même, selon une récente publicité, dix fois par jour. Devinez par qui a été faite cette campagne ? Réponse : par la Fédération des fruits et légumes !

Poussons l'analyse un peu plus loin. S'il est précisé, dans ce spot, qu'il faut consommer des fruits et légumes, personne n'en donne les quantités exactes. J'ai, moi, fait un rapide calcul de la consommation de ces produits dans mon propre foyer. Ainsi, avec des portions de l'ordre de 200 g, chacun d'entre nous en consomme environ 1 kg par jour, soit 7 kg par semaine, soit 35 kg pour l'ensemble de la famille !

À ce sujet, profitons-en pour observer les statistiques des changements de consommation alimentaire des Français :

Produits	1970	1990	2002
Pain (kg)	80,57	63,37	55,55
Pommes de terre (kg)	95,57	62,42	69,16
Légumes frais (kg)	70,44	88,34	90,65
Bœuf (kg)	15,62	17,58	14,27

Produits	1970	1990	2002
Volailles (kg)	14,20	22,24	23,83
Œufs (kg)	11,53	14,34	14,51
Poissons, coquillages, crustacés (kg)	9,93	14,75	13,68
Lait frais (litre)	95,24	68,16	64,12
Fromage (kg)	13,81	17,10	18,99
Yaourts (kg)	8,56	16,31	21,14
Huile alimentaire (kg)	8,08	11,37	10,15
Sucre (kg)	20,41	10,02	6,79
Vins courants (litre)	95,57	45,96	34,68
Vins A.O.C. (litre)	8,03	23,49	26,84
Bière (litre)	41,43	39,66	31,99
Eaux minérales et de source (litre)	39,90	92,42	161,62

Source INSEE

En trente ans la consommation des fruits et légumes est passée de 70 à 90 kg par an et par habitant. Comment comprendre alors le message des recommandations sur les fruits et légumes ? Les auteurs de ces conseils avaient pour cible les petits consommateurs et leur objectif était de diminuer d'environ 25 %, entre 2001 et 2008, leur nombre.

Un tel spot ne peut souligner, et c'est dommage, la corrélation négative entre le surpoids, l'obésité et la consommation de ces produits. Il ne peut non plus souligner le fait que l'on puisse consommer des fruits et des légumes, pas seulement frais, mais également surgelés ou en conserve dont les niveaux de qualités sanitaires et nutritionnelles dépassent parfois le produit frais.

De même, il aurait été intéressant d'expliquer pourquoi la consommation de légumes crus est importante pour la conservation des vitamines et des minéraux, de souligner que la consommation de ces aliments permet, comme vous le verrez dans les tableaux en fin de volumes, une large consommation en eau... et expliquer pourquoi le besoin de boire se fait moins sentir, notamment lors d'un régime axé sur les légumes verts.

• **Diminuer les graisses saturées.**

Parmi les données modernes qui s'imposent à nous, nous venons d'assister à l'éclosion de la connaissance des méfaits des matières grasses. Cela ne signifie pas que les matières grasses sont à condamner, mais qu'il faut respecter des proportions astucieuses entre les acides gras saturés et les acides poly-insaturés, c'est-à-dire entre ceux qui bouchent les artères et ceux qui ne les bouchent pas.

Ces données étant désormais largement maîtrisées, on peut se poser la question de savoir pour quelle raison nous avons augmenté notre taux d'acides gras saturés. En fait, la modernisation de l'alimentation et ses nouveaux gadgets gras et sucrés, l'usage de plats préparés riches en graisses saturées dont nous ne maîtrisons pas la composition, le goût flatteur des graisses, l'augmentation de la consommation d'huile ainsi que de protéines sous forme de viande et de fromage, ont largement contribué à l'élévation de notre consommation d'acides gras saturés.

Parmi les acides gras insaturés, nous savons désormais qu'il faut favoriser la consommation des omégas 3, pour arriver à un rapport de 1 sur 5 par rapport aux omégas 6. Ce phénomène, complètement incompréhensible par le grand public, se traduira tout simplement par des consommations d'huile ou de matières grasses riches en acides gras poly-insaturés. Ainsi, il est recommandé de consommer deux cuillères à soupe de colza en moyenne par jour ou d'augmenter notre consommation en poisson gras, comme le saumon, l'anguille, le hareng...

• **Diminuer les protéines et augmenter les glucides complexes**.

Puisque nous devons maintenir un taux d'énergie constant pour assurer à notre corps une parfaite harmonie, il nous faudra probablement diminuer nos rations de protéines, que nous consommons sous forme de viande ou de fromage, et augmenter les rations d'énergie sous forme de glucides. De plus, comme nous préférons manger des glucides complexes, bénéfiques pour le rassasiement, et qu'il n'y pas d'accoutumance aux sucres rapides, il est intéressant d'augmenter les rations de glucides complexes.

• **Contrôler les déficits en certains minéraux et vitamines.**

On sait aujourd'hui que certains d'entre nous présentent de fortes carences en calcium, en magnésium, en iode ainsi que des risques importants de carences en fer ou en vitamines qui augmentent, depuis la déferlante des mauvais régimes, créant une paradoxale malnutrition. Cela nous incitera forcément à augmenter notre consommation en laitage, à surveiller les apports en fer en mangeant des légumes riches en fer, et à contrôler les niveaux de vitamines D ou C grâce aux fruits et aux laitages qui en contiennent.

• **Varier et diversifier son alimentation.**

La quasi-totalité des aliments possède au moins un élément pour lequel il est intéressant de les consommer. Pour obtenir l'ensemble des éléments dont votre corps a besoin, il est donc nécessaire de croiser les différentes sources. Si cette idée plaide en faveur de la variation et de la diversification alimentaire, il est nécessaire de réclamer le retour d'une alimentation qui satisfasse à la fois le plaisir et la tradition alimentaire, mais aussi la recherche de variétés et de compositions alimentaires pour rompre la monotonie de nos repas.

Ainsi, partant de l'ensemble de ces constats, j'ai tenté de dresser le profil type d'une bonne alimentation pour les adultes de plus de 18 ans jusqu'à l'âge de 40 ans. Les tableaux ci-dessous présentent des fourchettes qui permettent d'assurer des moyennes. Bien entendu, l'ensemble de ces valeurs est proportionnel à la dépense énergétique de chaque individu. On distinguera aussi l'homme de la femme, tant la dépense énergétique par jour diffère à l'âge adulte.

Pour éviter un contrôle aliment par aliment, j'ai préparé à partir du livre que nous avons écrit, Patrick Sérog et moi-même [1], une liste des classes d'aliments que nous consommons, en faisant une moyenne nutritionnelle pour chacun.

Table de composition moyenne des aliments

	Teneur moyenne pour 100 g			
	Énergie (kcal)	Protéines	Lipides	Glucides
Groupe protéines				
Lait entier	70	3,2	3,6	4,8
Lait demi-écrémé	45	3,2	1,5	4,8
Laitages	70 à 120	4	4 à 7	4 à..

---

1. *Savoir manger*, Flammarion 2004.

| | Teneur moyenne pour 100 g | | | |
	Énergie (kcal)	Protéines	Lipides	Glucides
Fromages	350 à 400	10 à 20	20 à 32	2 à 6
Œuf (pour 1)	80	8	7	0
Jambon	120	21	5	0
Volaille-viande	150 à 200	18 à 20	10 à 15	0
Poisson-crustacés	100	17	1 à 4	0
Groupe glucides complexes				
Pain	250	7	0,8	55
Céréales	400	8,5	7,1	72,5
Dérivés du pain (viennoiseries)	400	7	10 à 20	50 à 60
Biscuit (1 biscuit = 10 g)	400	5 à 8 g	15 à 20	50 à 60
Féculents	100	10 à 20	1 à 2	40 à 60
Groupe glucides simples				
Produits sucrés (confiture)	400	0	0	100
Fruit ou jus de fruits	50	0	0	10
Sorbets				
Chocolat-friandises	500	9 g	30 g	50 g
Groupe matières grasses				
Beurre	700	0	70	0
Chocolat	530	9	30	45 à 50
Beurre ou huile	700 à 900		80 à 100	0
Crème fraîche sauces	350	2	35	3
Pâtisseries				
Groupe micronutriment-fibres				
(minimum obligatoire 300 g)				
Potage	50	2	0 à 3	5
Légumes/crudités	40	2	0,1	8
Fruits	50	1	0,1	10
Alcool				
Vin – bière	70	0	0	Éthanol 9 cal/g

À partir de ces tableaux, on peut donc faire une proposition alimentaire repas par repas. Pour le petit déjeuner, selon les recommandations, une consommation optimale serait la suivante :

	Énergie	Protéines	Lipides	Glucides
Petit déjeuner (Homme)	360 à 410	14 à 15 g	14 à 15 g	45 à 47
Petit déjeuner (Femme)	280 à 330	10 à 13 g	11 à 13 g	35 à 41

La répartition idéale des aliments opterait donc pour un élément de chaque groupe. Cependant, il faut manger les glucides simples et les graisses en fonction du reste du repas. Si vous avez pris une viennoiserie ou des biscuits, évitez d'autres aliments gras ou sucrés car ils contiennent suffisamment de sucre et de graisse. Si vous avez pris un œuf ou un fromage gras, buvez un jus de fruits mais ni graisse ni chocolat en plus. De même, le bol de lait demi-écrémé et le pain vont très bien avec le beurre OU le chocolat et le fruit ou jus de fruits OU la confiture. C'est cela l'équilibre alimentaire ! Bien entendu, on peut, selon ses désirs, mixer les aliments de chaque groupe et prendre 3 à 6 cuillères à soupe de céréales et 30 à 60 g de pain.

Homme	Quantité idéale	Énergie (kcal)
Groupe protéines		
Lait entier OU	Minimum 100 ml à maximum 200 ml	70 à 140
Lait demi-écrémé OU	Minimum 100 ml à maximum 200 ml	45 à 90
Laitages OU	125 g	100 à 160
Fromages OU	Minimum 25 g à maximum 50 g	90 à 180
Œuf (pour 1) OU	Minimum 1 à maximum 2	80 à 160
Jambon	Minimum 50 g maximum 100 g	0 à 120
Groupe glucides complexes		
Pain OU	Minimum 60 g à maximum 100 g	150 à 250
Céréales OU	Minimum 6 cuillères à soupe maxi 10	140 à 250
Dérivés du pain	Maximum 60 g	250
Groupe matières grasses	facultatif	
Beurre OU	Minimum 0 maxi 20 g	0 à 140
Chocolat (cacao ou pâte à tartiner)	Minimum 0 à maxi 20 g ou 4 cuillères à café	0 à 100
Groupe glucides simples	facultatif	
Produits sucrés (confiture) OU	0 à 20 g	0 à 80
Fruit ou jus de fruits	0 à 1 fruit ou 1 verre (125 ml)	0 à 60

Femme	Quantité idéale	Énergie (kcal)
Groupe protéines		
Lait entier OU	Minimum 100 ml à maximum 200 ml	70 à 140
Lait demi écrémé OU	Minimum 100 ml à maximum 200 ml	45 à 90
Laitages OU	125 g	100 à 160
Fromages OU	Minimum 25 g à maximum 50 g	90 à 180
Œuf (pour 1) OU	Minimum 1 à maximum 2	80 à 160
Jambon	Minimum 50 g à maximum 100 g	0 à 120
Groupe glucides complexes		
Pain OU	Minimum 30 g à maximum 60 g	80 à maxi 150
Céréales OU	Minimum 5 à maximum 8 cuillères à soupe	120 à 150
Dérivés du pain	Maximum 60 g	0 à 250
Groupe matières grasses	Facultatif	
Beurre OU	Minimum 0 à maximum 20 g	0 à 140
Chocolat (cacao ou pâte à tartiner)	Minimum 0 à maximum 20 g ou 4 cuillères à café	0 à 100

Femme	Quantité idéale	Énergie (kcal)
Groupe glucides simples	Facultatif	
Produits sucrés (confiture-sucre-miel) OU	0 à 20 g	0 à 80
Fruit ou jus de fruits	0 à 1 fruit ou 1 verre (125 ml)	0 à 60

Pour le déjeuner, selon les recommandations, une consommation optimale serait la suivante :

	Énergie	Protéines	Lipides	Glucides
Déjeuner et dîner (Homme)	1000 à 1150	38 à 42 g	38 à 42 g	127 à 142 g
Déjeuner et dîner (Femme)	760 à 880	28 à 33 g	29 à 34 g	95 à 110 g

Les principes de répartition restent bien sûr les mêmes qu'au petit déjeuner. Dès lors, on peut construire le repas que l'on souhaite. Par exemple, rien n'impose de prendre des fruits si on mange un minimum 300 g de crudités et légumes ou l'inverse. De même, on peut ne consommer ni viande ni poisson, si on prend suffisamment de fromage. Voilà l'explication du OU. De plus, si on le souhaite, on peut prendre plusieurs aliments d'un groupe. Tout est question d'harmonie, voilà pourquoi vous disposez de maximum indiqué pour partager habilement. Ici, j'ai inclus d'autres aliments, comme les boissons alcoolisés, le chocolat ou les sucres, car seul l'excès est nuisible ! Il en est de même pour la collation, proportionnelle à vos repas et à vos sensations, elle est bien préférable au grignotage !

Homme	Quantité	Énergie (kcal)
Groupe micronutriment-fibres (minimum obligatoire 300 g)		
Potage OU	Minimum 100 g à volonté	40 à selon l'appétit
Légumes OU	Minimum 100 g à volonté	40 à selon l'appétit
Fruits OU	Minimum 100 g à volonté	50 à selon l'appétit
Crudités	Minimum 100 g à volonté	40 à selon l'appétit
Groupe protéines		
Volaille-viande OU	Minimum 120 g à maximum 150 g	250 à 300
Œuf (pour 1) OU	Minimum 2 à maximum 3 g	160 à 240
Poisson-crustacés	Minimum 150 g à maximum 300 g	150 à 300
yaourts/laitages OU	Minimum 125 g à maximum 350 g	100 à 400
Fromages	Minimum 25 g à maximum 100 g	90 à 350

Homme	Quantité	Énergie (kcal)
Groupe matières grasses		
Beurre ou huile OU	Minimum 20 g à maximum 40 g	140 à 360
Crème fraîche-sauces	0 à 8 cuillères à soupe	0 à 300
Groupe glucides complexes		
Féculents OU	Minimum 250 g maximum 400 g	250 à maximum 400
Pain et dérivés secs	0 à 120 g	0 à 300
OPTIONNEL		
Groupe glucides simples		
Jus de fruits	0 à 1 verre (125 ml)	0 à 60
Chocolat-friandises	0 à 20 g	0 à 200
Vin-bière	0 à 1 verre (125 ml)	0 à 110
COLLATION/OPTIONNEL		
Groupe protéines		
Lait entier OU	Maximum 125 ml	0 à 140
Lait demi écrémé OU	0 à 125 ml	45 à 100
Yaourts/laitages OU	Maximum 250 ml ou g	Maximum 200
Fromages	Maximum 50 g	Maximum 180
Groupe glucides complexes		
Pain ou céréales OU	Maximum 40 g	Maximum 100
Dérivés du pain OU	Maximum 50 g	Maximum 200
Biscuit (1 biscuit = 10 g) OU	Maximum 4 biscuits (40 g)	Maximum 200
Fruit ou jus de fruits OU	Maximum 1 verre 125 ml	Maximum 60
Produits sucrés (confiture-miel)	Maximum 20 g	Maximum 80
Groupe matières grasses		
Beurre	Maximum 10 g	Maximum 70
Chocolat-friandises	Maximum 30 g	Maximum 150

Pour les femmes, les chiffres diminuent un peu.

Femme	Quantité	Énergie (kcal)
Groupe micronutriment-fibres (minimum obligatoire 300 g)		
Potage OU	Minimum 100 g à volonté	40 à selon l'appétit
Légumes OU	Minimum 100 g à volonté	40 à selon l'appétit
Fruits OU	Minimum 100 g à volonté	50 à selon l'appétit
Groupe protéines		
Volaille-viande OU	Minimum 100 g à maximum 150	200 à 300
Œuf (pour 1) OU	Minimum 1 maximum 3	80 à 240
Poisson-crustacés	Minimum 100 g maxi 300 g	100 à 300
Yaourts/laitages OU	Minimum 125 g maximum 300 g	100 à 300
Fromages	Minimum 25 g maximum 75 g	90 à 280
Groupe matières grasses		
Beurre ou huile OU	Minimum 20 g à maximum 40 g	140 à 360
Crème fraîche-sauces	0 à 8 cuillères à soupe	0 à 300

Femme	Quantité	Énergie (kcal)
Groupe glucides complexes		
Féculents OU	Minimum 150 g à maximum 200 g	150 à maximum 200
Pain et dérivés secs	0 à 80 g	0 à 200
OPTIONNEL		
Groupe glucides simples		
Jus de fruits OU	0 à 1 verre (125 ml)	0 à 60
Chocolat friandises OU	0 à 20 g	0 à 200
Vin-bière	0 à 1 verre (125 ml)	0 à 110
COLLATION/OPTIONNEL		
Groupe protéines		
Lait entier OU	Maximum 125 ml	70 à 140
Lait demi-écrémé OU	0 à 125 ml	45 à 90
Yaourts/laitages OU	Maximum 250 ml	100 à 250
Fromages	Maximum 50 g	0 à 180
Groupe glucides complexes		
Pain ou céréales OU	Maximum 40 g	Maximum 100
Dérivés du pain OU	Maximum 50 g	Maximum 200
Biscuit (1 biscuit = 10 g) OU	Maximum 4 biscuits (40 g)	Maximum 200
Fruit ou jus de fruits OU	Maximum 1 verre 125 ml	Maximum 60
Produits sucrés (confiture-miel)	Maximum 20 g	Maximum 80
Groupe matières grasses		
Beurre OU	Maximum 10 g	Maximum 70
Chocolat-friandises	Maximum 30 g	Maximum 150

Voilà comment nous arrivons à un prototype d'alimentation idéale. Bien entendu, je me rends compte de la difficulté de cette élaboration. Mais rassurez-vous tout est moyenne et l'imprégnation de ces quelques données avec vos habitudes sera largement suffisante pour éviter les désordres. Je souhaitais essentiellement vous permettre de mieux comprendre les mécanismes alimentaires et, si vous n'en retenez que quelques-uns, ma mission sera accomplie. En effet, appliquer cette méthode à la perfection quotidiennement serait contradictoire avec le principe de bien manger qui comporte une bonne part de pulsions et de plaisir. Heureusement, la nature faisant bien les choses, nos habitudes alimentaires, héritages de ce que nous avons appris au travers des autres et de notre famille, ne sont pas trop distantes de ces recommandations.

Évolution de l'alimentation

Les fourchettes que vous avez vues dans les tableaux montrent bien les différences individuelles et prouvent que chacun a sa « ration ». Ainsi, les quantités qui sont proposées pour les hommes et femmes de 18 à 40 ans sont supérieures à celles qui seront consommées plus tard, en raison essentiellement de la diminution de l'activité et de la masse musculaire qui survient avec les modifications hormonales. Après 40 ans, il faudra surtout veiller à l'évolution proportionnelle du poids par rapport à la consommation alimentaire et tenter d'ajuster l'un à l'autre. En cas d'élévation du poids, la réponse est très claire, il s'agit de diminuer les rations. Sur les matières grasses et les féculents, on peut le faire d'autant plus facilement qu'on en a beaucoup mangé jusque-là.

C'est surtout en fonction des préoccupations de l'âge que les consommations varient. Ainsi, les très jeunes parents, absorbés par la vie de tous les jours, ont besoin de manger rapidement. L'évolution socioculturelle de l'homme étant censée se faire selon des critères positifs, vous verrez qu'avec les années vous risquez de consacrer plus de temps à la table et à la bonne chaire. Donc, de consommer plus de protéines, de graisses et de sucres, présents, visibles ou cachés.

On parle souvent de la faim, mais on évoque rarement un phénomène de régulation dont l'homme dispose naturellement : la satiété. Cette dernière n'est pas seulement une expression cérébrale, mais aussi une expression physique. C'est une sensation de remplissage qui a un rapport avec la densité de l'alimentation, c'est-à-dire la charge réelle en nombre de grammes des aliments que l'on a absorbés. Ici, réside l'intérêt évident de consommer des fruits, des légumes et de l'eau. Or, bien souvent, ce sont des produits qui sont éliminés à tort au fur et à mesure des années.

Un rapide calcul permet de constater que 100 g de foie gras contiennent 450 calories, l'équivalent d'un petit déjeuner, alors que, pour la même quantité de calories, on peut consommer 1,2 kg de légumes et de crudités, ce qui ne donne pas la même sensation dans l'estomac. Il ne s'agit donc pas de consommer à outrance des fruits et des légumes, mais de comprendre les mécanismes liés à la faim. Ainsi, on peut la ressentir après un dîner particulièrement gras, lors duquel nous n'avons pas le sentiment d'avoir trop mangé, car la charge énergétique de ce repas n'était pas comparable à la valeur en poids des aliments absorbés, même si la digestion est plus difficile car ralentie par l'excès de graisses.

Ainsi, nous avons souhaité passer en revue, à la fin de ce chapitre, au travers des menus, l'ensemble des aliments avec les recommandations, à la fois hebdomadaires et qualitatives, que nous pouvons en faire. Nous n'avons pas exclu de ces aliments les plats préparés, ainsi que les préparations industrielles du commerce, car ils doivent, comme tout autre produit, s'intégrer au reste de l'alimentation. Derrière notre alimentation se cache un principe majeur à respecter, à savoir la nécessité de consommer un peu de tout ce qui existe autour de nous, qu'il soit manufacturé ou non, pour participer pleinement à l'environnement, assurer notre évolution personnelle ainsi que celle de notre espèce.

Bien entendu, l'évolution des modes alimentaires a favorisé le fractionnement des repas et l'éclosion du grignotage. Mais ce n'est pas un phénomène nouveau, contrairement à ce que l'on peut imaginer, car dans les festivités qu'organisaient les rois de notre pays, de larges buffets étaient dressés en permanence pour que les invités puissent consommer des friandises et des pâtisseries. Cette pratique correspondait tout simplement à un mécanisme de plaisir qu'il ne faut pas négliger lors de l'alimentation.

Ainsi, j'ai systématiquement inclus dans mes recommandations la possibilité de consommer des chocolats, des friandises ou des sucreries, pour que chacun comprenne qu'il n'est pas interdit d'en consommer, mais qu'il faut veiller à leur proportion raisonnable par rapport à l'ensemble de ce que nous consommons dans un repas.

Sachez tout de même que l'instinct qui nous a aidés à maîtriser, enfant, notre alimentation ne nous quitte jamais. Ainsi, nos sensations sont tout aussi importantes que les chiffres et les tableaux que je viens de vous livrer. Dès lors, en ce qui concerne l'alimentation, il n'est pas grave de verser dans un peu de mathématisation, en retenant que tout excès est nuisible et que s'il est normal, la majeure partie temps, de se préoccuper de la nourriture, il est également normal de l'oublier et de partager en toute simplicité des conversations et des émotions au moment d'un repas.

Les conseils de la maîtresse de maison

Après une journée consacrée au bien manger, au mieux manger, au moins manger, puis-je demander à mon nutritionniste de mari de m'aider à élaborer les menus ? Très vite, j'ai compris que ce rôle devait me revenir, non pas dans un esprit rétrograde, mais par la logique de l'évolution de notre famille. Ainsi, lorsque nous étions un jeune couple, nous préparions le plus souvent les repas ensemble, moins occupés peut-être par notre vie professionnelle et par nos enfants, qui n'étaient pas encore nés. Puis, mon congé de maternité nous donna de nouvelles habitudes qui perdurent encore aujourd'hui. Car, bien souvent, celui qui nourrit le mieux son enfant est celui qui s'en occupe de façon continue. C'est de cette façon, comme beaucoup de femmes, qu'au cours de la croissance de nos enfants, j'ai appris à cuisiner pour toute la famille en redécouvrant d'abord les purées, puis en réapprenant à consommer plus régulièrement des légumes et à les apprécier. Dès lors, nos goûts ont évolué, les « repas gastronomiques » que nous faisions alors avaient une qualité proportionnelle à ma connaissance en pratique culinaire. Même si, il faut bien l'avouer, nous appréciions plus le repas pour le moment d'intimité, d'échanges et de gaieté qu'il nous offrait que pour mes petits plats. Cependant, j'ai bien dit « repas gastronomiques », car, si mes compétences n'étaient pas toujours assurées, le principe du repas gastronomique était déjà acquis.

Puisque la charge de l'élaboration des repas me revenait, la bonne pratique nutritionnelle me revenait également, sans jamais oublier que nourrir est aussi un acte d'amour et de tendresse. Faire la cuisine, c'est porter attention à l'autre, prendre en compte les goûts de chacun, innover, et donner de son temps. Angoissant me direz-vous ? J'ai envie de répondre qu'il faut juste du bon sens, de l'organisation et de la passion. Comme la logistique des repas demande à ce qu'ils soient pensés à l'avance, il s'agit le plus souvent d'un problème de gestion. Seulement, par manque de temps, c'est souvent cette étape que l'on saute régulièrement.

Pas très facile de devenir maman. Encore moins de se consacrer à son enfant sans cesser d'être une amante désirable. L'alimentation devient un plaisir s'il y a convivialité, si cela ne prend pas trop de temps et si c'est bon, c'est encore mieux !

Brisons le mythe. La « supermaman », qui est toujours élégante et apprêtée, qui rentre de son travail légère et détendue, qui joue patiemment avec ses enfants obéissants, qui prépare en deux temps trois mouvements des repas délicieux et équilibrés, n'existe pas. Il y a des mamans qui travaillent, à l'extérieur ou à la maison, qui se débrouillent plus ou moins et qui bricolent au jour le jour un quotidien tissé de petites ou de grandes victoires, et de demi-échecs. Et, c'est très bien ainsi. On tâtonne, on essaye, on réussit parfois, on persévère autant que l'on peut, en tant que parents, en tant que couple, en tant que professionnels, chacun dans notre domaine.

Lettre ouverte à mon mari

Mon cher mari, quand tu me demandes : « Qu'est-ce qu'on mange ce soir ? », j'ai envie, pour une fois, de fuir ma pudeur maladive et de te répondre, comme tu le répètes souvent, que nourrir c'est d'abord donner de l'amour. Ainsi, tu sauras, la prochaine fois que tu passes à table, que :

- Je t'ai questionné, depuis des années, pour mieux connaître tes goûts ;
- J'ai écouté tes conseils avertis ;

- J'ai conçu des menus qui conviennent à ton appétit, tes besoins et tes désirs ;
- J'ai fait les courses ;
- J'ai passé du temps à cuisiner ;
- J'ai veillé à rendre le repas appétissant par les couleurs, la présentation...

Je ne demande pas que tu prennes conscience du temps passé qui mesure mon affection. Nourrir est un acte de pure tendresse. Je pense à te nourrir, donc je pense à toi. Si tu ne l'as pas remarqué, je t'ai fait découvrir des légumes que tu ne mangeais pas, j'ai appris à cuisiner les plats familiaux que tu mangeais enfant, comme je t'ai fait découvrir des plats que j'affectionnais et qui venaient de ma propre culture. J'ai de temps en temps fait manger les enfants avant nous, allumé les chandelles sur la table pour que l'on n'oublie jamais pourquoi on s'était mariés. Et, si tu as boudé quelquefois les salades ou les légumes croquants, tu reconnaîtras que je t'ai aussi préparé des aliments plaisirs. J'ai triché sur les sauces en les allégeant, j'ai augmenté les protéines quand tu faisais plus de sport, j'ai densifié les repas par les légumes et trouvé de nouvelles recettes. Cependant, tout cela n'aurait pas été possible si tu ne m'avais pas accompagné dans les conseils nutritionnels que tu divulguais et que je happais au passage. Et, bien sûr, si tu ne m'avais pas accompagnée dans notre parcours amoureux. Ainsi, quand je regarde nos enfants, je considère que je n'ai pas perdu mon temps en courses et préparations des repas mais que j'ai distribué quelque chose d'essentiel.

Comment « maman minceur » mange en famille ?

Quel que soit notre morphologie, nous traversons forcement des périodes où nous éprouvons le désir de perdre quelques kilos. Abus, retour de vacances, fêtes ou invitations, arrêt de la cigarette... Comment surveiller son poids, tout en mangeant en famille ?

Je ne fais pas partie des fanatiques des régimes et ne me suis jamais pris la tête pour quelques kilos en trop. En revanche, je reconnais me peser tous les jours, même si cela n'a pas toujours de sens puisque les échanges d'eau font que notre poids varie de toute façon. Mais c'est le moyen que j'ai trouvé pour vérifier si mon alimentation était caloriquement correcte et surtout ne pas me réveiller un matin avec 4 kg en trop ou plus.

Malheureusement, ce jour est arrivé ! À une époque où j'essayais d'arrêter de fumer et où j'avais du mal à consciencieusement surveiller mon alimentation. J'ai alors préféré jouer la réussite de l'arrêt du tabac, pour ensuite m'intéresser au problème de poids. Lorsque l'on a de jeunes ados à la maison, il est hors de question de faire n'importe quoi. Après tous ces efforts d'éducation alimentaire, il était inconcevable de montrer à mes trois filles l'anarchie alimentaire et la restriction, alors qu'elles avaient toutes les trois un poids idéal. Hors de question également d'alléger les repas de toute la famille et de raconter mon problème de poids, surtout lorsqu'on a un mari nutritionniste.

Il faut bien avouer que tout cela est très difficile, surtout si les autres membres de la famille comptent sur vous pour les repas et qu'ils dégustent les petits plats en sauce que vous avez dû mitonner. J'ai alors comparé différentes formules et expériences. Comme on en revient toujours au même, j'ai donc supprimé des calories en diminuant l'apport alimentaire. Voici mes quelques conseils :

• Trouvez de nouvelles façons d'accommoder vos fruits et légumes, mettez les sauces à part pour les autres membres de la famille ;

• Ne cuisinez pas les plats les plus lourds en grande quantité ou congelez-les rapidement pour ne pas en remanger au repas suivant ;

• Réduisez les calories principalement aux repas pris en dehors de la famille ;

• Passez plus de temps debout à servir qu'à table, surtout si le petit dernier mange lentement ;

• Réduisez les quantités en graisses et en sucres, densifiez les repas avec les légumes ;

• Supprimez le chocolat en vous disant que vous vous l'autoriserez quand vous aurez déjà perdu 2 kg. (Personnellement, j'ai attendu de perdre tous mes kilos superflus, c'était pour moi plus facile.) ;

• Ne soyez pas pressée, dites-vous que la durée est toujours gagnante ;
• N'oubliez pas le sport ;
• Ne vous plaignez pas et n'en parlez pas, l'entourage a toujours un air moqueur !

Lors des invitations

Comme nous sommes beaucoup sollicités, j'ai adopté une stratégie :

• Ne jamais parler de mon problème de poids ;
• Économiser des calories lors de l'apéritif : pas de cacahuètes ou fruits oléagineux, comme les pistaches ou les noix de cajou... ;
• À table, ni pain, ni toast ;
• Ne jamais terminer mon verre de vin pour éviter que l'on me le remplisse à nouveau ;
• Essayer de me servir des rations plus raisonnables et ne pas me resservir ;
• S'il y a trop de sauce ou de crème, manger les protéines et les légumes sans saucer ;
• Éviter le fromage qui est toujours facultatif ;
• Ne prendre qu'une toute petite part de dessert, si, comme moi, vous avez du mal à vous en passer.

Tout compte fait, cette méthode n'est pas si terrible et elle évite de casser son régime.

Les repas au restaurant

En entrée, choisir de préférence :

• soit un demi-melon en saison ;
• soit des crudités avec peu d'assaisonnement (réclamer du citron) ;
• soit des fruits de mer (sans beurre, ni mayonnaise) ;
• soit du saumon fumé ou mariné ;
• soit des carpaccio de poisson ou de viandes ;
• soit un gaspacho ou un consommé...

Évitez les plats élaborés au profit des protéines cuisinées simplement : poisson grillé, viande, volaille, gibier. Si possible, fuyez les sauces ou laissez-les dans l'assiette. Demandez des légumes verts ou changez de garniture. Résistez aux légumes cuits dans du gras, comme les frites ou les pommes sautées. Pour le dessert, un thé ou du café, sinon choisissez en priorité : une salade de fruits frais, un sorbet, un carpaccio d'ananas... Quelle que soit la situation, je choisis toujours deux plats : entrée/plat ou plat/dessert. Le restaurant japonais, avec ses shusis, a l'avantage de proposer du poisson cru (riche en oméga 3) avec du riz sans graisse et du gingembre (riche en fer.)

Sur le « pouce » :
- Un sandwich sans mayonnaise avec des crudités et du poulet, cornichons ;
- Un hamburger, le plus simple possible, avec juste du ketchup ;
- Une part de tarte aux légumes ou une salade à emporter, avec, si possible, un laitage et/ou un fruit ;
- Emporter son repas au travail.

Contrairement à ce que l'on nous raconte souvent, se mettre au régime est long et difficile. Personnellement, je choisis toujours une période propice et me fixe un objectif, même futile : remettre un pantalon qui m'allait si bien, une fête à venir... Et, surtout, jouer la longueur. Pas question de s'affamer mais réduire l'équation apport/dépense. Si vous avez grossi, c'est que vous avez consommé plus de calories que vous n'en avez dépensé. Remboursez par une diminution des apports et/ou faire plus de sport. L'avantage du sport est de vous donner un corps plus ferme et de brûler les calories.

À ce sujet, j'ai envie de vous faire partager une expérience intéressante. Récemment, avec mon mari et mes filles, nous sommes revenus d'un long voyage aux États-Unis, où nous avons eu la chance de ne pas prendre de poids. Étonnant me direz-vous dans un pays où l'obésité est devenue un des problèmes majeurs de santé.

312

Nous nous étions mis au défi de démontrer, qu'y compris dans ce pays, il était possible de ne pas prendre de poids malgré la rumeur ambiante. Surveillance de tous moments, certes, mais jamais de privations. Pourquoi notre famille n'a-t-elle pas pris de poids ? Nous avons fait beaucoup de marche et puis nous avons découvert une certaine monotonie dans cette alimentation : steak ou poitrine de dinde, le choix n'était pas très varié et ne correspondait pas à notre culture culinaire. Les aliments colorés non plus. En revanche, nous trouvions, à tous les coins de rue, des ventes de salade ou de crudités que nous assaisonnions, des fruits frais savoureux... Plus les produits proposés correspondent à nos goûts, plus nous sommes tentés de les consommer. Je reste donc persuadée que l'éducation alimentaire influence favorablement nos consommations, conservons notre patrimoine culinaire et remplissons nos placards de façon intelligente.

Et ensemble, ça donne quoi ?

Nous avons tous des notions de diététique et de bien manger, mais la pratique s'avère souvent difficile. Car on nous dramatise la situation, on nous fait perdre nos repères, on nous submerge de chiffres, on surajoute les bienfaits de certains produits, on nous affole sur d'autres... Pas question de faire ses courses avec une calculette, la santé et l'alimentaire sont certes liés, mais on ne va pas au supermarché comme on va à la pharmacie. Dédramatisez, d'autres générations avant nous se sont nourries et ont survécu. En comparant les tableaux de Jean-Michel et les menus équilibrés que j'ai élaborés, nous retrouvons à peu près les mêmes chiffres. En traduisant un tableau en produits, on se rend aisément compte qu'il suffit de quelques repères et de sens pratique, en considérant qu'il existe un certain groupe d'aliments :

• Les laitages ;
• Les céréales ;
• Les légumes et les fruits ;
• Les féculents ;
• Les protéines animales et végétales ;

- Les sucres ;
- Les graisses.

Vous avez couvert tous les aliments et les nutriments qui s'y rattachent. En diversifiant et en répartissant ces groupes dans la journée, vous pouvez considérer que vous avez couvert tout vos besoins. En revanche, cela se complique un peu plus au niveau des graisses car nous ne pouvons pas les supprimer et, de plus, nous devons avoir une certaine vigilance quant à leur qualité.

Les matières grasses

Ici, il y a vraiment de quoi se perdre. Il y a quelques années, on nous disait de consommer de l'huile de pépins de raisin. Puis, on s'est rendu compte que l'on ne pouvait pas l'utiliser pour les fritures plusieurs fois car elle était instable. Ensuite, sont venues l'huile d'olive, l'huile de colza... Aujourd'hui, on nous parle des huiles riches en oméga 3, en oméga 6, en vitamines E. Difficile de s'y retrouver. Aussi, permettez-moi de prendre ma plume de pharmacien méthodique pour débroussailler ce vaste chantier. Ensuite, je reprendrai mon rôle de mère de famille pour vous conseiller quelles huiles il est préférable d'utiliser.

Dans les aliments, il existe deux catégories de graisses :
- **Les graisses saturées**, le plus souvent d'origine animale, comme le beurre, les laitages, qui bouchent nos artères ;
- **Les graisses insaturées**, plus souvent végétales, à part les huiles de poisson, qui sont soit mono-insaturées, soit poly-insaturées (les fameux omégas). Les deux étant plutôt bénéfiques.

Le problème est que la plupart des huiles contiennent un mélange de ces deux catégories en proportion différente. De plus, des huiles apportant des graisses dites intéressantes peuvent être pauvres en vitamine E. Sans rentrer trop dans les détails, vous ne cuisinez pas en parfumant à la vitamine, je vous ai sélectionné des huiles qui présentent de bonnes qualités nutritionnelles.
- **L'huile de colza** pour sa richesse en oméga **3**.

- **L'huile d'olive** pour faire chuter le taux de cholestérol et bien sûr pour son goût.
- **L'huile de noix** pour ses deux omégas et son goût, mais elle se conserve mal et elle est chère. Achetez-la en petite bouteille.
- **L'huile de tournesol** pour la vitamine E.
- **Isio Protect de Lesieur**, un mélange idéal déjà préparé.

Aucune d'entre elles ne comprend le parfait rapport oméga 3/oméga 6, avec en plus la bonne quantité de vitamine E, à l'exception de Isio Protect. Alors que faire ? Des mélanges bien sûr ! De plus, l'huile de colza qui semblerait dominer nutritionnellement les autres n'a pas vraiment de goût, donc suivez vos papilles et variez les goûts. Pour coller à la mode « alimentaire », il faut au minimum 2 cuillères à soupe d'huile de colza par jour.

À présent, vous connaissez mieux les graisses. Mais, si vous voulez en contrôler votre consommation, n'oubliez pas qu'on les trouve également dans les aliments.

- **Les graisses « visibles ».** Ce sont les graisses les plus faciles à identifier et donc à contrôler dans l'alimentation. Il s'agit des matières grasses que vous rajoutez et que l'on met sur le pain ou certains aliments : le beurre, la margarine, la pâte à tartiner. Ce sont aussi les graisses qu'on utilise pour les cuissons ou les sauces : huiles, crème fraîche, graisse d'oie, saindoux. Ces graisses ne doivent pas être supprimées de l'alimentation car elles apportent des éléments indispensables que le corps ne peut pas fabriquer (vitamines, acides gras essentiels), mais vous pouvez facilement en contrôler leur consommation.
- **Les graisses « cachées ».** Elles sont à la fois présentes dans les aliments sucrés et salés. Les pâtisseries, certains biscuits, le chocolat, les crèmes glacées, beaucoup de viennoiseries contiennent du sucre mais aussi et surtout des graisses. De même, pour les charcuteries, les biscuits à apéritif, certaines viandes, les fromages, les sauces, les fritures.

Petit rappel. Les graisses qui figent plus vite que les autres sont les plus riches en acides gras saturés. La margarine, comme la graisse d'oie, plus molle d'ailleurs, ou comme certaines sauces durcissent. Lorsque la graisse est plus fluide, comme les huiles, elle est nécessairement plus riche en acides gras poly-insaturés.

Sachez que vous pouvez agir à différents niveaux :

Limiter la consommation d'aliments riches en graisses.

Nous consommons trop de graisses, il est donc essentiel d'en réduire globalement la consommation. Vous réduisez votre apport calorique journalier et consommez moins de graisses saturées (les mauvaises).

Diminuer surtout la consommation d'aliments riches en graisses saturées.

Les graisses saturées contribuent à l'élévation de votre taux de mauvais cholestérol sanguin. Elles sont présentes dans :

• Le beurre, la crème, les fromages, la charcuterie, les viandes grasses (bœuf, porc, agneau) ;

• L'huile de noix de coco ou de coprah, l'huile de palme (utilisée dans l'industrie alimentaire), les margarines ordinaires (margarines dures). Il est à noter que ces matières grasses sont utilisées dans la fabrication des plats cuisinés ou d'aliments comme les pâtisseries, les gâteaux secs, les biscuits, le chocolat ou d'autres friandises pour des raisons de coût économique mais également du fait de la consistance moins fluide de ces graisses.

C'est une des raisons qui me fait dire que vous connaîtrez mieux la composition de ce que vous mangez si vous cuisinez vous-même, en choisissant vos matières grasses, ou si vous lisez bien l'étiquette. Cuisiner soi-même ne signifie pas passer des heures au fourneau. En assemblant des aliments surgelés non cuisinés, des conserves, ou en utilisant des bases de cuisine, dont je vous parlerai plus loin, vous pouvez très bien mélanger selon votre imagination différents aliments et profiter de leur présentation pratique.

Remplacer en partie les graisses saturées par des graisses insaturées.

Les poissons et les coquillages apportent également des graisses insaturées de grand intérêt. D'autre part, ils contiennent peu de graisses saturées.

Maintenant que le paysage lipidique est élucidé, rappelez-vous que toutes les matières grasses sont aussi caloriques les unes que les autres, cela explique qu'il faut en limiter la consommation. Mais n'oublions pas que les matières grasses sont bourrées de vitamines E. Ne revenons-nous pas toujours à cette notion d'équilibre et de bon sens ?

Choisir de préférence des aliments riches en glucides complexes.

Pain, pâtes, riz, légumes secs, fruits et légumes sont de bonnes sources de glucides complexes (amidon et fibres). Tous ces aliments (sauf les avocats, olives et fruits oléagineux) ne contiennent pas de graisses, mais apportent des vitamines et des minéraux. Contrairement à ce que l'on croit, les aliments riches en glucides complexes apportent moins de calories que les aliments riches en graisses. Vous pouvez donc sans risque compenser la diminution de l'apport calorique due à la réduction des graisses en augmentant la consommation d'aliments de ce type.

En pratique, comment acheter ses aliments

Les produits laitiers. Pour l'adulte, préférez les fromages pas trop gras, les yaourts écrémés ou ordinaires, natures ou aromatisés, le fromage blanc à 0 % et à 20 % de matières grasses, les petits-suisses à 0 % de matière grasse. Pour les enfants, les yaourts au lait entier ou demi-écrémé.

Utilisez des huiles intéressantes : olive, colza, tournesol, noix, les huiles combinées.

Évitez les viandes grasses. Un morceau de bœuf à braiser (de type macreuse ou jarret) est préférable à une entrecôte, beaucoup plus grasse. Préférez le rumsteck, la tranche, la bavette, le faux-filet, les volailles et le lapin.

Le poisson : il est souhaitable d'en manger au moins deux fois par semaine (même les poissons réputés gras car ils sont riches en graisses insaturées).

Les plats « tout prêt » sont de plus en plus répandus (surgelés, frais ou en conserve.) Cependant, il est important de consulter l'étiquette pour en connaître la quantité en matières grasses. Attention, les informations sont le plus souvent données pour 100 g alors que la part individuelle pèse 250 à 300 g.

Pas de limitation pour les fruits et légumes. En consommant suffisamment de légumes et de fruits, vous augmenterez votre consommation de vitamines, minéraux et fibres. Tous les légumes (frais, surgelés, en conserve au naturel) peuvent être consommés crus, cuits, en garniture ou en potage. Variez les légumes que vous utilisez. Les fruits et les légumes ne contiennent pas de graisses (sauf les avocats, les olives, les cacahuètes et les fruits oléagineux).

Le sucre. Je considère personnellement que le sucre est une source extraordinaire d'énergie, vite assimilé, et indispensable à un bon équilibre nutritionnel. Ne le supprimez pas, surtout chez les enfants, mais contrôlez sa consommation

Comparez les étiquettes. Toutes les étiquettes indiquent la liste des ingrédients qui composent le produit, par ordre d'importance. Les plus présents sont en début de liste. Comme nous avons un choix innombrable de produits à notre disposition, choisissez selon votre goût en limitant les mauvaises matières grasses, en mangeant sans compulsion et en prenant votre temps. De même, comme vous faites vos courses pour toute la famille, n'oubliez pas que chaque âge a sa spécificité, n'abandonnez pas trop vite le lait chez un jeune enfant, surtout chez le bébé dont c'est encore l'aliment essentiel, n'oubliez pas les besoins énergétiques du jeune ado, adapter ses besoins en fonction de l'âge et du sexe n'est qu'un jonglage qui tient de la logique.

Pour garder la forme, on nous dit de manger de la pomme de terre, car elle contient du potassium, du fer, du magnésium, de la vitamine B, de la vitamine C, des fibres, 20 % de glucides. Que la banane contient de la vitamine C et de la vitamine B9 en plus des fibres. Que la tomate est un secret de santé. Même si je ne conteste pas systématiquement ces bienfaits, si vous sélectionnez votre alimentation uniquement sur ces critères, vous arriverez vite à des dérives d'anarchie alimentaire supprimant la diversité ou risquez l'orthorexie qui stigmatise les nutriments en oubliant le plaisir de manger.

Sachant que chaque aliment apporte une certaine quantité d'un ou plusieurs nutriments (protéines, glucides, lipides, vitamines et sels minéraux...), une alimentation équilibrée repose avant tout sur la diversité des aliments consommés au cours des différents repas de la journée. Mangez un peu de tout, diversifiez au maximum, pas de suppression totale d'une classe d'aliments, car je crains que votre alimentation ne soit alors carencée en éléments essentiels. Retrouvez vos repères, non ceux que l'on essaie de vous inculquer. Pas d'affolement, nous vivons à une époque où jamais l'hygiène et la sécurité alimentaire n'ont été aussi présentes. Les peurs alimentaires ont toujours existé, les rumeurs angoissantes ont toujours circulé. Soyons exigeant sur la qualité de notre alimentation, n'exagérons pas son aspect « hygiénique », ne soyons pas exclusivement attaché à l'apport nutritionnel et apprenons à nos enfants le plaisir de partager et de manger ensemble.

Retournez aux produits primaires, en vous disant que la publicité est là pour vous séduire, mais que l'information est ailleurs. Faites confiance à vos instincts et à la tradition familiale. Aussi principalement pour le petit déjeuner et le goûter des enfants, ne les laissez choisir que parmi des produits que vous aurez sélectionnés. Les parents ont un rôle dans l'éducation alimentaire et dans l'apprentissage des goûts. Quand vous amenez vos enfants à la découverte de produits régionaux, vous participez à leur apprentissage des goûts tout en partageant un moment intime avec eux. Les enfants garderont de ces instants un souvenir de plaisir. L'alimentation a un rôle nutritionnel mais également un rôle gustatif, ne l'oubliez jamais.

Les plats familiaux

Comme il est agréable de réunir sa famille autour d'un plat unique et convivial qui saura séduire les petits et les grands. Comme il est plaisant de ravir ses convives avec des saveurs d'autrefois qui sauront rassasier les gros appétits. Car, en plus de créer un lien entre les générations, le plat familial, souvent moins riche qu'une assiette de frites, calme la faim et évite les grignotages. Qui dit mieux ?

Bœuf bourguignon

Pour 4 personnes
Préparation : 15 minutes
Temps de cuisson : 4 heures
Ingrédients : 1 kg de bœuf dans la tranche (le jarret de bœuf est plus moelleux : 165 kcal au 100 g), 6 oignons moyens, 2 petites pommes de terre par personne, 1/4 litre de vin rouge, farine, 2 verres d'eau, thym, laurier, 2 gousses d'ail, fond de veau en poudre, 1/2 verre d'huile (3 cuillères à soupe), sel, poivre

Couper en gros dés la viande, et rouler les morceaux dans la farine. Mettre à dorer les morceaux de viande à feu vif. Dès qu'ils sont dorés, les enlever et les remplacer par les oignons grossièrement coupés. Quand ils sont dorés, jeter la graisse et remettre la viande. Verser dessus le vin rouge et l'eau. Remuer la sauce en raclant bien le fond pour dissoudre le suc de la viande qui a collé, mettez l'ail, le thym, une feuille de laurier, une petite poignée de sel, du poivre. Couvrir hermétiquement, laisser mijoter à petit feu pendant 4 heures. Deux heures avant la fin de cuisson, rajouter les pommes de terre épluchées entières.

Variante : même principe pour le bœuf jardinière, remplacer les pommes de terre par des légumes variés (petits pois, carottes, navets, haricots verts en petits morceaux et que vous rajouterez une demi-heure avant la fin de la cuisson).

Daube provençale

Pour 6 personnes
Préparation : la veille 10 minutes
Temps de cuisson : 4 heures
Ingrédients : 1,5 kg de bœuf à braiser, 1 demi-litre de vin rouge (le sucre du vin caramélise la viande et évite d'utiliser l'huile), 1 verre de cognac, 5 oignons, 3 carottes, 500 g de chair de tomate, 200 g d'olives noires, poivre en grains (retirer les grains pour les enfants), thym, laurier, clou de girofle, 2 gousses d'ail

Couper le bœuf en très gros dés et les mettre dans un grand plat creux. Recouvrir ces dés avec la marinade suivante : le vin rouge, le cognac, les carottes en rondelles, les oignons coupés en quatre, une petite poignée de poivre en grains, l'ail, le clou de girofle, une branche de thym et une feuille de laurier. Laisser mariner 24 heures. Le lendemain, mettre la viande et la marinade dans une cocotte allant au four et rajouter la pulpe de tomate et les olives. Fermer hermétiquement. Mettre au four moyen pendant 4 bonnes heures. Retirer le gras surnageant avant de servir et ajuster l'assaisonnement avec du sel. Servir bien chaud. Vous pouvez préparer cette daube la veille, le surnageant figé sera plus facile à enlever.

Quiche lorraine

Pour 6 personnes
Préparation : 15 minutes
Temps de cuisson : 15 minutes + 30 minutes
Ingrédients : 1 pâte brisée en rouleau, 4 œufs, 150 g jambon de dinde fumée émincé (moins riche que le jambon) que vous pouvez remplacer par du saumon fumé ou des légumes légèrement cuits à la vapeur, 1 tasse de crème allégée (250 ml), 1 pincée de muscade, sel, poivre
Chauffer le four à 200 °C. Abaisser la pâte brisée sur un plan de travail bien enfariné. Beurrer un moule à tarte et y poser la pâte. Piquer le fond de la pâte. Faire cuire la pâte sans garniture 15 minutes. Laisser refroidir. Étaler le jambon dans le reste du beurre. Répartir le jambon ou autre garniture sur la pâte. Battre les œufs avec la crème légère, la muscade, le sel et le poivre. Verser le mélange sur le jambon. Cuire au four 30 minutes.

Gratin dauphinois

Pour 6 personnes
Préparation : 15 minutes
Temps de cuisson : 45 minutes
Ingrédients : 500 g de pommes de type Roseval de grosseur moyenne, 1 demi-litre de lait demi-écrémé (ce qui permet de compenser le beurre), 1 œuf, 60 g de beurre, 100 g de fromage râpé, sel, poivre, muscade, ail
Éplucher les pommes de terre et les couper en rondelles minces (si possible au robot, c'est plus régulier et plus rapide). Les rincer à l'eau chaude, puis bien les essuyer et les mettre dans un saladier. Assaisonner avec le sel, le poivre une pointe de muscade râpée. Dans un autre saladier, battre l'œuf avec un mixer et le passer au chinois. Rajoutez petit à petit le lait tiédi au micro-ondes. Dans le saladier des pommes de terre, mettre les deux tiers du fromage râpé et mélanger. Rajouter le lait. Bien mélanger. Prendre un plat creux à gratin, le frotter avec de l'ail puis beurrer bien toute la surface. Y verser le mélange. Recouvrir avec le fromage râpé restant et éparpiller le beurre en petits morceaux. Mettre à four moyen pendant 45 minutes. Servir.

Gigot mariné

Pour 4 personnes
Préparation : 15 minutes
Marinade : une journée
Cuisson : 20 minutes pour la première livre, 15 minutes pour les suivantes
Ingrédients : 1 gigot d'agneau, 2 gousses d'ail, 1 demi-litre de vin rouge,
4 échalotes, 2 feuilles de laurier, 1 branche de thym, genièvre en grains, sel,
poivre, de l'huile pour badigeonner au pinceau le gigot, facultatif : 50 g de
beurre, 2 cuillères à soupe de farine

Marinade : mettre le vin rouge à bouillir avec une petite cuillère à soupe de
gros sel, du poivre, les grains de genièvre, le laurier, le thym et les échalotes
coupées en quatre. Laisser bouillir à petit feu pendant 1 demi-heure. Laisser
refroidir. Éplucher les gousses d'ail et piquer le gigot de lamelles d'ail. Verser
la marinade refroidie sur le gigot et laisser mariner une journée (matin au soir).
Le soir, ôter le gigot de la marinade et l'essuyer. Le mettre dans un plat allant
au four, badigeonner d'huile avec un pinceau, saupoudrer légèrement de sel, de
poivre et mettre à four très chaud. Le retourner le de temps en temps. Servir.

Facultatif : pendant la cuisson du gigot, faire fondre le beurre dans une casserole puis jeter en pluie la farine. Laisser roussir puis petit à petit, ajouter la
marinade passé au tamis. Laisser cuire doucement. Mettre en saucière et servir
avec le gigot cuit et coupé en tranches.

Blanquette de veau

Pour 6 personnes
Préparation : 30 minutes
Temps de cuisson : 1 h 30
Ingrédients : 1,2 kg de veau (épaule) coupé en cubes, 15 ml (1 cuillère à
soupe) de jus de citron, 2 grosses carottes pelées et coupées en deux, 2 petits
oignons piqués d'un clou de girofle, 1 ml (1/4 cuillère à thé) de thym, 5 ml
(1 cuillère à thé) d'estragon, 1 feuille de laurier, 45 ml (3 cuillères à soupe) de
margarine (ce qui limite les acides gras saturés), 45 ml (3 cuillères à soupe) de
farine, 60 ml (4 cuillères à soupe) de crème allégée (c'est toujours ça de gagné),
1 jaune d'œuf, sel, poivre.

Dans une grande casserole, recouvrir le veau d'eau froide et ajouter le jus de
citron. Amener à ébullition. Écumer le liquide. Égoutter la viande et rincer-la
sous l'eau froide. Remettre la viande. Ajouter les carottes, les épices et les
oignons et assez d'eau pour recouvrir le tout. Saler et poivrer. Faire cuire 1 heure
et demie à feu doux ou jusqu'à ce que le veau soit cuit. Retirer du feu, égoutter
la viande et la mettre de côté. Réserver 3 tasses et demie du liquide de cuisson.

Préparer de la sauce : préparer un roux blond. Faire fondre le beurre dans une
casserole, saupoudrer la farine, mélanger avec un fouet environ 1 minute. Incor-

porer le liquide de cuisson et remuer. Rectifier l'assaisonnement. Ajouter 45 ml (3 cuillères à soupe) de crème légère et remuer. Cuire la sauce 8 à 10 minutes à feu doux. Remettre le veau dans la sauce, faire mijoter 5 à 6 minutes à feu doux. Mélanger le reste de la crème avec l'œuf battu. Retirer la casserole du feu. Incorporer le mélange d'œuf à la sauce. Servir.

Brandade de morue

Pour 6 personnes
Préparation : 30 minutes
Temps de cuisson : 1 h 30
Ingrédients : 800 g de morue salée, 600 ml de lait, 4 cuillères à soupe d'huile d'olive, 2 gousses d'ail, 500 g de pommes de terre
Faire dessaler la morue la veille. Pocher la morue dans le lait pendant 10 minutes. Faire cuire les pommes de terre avec leur peau et l'enlever une fois qu'elles sont cuites. Écraser l'ail avec un peu d'huile d'olive pour obtenir une pommade. Écraser à la fourchette les pommes de terre, les mélanger avec la pommade d'ail. Monter avec le restant d'huile d'olive et 200 ml du lait, mélanger et assaisonner. Servir.

Cassoulet de poisson aux haricots frais

Pour 4 personnes
Préparation : 40 minutes
Temps de cuisson : 30 minutes
Ingrédients : 800 g de lotte découpé en morceaux, 1,5 kg de haricots à écosser, 1 oignon, 1 échalote, 1 gousse d'ail, 1 bouquet garni
Pour la sauce : 600 g de tomates, 1 oignon, 1 échalote, persil, 2 cuillères à soupe d'huile d'arachide, sel, poivre
Dans 1 cocotte, versez 2 litres d'eau, l'oignon épluché, l'échalote, la gousse d'ail, le bouquet garni, le sel, le poivre. Porter doucement à ébullition. Écosser les haricots et les faire cuire dans ce bouillon pendant 30 minutes. Dans une autre cocotte, faire rissoler dans l'huile chaude les morceaux de lotte. Éplucher l'oignon et l'échalote, les hacher. Quand le poisson est rissolé, le retirer et faire étuver l'échalote et l'oignon pendant 10 minutes avec 3 cuillères à soupe d'eau. Ajouter les tomates coupées en morceaux, 10 cl d'eau et les morceaux de lotte. Laisser cuire 10 minutes puis rajouter les haricots cuits et égouttés. Laisser mijoter. Servir avec du persil haché.

Choux farcis

Pour 6 personnes
Préparation : 15 minutes
Temps de cuisson : 45 minutes
Ingrédients : 1 beau chou vert, 800 g de viande hachée (moins gras que la chair à saucisse), 2 œufs, 1 boîte de pulpe de tomate, 250 g d'oignons (l'oignon permet d'utiliser des viandes plus maigres), 3 échalotes, 2 cuillères à soupe d'huile d'olive, 1 gousse d'ail, 1 bouquet de persil, 1 brin de thym, sel, poivre, 1 tablette de bouillon de poule

Retirer les feuilles extérieures du chou et le blanchir de 10 à 15 minutes à l'eau bouillante salée. Le passer le sous l'eau froide. Bien l'égoutter. Sur un plan de travail, étaler un torchon propre. Retirer les côtes et feuilles principales du chou, les déposer sur le torchon. Hacher les feuilles du cœur.

Préparation de la farce : Mélanger la viande, les oignons, les œufs, les échalotes, l'ail pelé et le persil. Ajouter les œufs. Saler, poivrer, bien malaxer la farce pour la rendre homogène.

Déposer une boule de farce dans chaque feuille et replier les bords.

Mettre le cœur du chou haché dans un faitout. Dans 30 cl d'eau chaude diluer la tablette de bouillon. Ajouter le brin de thym et la feuille de laurier et verser le bouillon et deux cuillères à soupe d'huile d'olive. Ajouter la pulpe de tomates. Déposer les petits choux. Couvrir et laisser cuire à feu doux pendant 2 heures et demie, en arrosant de temps en temps les choux de sa sauce. Si besoin est rajouter un peu d'eau chaude en cours de cuisson. Servir aussitôt.

Jarret de veau en cocotte

Pour 4 personnes
Préparation : 15 minutes
Temps de cuisson : 2 heures
Ingrédients : 1 kg de jarret de veau, 40 g de beurre (le fond de veau est moins gras et donne plus de goût), 10 cl de vin blanc, 2 dl de fond de veau (à préparer à partir d'une poudre achetée en supermarché), 3 oignons, 400 g de carottes en rondelles (congelées), 1 boîte de tomates concassées, 1 bouquet garni, sel, poivre

Assaisonner les morceaux de jarret de veau avec du sel et du poivre. Dans une cocotte, les faire dorer au beurre sur toutes les faces. Rajouter ensuite les oignons coupés en gros morceaux, les carottes en rondelles. Mouiller avec le vin blanc, le fond de veau. Mettre les tomates concassées et le bouquet garni. Cuire à couvert à feu doux pendant 2 heures environ. Servir.

Saumon au gros sel

Pour 5 personnes
Préparation : 15 minutes
Temps de cuisson : 40 minutes
Ingrédients : 1 saumon de 1,2 kg (préparé en portefeuille par le poissonnier), 600 g de farine, 200 g de gros sel, 1 jaune d'œuf, 200 ml d'eau, 10 brins de ciboulette, 10 brins d'estragon.
Préparation de la pâte : Mélanger la farine et le sel. Ajouter l'eau. Pétrir.
Préparation du saumon : Nettoyer et éponger le saumon. Mettre la ciboulette et l'estragon à l'intérieur. Étendre la pâte et envelopper le poisson. Faire la soudure par dessus. Badigeonner la pâte avec un jaune d'œuf battu dans un peu d'eau. Faire cuire au four à 190 °C entre 35 et 40 minutes. Présenter le poisson dans sa croûte ; ouvrir celle-ci et lever le filet.

Pommes au four

Pour 4 personnes
Préparation : 10 minutes
Temps de cuisson : 20 minutes
Ingrédients : 4 belles pommes rouges, 4 cuillerées à café de cassonade, 20 g de beurre
Préchauffer le four à 210 °C (thermostat 7). Évider les pommes. Les disposer dans un plat allant au four. Mettre une cuillerée à café dans le cœur de chaque pomme ainsi qu'un petit morceau de beurre. Faire cuire les pommes à four chaud pendant 20 minutes. Servir aussitôt.

Gâteau aux pommes

(pour faire manger des fruits aux enfants)

Pour 6 personnes
Préparation : 15 minutes
Temps de cuisson : 35 minutes
Ingrédients : 200 g farine, 150 g de sucre, 2 œufs entiers, 1 sachet de levure alsacienne, 3 cuillères à soupe de lait, 2 belles pommes
Dans un saladier, casser les œufs et ajouter le sucre. Battre jusqu'à ce que le mélange blanchisse, puis ajouter la farine, le lait et la levure. Bien mélanger pour obtenir une pâte homogène. Beurrer un moule, et mettre les deux tiers de la pâte. Éplucher les pommes et les couper en tranches fines. Poser ces tranches sur la pâte et recouvrir avec le reste de pâte. Saupoudrer de sucre et cuire à four très chaud pendant 5 minutes puis baisser à four moyen pendant 1 demi-heure. Laisser refroidir et consommer.

Clafoutis

Pour 4 personnes
Préparation : 10 minutes
Temps de cuisson : 30 minutes
Ingrédients : 80 g de farine, 40 g de maïzena, 100 g de sucre en poudre,
1 sachet de sucre vanillé, 2 œufs, 2 verres de lait, 500 g de fruits frais selon
votre choix, 1 pincée de sel, beurre pour le moule
Préchauffez le four th.7 (210 °C). Dans un saladier, mettre la farine, la maïzena
et creuser un puits, ajouter le sucre, le sel, les œufs et le lait. Mélanger peu à
peu pour obtenir une pâte lisse et sans grumeaux. Éplucher les fruits et les couper
en dés. Beurrer un plat allant au four, répartir les fruits et ajouter la pâte. Mettre
au four 30 minutes.

Organisation de la nourriture des mangeurs inégaux

Sur le plan alimentaire, la valeur pédagogique du repas familial, le repère qu'il a été pour nos générations, le respect des
horaires ont parfois tendance à se dissoudre. Or, même si chaque
individu introduit quelques modifications, les schémas alimentaires qu'il respecte, adulte, sont souvent calqués sur ceux de sa
famille. Cette façon d'apprendre à manger « sans le savoir » est
en train de disparaître et, peu à peu, est remplacée par un apprentissage plus théorique, plus scientifique mais moins efficace.
Aujourd'hui, on ne mange plus avec son instinct et ses habitudes
mais on mange des nutriments. Et quand on intellectualise trop
l'alimentation, alors on ne sait plus vraiment où on en est.

Le temps consacré aux repas est le plus souvent trop court.
On ne mange pas de la même façon, ni les mêmes aliments,
en dix minutes qu'en une demi-heure. Nos emplois du temps
contemporains font que le temps consacré au repas ne cesse de
diminuer, que ce soit en ce qui concerne la préparation du repas
ou sa consommation. De même, la consommation d'aliments
frais est assujettie à la possibilité de faire son marché ou ses
courses, une à deux fois par semaine au minimum, ce qui n'est
pas forcément possible dans toutes les familles. Dès lors, usez
des facilités qui vous sont proposées : légumes surgelés, base de
sauce, pâtes toutes prêtes...

N'oublions pas que notre façon d'appréhender l'alimentation est un modèle pour nos enfants, ils calqueront leur alimentation d'adulte sur ce qu'ils auront vus et appris à la maison plus qu'à l'école. Lorsque l'on est enfant, nos parents sont nos modèles. Ainsi, nous enregistrons sans le savoir des façons de faire, de manger... que nous conservons en nous, même si nous ne les appliquons pas toujours. Dès lors, dans certaines circonstances, ces éléments ressurgiront, faisant le lien avec notre famille. Les douceurs de notre enfance peuvent être rassurantes à certains moments difficiles de la vie.

En France, nous avons la chance de bénéficier d'une immense culture alimentaire et gastronomique. Appuyons-nous sur cette culture pour mieux manger. S'il est un plaisir qui dure toute la vie, c'est le plaisir de manger. De plus, il est indispensable.

Comme vous le savez à présent, les besoins nutritionnels varient avec les âges. Vous avez donc la charge d'organiser les repas et les placards pour couvrir les besoins de chacun, d'exciter la curiosité pour faire découvrir de nouvelles saveurs, et d'adapter le temps dont vous disposez pour satisfaire les différentes catégories de mangeurs de la famille.

Prévoir les repas, faire des courses « intelligentes », cuisiner avec imagination mais légèreté. La liste est longue et le manque de temps tout comme les sorties tardives du bureau font que les dîners du soir se résument trop souvent en un repas non réfléchi et déstructuré. Pourtant, il ne faut pas grand-chose pour passer d'un simple grignotage triste à un vrai repas savoureux. Retrouvez le plaisir de cuisiner et de bien manger. Planifiez vos menus.

Organiser les menus des jours à venir est certainement le premier de tous les conseils. Avant de sortir faire vos courses, dressez la liste des aliments dont vous aurez besoin. Même si cela peut paraître difficile, l'idéal est pourtant de grouper ses achats environ une fois par semaine en dressant une liste conçue en fonction des menus prévus, vous gagnerez en temps et légèreté quotidienne.

Parfois, il arrivera que vous ayez des invités à l'improviste, que vos ados rentrent dîner avec plusieurs copains ou mangent à l'extérieur, il vous faut donc planifier des menus et organiser vos placards en conséquence. Ainsi, vous aurez l'avantage d'avoir toujours de quoi nourrir vos jeunes convives sans être obligée de courir au dernier moment pallier au nécessaire. Vous serez plus détendue et votre maison restera conviviale et ouverte. Vos enfants apprécieront d'avoir table ouverte chez eux et vous connaîtrez ainsi leurs fréquentations.

Ne stockez pas trop de produits périssables, la liste que vous trouverez plus loin est une indication pour cuisiner à l'improviste ou permettre un grignotage contrôlé. N'achetez pas systématiquement tous les produits, au contraire faites-les tourner pour éviter l'abondance et le choix de ces aliments en particulier. Évaluez ce que vous pouvez laisser grignoter et changez de temps en temps de produits. Si l'on vous offre une boîte de chocolats assortis, vous en mangez un, puis vous retournez piocher dans la boîte pour savoir si votre choix a été judicieux, rappelez-vous *Les Malheurs de Sophie* et Sophie qui, par peur de se tromper, finit par manger la boîte entière. Tirons-en leçon : si vous faites le choix d'acheter quelques friandises, n'achetez pas tous les produits en même temps.

Pour les placards, j'ai noté quelques produits d'épicerie afin d'agrémenter vos plats selon votre imagination. Cette liste comprend des produits de base, il faut bien évidemment rajouter les légumes, la viande ou autres aliments que vous aurez notés lors de l'élaboration des repas de la semaine.

Sachez, suivant le temps dont vous disposez, profiter des facilités qui vous sont offertes. Les légumes congelés se stockent, se conservent très bien, et vous épargnent le temps d'épluchage. Personnellement, je préfère largement les légumes congelés que des légumes frais conservés plusieurs jours.

Achetez des produits avec lesquels vous pouvez modifier votre planning nutritionnel. L'élaboration de la liste des menus de la semaine vous fait gagner du temps, mais l'imprévu doit être possible si vous voulez modifier un repas. Enfin, ayez également à votre disposition des ustensiles pour vous faciliter la vie :

• Une poêle vraiment antiadhésive ;
• Un pinceau pour badigeonner sans verser un filet d'huile incontrôlable ;

- Un économe qui coupe vraiment, un bon hachoir, des couteaux aiguisés ;
- Un couscoussier ou autre appareil pour cuire à la vapeur ;
- Un mixer ;
- Un verre doseur ;
- Un pulvérisateur pour l'huile afin d'en limiter la quantité ;
- Des appareils pour rendre les repas ludiques (appareil à crêpes, pierrade...).

Pour les cuissons, pensez à avoir toujours du papier aluminium ou sulfurisé, idéal pour les papillotes.

Faites le même repas pour toute la famille malgré les différents appétits. Bien sûr vous vous adapterez au goût des jeunes enfants. Mais modifiez les portions, mettez les sauces à part, rendez facultatif le fromage et le pain pour les adultes qui contrôlent leur poids, achetez des laitages allégés pour ceux qui le souhaitent, densifiez les repas avec les légumes pour tout le monde. Chacun mangera en fonction de son appétit et de ses besoins.

Voici ce qui se trouve le plus souvent dans mes placards :
Épicerie :
- Edulcorant à l'aspartam en comprimés : *l'indispensable pour la ligne*
- Edulcorant à l'aspartam en poudre : *pour yaourt et fromage blanc*
- Pâtes Alphabets : *pour faire apprécier la soupe*
- Vermicelles de riz : *pour varier dans les soupes*
- Coquillettes fines
- Velouté de légumes en briques : *soupes individuelles, chacun son goût, toujours prêt*
- Thon au naturel : *avoir toujours des boîtes en réserve, idéal pour les enfants*
- Cœurs de palmier en conserve : *seuls ou dans les salades composées*
- Pointes d'asperges
- Cœurs d'artichauts en bocal

- Fajita kit galettes + assaisonnement : *utile si vous avez des filets de dinde*
- Purée en flocons au lait entier : *superdépannage.*
- Riz long grain en sachets de 125 g : *cuisson rapide 10 minutes*
- Petits pois carottes extra-fins : *pour les pannes d'inspiration*
- Maïs doux en grains : *en salade ou accompagnement*
- Lentilles préparées : *bien rincées à l'eau tiède, en salade ou légumes*
- Tomates concassées en dés : *pour sauces goûteuses et diététiques*
- Tomates entières pelées au jus
- Double concentré de tomates
- Coulis de tomates
- Jus de citron jaune en flacon : *un assaisonnement intéressant, toujours prêt*
- Croûtons nature : *pour grignotages, salades, soupe...*
- Des Wasa : *également pour grignotages ou pour limiter le pain*
- Sauce basquaise en bocal : *quand on n'a pas le temps de faire mijoter une viande*
- Sauce curry : *pour varier les goûts*
- Sauce tomate aux olives : *pour pâtes, viande*
- Fond de veau pour sauces et cuissons : *je n'en manque jamais*
- Fumet de poissons pour sauces
- Bouillon de volaille : *saveur indispensable pour cuisson traditionnelle revisitée*
- Olives vertes ou noires entières : *bon et décoratif*
- Citrons confits en conserve : *en petits morceaux dans salades, dans les ragoûts pour donner une touche italienne*
- Toutes sortes de moutarde : *à chacun son assaisonnement*
- Et du sucre, farine, levure : *vous avez déjà fait de la pâtisserie sans ?*

Herbes, épices et condiments :
- Basilic surgelé : *plus de goût en surgelés que frais de quelques jours*
- Échalote surgelée
- Ail surgelé
- Ail semoule, en purée : *l'un ou l'autre*
- Persil surgelé
- Ciboulette surgelée
- Herbes de Provence en vrac
- Baies roses en grains : *jolie couleur dans les salades*
- Safran en filaments : *un goût inégalable*
- Noix de muscade : *l'incontournable*
- Paprika en poudre : *couleur, saveur*
- Curry en poudre : *une touche d'exotisme*
- Câpres : *accommode très bien un plat de thon naturel*
- Cornichons extra-fins : *goûteux, diététiques, en grignotages...*
- Sauce Arôme saveur Maggi : *ma fille en met partout*
- Sauce barbecue : *pour changer du ketchup*
- Ketchup : *rien de choquant*
- Sauce soja : *pour une touche exotisme, pour les légumes au wok*
- Confit d'oignons : *je sais, nous sommes gourmands...*

Produits frais :
- Compote de pommes nature : *en dessert, goûter ou grignotages*
- Salade saveur gourmande : *salade toute prête pour repas rapide*
- Pâte sablée sucrée roulée : *toujours utile pour tarte avec fruits avancés*
- Pâte feuilletée prête à être déroulée : *voir nombreuses utilisations plus loin*
- Demi-lune tomate-basilic : *des raviolis frais à assaisonner soi-même*
- Galette de blé noir : *à remplir selon votre imagination*
- Dés d'épaule ou de dinde : *pour salades rapides*

- Crème fluide en brique : *pour ne jamais en manquer, se conserve longtemps*
- Minibeurre doux en portions individuelles : *permet de voir ce que l'on consomme*
- Abricots secs : *riches en fer, pour grignotages positifs*
- Tomates séchées : *pour agrémenter les salades, ragoûts*
- Escalopes de dinde : *se préparent de tellement nombreuses façons*
- Steaks hachés pur bœuf 5 % de matière grasse en barquette : *conservation agréable, matière grasse contrôlée*
- Tzatziki en pot : *idéal avec des bâtonnets de crudités*
- Des œufs : *produits de base, bons et fonctionnels*
- Tranches de jambon de dinde : *facile à grignoter pour une petite faim*
- Ricotta : *pour les pannes d'inspiration, j'en trouve toujours l'utilité.*

Boissons :
- Lait stérilisé UHT demi-écrémé : *longue conservation, l'indispensable du matin*
- Jus d'orange : *de préférence pur jus de fruits*
- Eau minérale : *sous prétexte que l'eau du robinet a « un goût »*

Grignotages et friandises :
- 16 Jungly orange-citron : *bâtonnets glacés aux fruits et à l'eau*
- Sorbet fruits de la passion morceaux de mangue – bac de 1 litre : *sorbet glacé modèle familial*
- Cornichons Malossol à la russe : *classés volontairement dans le grignotage*
- Cornichons extra-fins
- Pain d'épices tranché au lait : *pour petit déjeuner, goûter*
- Madeleines
- Chocolat noir dessert : *à consommer tel quel ou pour dessert imprévu*
- Minibarres chocolatées : *ont l'avantage de la petite portion*

- Assortiment Bubble gum : *de temps en temps*
- Chewing-gum à la chlorophylle
- Sticks et bretzels d'Alsace : *pour étudiants en préparation d'examen*
- Boudoirs boîte de 30 : *pour adultes et enfants, pour les charlottes*
- Cigarettes russes : *là, c'est franchement pour moi*
- 6 barres Grany pomme verte : *pour l'étudiant pressé.*
- Monster Munch goût salé : *léger (en poids)*
- Chipster pétale salée

Congélateur :
- Toutes sortes de légumes nature non cuisinés : *pour ne pas courir en milieu de semaine*
- Des portions individuelles de plats cuisinés : *principalement pour les ados*

Variations autour de la pâte feuilletée

Comme j'ai toujours de la pâte feuilletée, cela m'aide pour faire manger des légumes aux plus réticents. Je la fourre également avec toutes sortes d'aliments et l'utilise en tarte, en tourte et même en plats toujours appréciés comme du bœuf en croûte ou le feuilleté au saumon.

Feuilletés à la ricotta et aux épinards

(une entrée imprévue sans courir)

Pour 6 personnes
Préparation : 15 minutes
Temps de cuisson : 20 minutes
Ingrédients : 500 g de pâte feuilletée, 250 g de ricotta, 1 œuf, 1 jaune d'œuf pour badigeonner, 200 g d'épinards décongelés et égouttés, 1 cuillerée à soupe de farine

Préchauffer le four à 210 °C (thermostat 7). Décongeler les épinards. Les égoutter. Découper la pâte feuilletée en 6 disques de 10 cm. Écraser la ricotta à la fourchette. Dans une jatte battre l'œuf entier, dans une autre jatte battre le jaune d'œuf avec un peu d'eau. Dans un saladier incorporer à la ricotta l'œuf battu, les épinards. Déposer sur les disques de pâte 1 cuillerée de cette préparation. Fermer (mouiller les bords pour les sceller). Badigeonner de jaune d'œuf avec un pinceau. Mettre au four pendant 20 minutes. Servir chaud.

Feuilletée ratatouille thon

(ils n'ont pas mangé la ratatouille hier, ils la mangeront aujourd'hui)

Pour 4 personnes
Préparation : 5 minutes
Temps de cuisson : 20 minutes
Ingrédients : 250 g de ratatouille, 1 boîte de thon au naturel, 1 rouleau de pâte feuilletée, herbes de Provence, 1 jaune d'œuf pour badigeonner, olives noires dénoyautées (facultatif)
Préchauffer le four à 210 °C (thermostat 7). Déposer la ratatouille sur la pâte feuilletée ; rajouter le thon émietté, les olives, les herbes de provence. Saler, poivrer. Battre le jaune d'œuf avec un peu d'eau. Fermer la pâte (mouiller les bords pour les sceller). Badigeonner de jaune d'œuf avec un pinceau. Mettre au four pendant 20 minutes. Servir chaud.

Rosbif en croûte

Pour 4 personnes
Préparation : 5 minutes
Temps de cuisson : 15 + 15 minutes
Ingrédients : 1 rosbif de 600 g, moutarde à l'ancienne, 1 rouleau de pâte feuilletée, 1 jaune d'œuf
Préchauffer le four à 210 °C (thermostat 7). Précuire le rosbif pendant 15 minutes environ et le laisser refroidir ; vous pouvez le faire le matin pour le soir. Éponger bien le rosbif et le déposer sur la pâte feuilletée ; mettre de la moutarde à l'ancienne sur le dessus. Fermer la pâte (mouiller les bords pour les sceller). Badigeonner de jaune d'œuf avec un pinceau. Mettre au four le temps que la pâte soit dorée et croustillante. C'est un plat qui a beaucoup d'allure, les jours de fête, vous pouvez remplacer la moutarde par un peu de foie gras.

Saumon aux épinards en croûte

(et ils vous avaient dit qu'ils n'aimaient pas le poisson ?)

Pour 4 personnes
Préparation : 5 minutes
Temps de cuisson : 20 minutes

Ingrédients : 400 g de saumon frais, 200 g d'épinards décongelés et égouttés, 1 rouleau de pâte feuilletée, 1 jaune d'œuf, 1 jus de citron, aneth ou ciboulette

Préchauffer le four à 210 °C (thermostat 7). Décongeler les épinards. Les égoutter. Couper le saumon en dés, vérifiez qu'il ne reste pas d'arêtes. Sur la pâte feuilletée, déposer les épinards puis les dés de saumon ; aromatiser selon son goût (aneth, ciboulette) et rajouter le jus du citron. Fermer la pâte (mouiller les bords pour les sceller). Badigeonner de jaune d'œuf avec un pinceau. Mettre au four le temps que la pâte soit dorée et croustillante (20 minutes).

Tourte aux poireaux

Pour 4 personnes
Préparation : 30 minutes
Temps de cuisson : 35 minutes
Ingrédients : 2 œufs entiers, 35 g de farine, 15 cl de lait, 15 cl de crème liquide, 40 g de beurre, 150 g de dés de jambon de dinde, 800 g de poireaux congelés émincés

Faire cuire les poireaux 30 minutes à couvert dans 40 g de beurre. Ajouter la farine et mélanger à la spatule. Ajouter le lait et la crème. Laisser mijoter 10 minutes, assaisonner (sel, noix de muscade). Ajouter les dés de jambon de dinde aux poireaux. Battre les œufs, et les ajouter aux poireaux hors du feu. Séparer la pâte en réservant une partie pour confectionner un couvercle. Abaisser la pâte et garnir une tourtière en laissant dépasser la pâte des bords. Verser l'appareil refroidi, rabattre les bords de pâte, puis souder le couvercle en pâte. Faire une cheminée au centre du couvercle, passer la dorure, et enfourner. Cuire 35 minutes au four à 210 °C. Un peu long, aussi je vous conseille vivement de cuisiner d'autres plats en même temps.

Tartes aux fruits

Quand vos fruits deviennent moins appétissants, précuisez la pâte feuilletée, ajoutez toutes sortes de fruits qui ne perdront pas leur goût à la cuisson.

Variations autour des tomates

Les préparations à base de tomates présentent l'avantage de réduire la consommation de matières grasses, d'être très appréciées des enfants, d'offrir à la famille un plat « cuisiné » qui ne demande que peu de préparation.

335

Œufs brouillés à la tomate

Pour 4 personnes
Préparation : 10 minutes
Cuisson : 6 à 10 minutes
Ingrédients : 8 œufs, 1 petite boîte de tomates concassées, 50 g de beurre, sel
Cuire d'abord les tomates ; les faire sauter dans 30 g de beurre. Assaisonner.
Préparer alors les œufs brouillés et y ajouter les tomates réduites. Servir aussitôt.

Saumon à l'orientale

Pour 4 personnes
Préparation : 10 minutes
Cuisson : 15 minutes
Ingrédients : 4 pavés de saumon sans peau, 1/2 verre de vin blanc, fond de poisson en poudre, 1 citron confit, 1 boîte de tomates concassées, quelques feuilles de coriandre, huile d'olive
Faire cuire doucement les pavés de saumon dans un peu d'huile d'olive. Mouiller avec des tomates concassées, le vin blanc. Rajouter le citron confit coupé en petits morceaux, un jus de citron et prolonger la cuisson pendant 10 minutes. En fin de cuisson, ajouter les feuilles de coriandre.

Boulettes sauce tomate

Pour 4 personnes
Préparation : 10 minutes
Cuisson : 20 minutes
Ingrédients : 600 g de bœuf haché, 3 œufs, 10 cl de lait, 2 cuillères à soupe de farine de blé, 1/2 botte de persil, 1 pincée de noix de muscade, 2 tranches de pain de mie, 1 boîte de coulis de tomate, du fond de veau en poudre, sel, poivre, 2 cuillères à soupe d'huile d'arachide
Faire tremper le pain dans le lait. Dans un saladier, verser la viande, le pain égoutté et émietté, les œufs, la farine, les légumes, le persil et la muscade. Saler et poivrer. Prendre un peu de farce dans la paume des mains et façonner des boulettes. Faire chauffer l'huile dans une poêle et y faire dorer les boulettes 10 minutes environ. Retirer les boulettes et mettre dans une cocotte ; rajouter une boîte de coulis de tomates, un peu d'eau, du fond de veau et laisser mijoter 10 minutes.

Tagliatelles au romarin

4 personnes

Préparation + cuisson : 15 minutes

Ingrédients : 500 g de tagliatelles, 1 boîte 400 g de sauce tomate, 1 gousse d'ail, 2 cuillères à soupe de câpres, 2 brins de romarin, 15 feuilles de menthe, 5 cuillères à soupe d'huile d'olive

Ôter les feuilles de romarin et de menthe de leur tiges et les ciseler. Hacher l'ail. Faire cuire les tagliatelles dans l'eau bouillante et salée environ 7 minutes si vous les aimez « al dente ». Pendant ce temps, dans une sauteuse, faire revenir dans l'huile d'olive, l'ail et les herbes environ 3 minutes, ajouter la boîte de sauce tomate, salez et poivrez. Égoutter les tagliatelles et les verser immédiatement dans la sauteuse. Ajouter les câpres et remuer 2 minutes à feu vif. C'est prêt. Vous pouvez rajouter des petites tomates cerises fraîches.

Filet de dinde à la tomate et à l'ail

Pour 6 personnes

Préparation : 5 minutes

Cuisson : 20 minutes

Ingrédients : 6 filets de dinde, 1 grosse boîte de tomates pelées, 1 petit verre de vin blanc sec, 5 gousses d'ail ou purée d'ail, huile d'olive, sel et poivre

Faire dorer le filet de dinde dans l'huile d'olive sur toutes ses faces. Mouliner (mixer) la boîte de tomates entières et la verser sur la viande ainsi que le vin. Saler et poivrer. Laisser cuire 10 minutes à feu doux. Rajouter les gousses d'ail ou de la purée d'ail. Continuer la cuisson pendant 5 minutes. Rectifier l'assaisonnement si nécessaire (un peu de sucre si les tomates sont acides), servir avec du riz ou des pâtes. Vous pouvez bien évidemment utiliser des sauces tomates cuisinées ou des sauces curry toute prêtes.

Comment grignoter intelligent

Voilà, il a décidé de faire un régime. Quarantaine oblige, il vient de se rendre compte que sa nouvelle chemise le boudine à la taille et que son costume préféré est trop étroit. L'heure des grandes décisions a sonné, il va maigrir !

Bien entendu, le problème est beaucoup plus important pour lui que pour moi, il n'a d'ailleurs jamais remarqué que, depuis des années, je suis obligée de jongler entre les repas auxquels nous sommes invités et le goûter des enfants. Je prépare à manger tous les soirs, quelquefois les midis, et parfois même au petit déjeuner ! Mais moi, je ne suis jamais tentée et, bien sûr, je conserve ma silhouette car mon appétit guide soigneusement mes choix.

Comme l'intention est louable, j'ai décidé de l'aider. Les premiers repas se passeront plutôt bien et il acceptera de consommer quelques crudités sans huile, un peu de viande grillée, un yaourt à 0 % et un fruit. Son caractère devient quand même un peu changeant le soir et sa façon de tourner à l'intérieur de la maison en regardant la cuisine d'un air agressif me laisse augurer que les difficultés vont arriver. Cela ne tarde pas. Le lendemain, il trouve la nourriture trop fade et ne comprend pas que je ne fasse rien pour l'aider lorsqu'il fait un régime. La preuve, rien n'est à son goût. Il me débite alors la longue liste des aliments qu'il apprécie, en s'étonnant que l'on n'en mange pas tous les jours. Quand je lui réplique qu'on en a consommé la veille ou l'avant-veille, il trouve le moyen de contester le hors-d'œuvre servi ce jour-là ou encore le dessert. Son évidente mauvaise foi ne me décourage pas et je continue de penser qu'il est préférable de l'aider dans cette situation. Alors, plutôt que de le laisser face au triste constat du poids des années, il va falloir faire comme avec les enfants. Nous allons tricher !

En effet, son appétit féroce quand il rentre à la maison, assorti du plaisir qu'il a de manger à table et l'inspection régulière qu'il fait de la cuisine après chaque repas, probablement à la recherche d'un peu de poussière sous un pot de confiture, m'oblige désormais à faire ce que j'ai appelé un troc diététique. C'est la meilleure façon d'aider les hommes à ne pas prendre du poids, dès qu'ils ont dépassé les 35 ans. Le troc diététique qui consiste à modifier la liste des plats et des aliments qu'il apprécie plus particulièrement pour lui proposer des versions plus diététiques. De plus, je ne vous cache pas que cela me permet également de poursuivre, en même temps que lui, mon long travail de fourmi de maintien permanent de mon poids. Dans ce troc, je ne propose jamais de produits allégés, car la bonne conscience de l'étiquette allégée du produit suffit, en général, pour nous en faire consommer deux ou trois fois plus.

338

MATINÉE	Viennoiseries	Pain frais, fantaisie + beurre + confiture en lui achetant des portions individuelles de beurre et des petits pots de confiture
	Céréales avec du lait entier	Fromage blanc à 0 % + fruits de saison
	Les biscuits du matin	Une brioche Doo Wap Ou une tarte aux pommes maison (pâte feuilletée très fine, compote de pommes, pommes en quartiers)
	Le chocolat au lait	Thé au lait en variant les arômes
	Le sucre pour son café dans la matinée Son pseudo-réconfortant Mars, Twix de 11 h 00...	Je glisse un paquet de Canderel dans sa poche Une barre de céréales aux fruits max 100 kcal
MIDI	Repas d'affaires	Il n'a qu'à se débrouiller puisqu'il est si fort (je lui rappelle : « Pas de vin »)
APRÈS-MIDI	À la maison : pain, fromage, chocolat, biscuits, gâteau au chocolat	Sucettes (c'est sucré, ça dure longtemps, ça vaut 50 kcal pièce) Quartiers de fruits frais (on a oublié de les ranger) Wasa fibres + camembert (cœur de lion 270 kcal au 100 g)
APÉRO	Cacahuètes, biscuits apéritif, tarama	Bretzels, moules décortiquées, cube de mozzarella, tomates cerises, anchois marinés, crudités, sauce fromage blanc 0 %, mini-épis de maïs
Boissons	Alcool	Jus de légumes assaisonnés (Palermo)
DÎNER	Charcuterie	Jambon de dinde, cornichons, cottage cheese + fines herbes + salade
	Entrecôte, côte de porc, côte d'agneau... Saumon	Rumsteck, foie grillé, escalope de veau grillée, ris de veau, rognon grillé Thon grillé, espadon, rouget
	Plats en sauce traditionnel (bourguignon, blanquette...)	Plat au wok, légumes farcis, changement des proportions (+ de légumes et moins de viande)
	Gratins, hachis, brandades	Purée sans matières grasses + viande ou poisson en papillotes ou grillades (pour économiser le fromage et la crème)
	Frites, pommes de terre sautées	Pommes vapeur, poêlées asiatiques au soja (c'est salé comme les frites mais c'est moins gras), brochettes de légumes grillés
	Vinaigrette	Mélange crème à 15 % + vinaigre aromatisé
	Mayonnaise	Mélange moutarde ou ketchup + fromage blanc à 0 %
	Pain fromage	Feuilles d'endives + roquefort
	Pâtisseries	Fromage blanc au coulis de fruits + cigarettes russes Soupe de fruits surgelés à la poêle avec réduction au vinaigre balsamique
Boissons	Vins (à 110 kcal le verre)	Vin vert portugais (blanc ou rosé) 60 kcal le verre
	Digestifs (à 220 kcal le verre)	Martini frappé (à 110 kcal le verre)
APRÈS REPAS	4 carrés de chocolat (110 kcal – 20 g)	2 pâtes de fruits (70 kcal – 20 g)

Pour les menus régime, rapportez-vous à l'incontournable livre *Savoir maigrir*[1].

1. *Op. cit.*

QUELQUES IDÉES DE MENUS ÉQUILIBRÉS

Quand vous avez quantité de produits à disposition, il est difficile de vous conseiller en particulier tel ou tel produit. Aussi je vous ai composé différents types de menus équilibrés et quantifiés en calories pour vous montrer comment, selon votre temps ou vos compétences, vous pouvez vous en sortir. Car il est plus souvent compliqué d'équilibrer ses repas que de choisir le meilleur produit. Et pourtant c'est cet assemblage qui donne une alimentation « nutritionnellement correcte ».

Si vous n'êtes pas vraiment au régime, mais que vous voulez contrôler votre poids, vous pouvez utiliser pour chaque sauce salade : 2 cuillères à soupe de sauce allégée du commerce (50 kcal et 5 g de lipides) ou les sauces maisons allégées que nous vous avons préparées.

Vinaigrette diététique

Elle se prépare avec une base :
1 cuillère à soupe d'huile + 2 cuillères à soupe de moutarde + 3 cuillères à soupe d'eau + sel + poivre
Cette base pourra se conserver plusieurs jours au réfrigérateur.
Ajouter à cette base : tomates mixées (ou jus de carottes ou autres jus de légumes et fruits)
+ herbes + (éventuellement) 1 yaourt ou fromage blanc. Mixer le tout pour émulsionner.

Vinaigrette aux carottes

25 cl de jus de carotte

2 c. à. s. de moutarde à l'estragon

10 cl de vinaigre de framboise

1 c. à s. d'huile

Vinaigrette au jus de citron

1/2 c. à s. de moutarde

3 c. à s. de jus de citron

1 c. à s. d'huile d'olive

sel, poivre

Vinaigrette au yaourt

1 pot de yaourt

1 c. à. s. de vinaigre blanc

1 c. à. s. de moutarde

sel, poivre

Mousseline vanille

150 g de fromage blanc à 0 %

1 jaune d'œuf

3 blancs d'œuf battus en neige

1 c. à s. de jus de citron

1 gousse de vanille

sel, poivre

Sauce Tomate

1 jus de tomate

1 gousse d'ail

1 c. à s. de cerfeuil

1 c. à s. de ciboulette

1 c. à s. de persil

1 c. à s. d'estragon

1 goutte d'huile d'olive

sel, poivre

Vinaigrette d'agrumes

1 jus de pamplemousse

1 jus d'orange

1 jus de citron

1 échalote

2 yaourts à 0 % de matière grasse

zeste d'un citron

moutarde

sel, poivre

Vinaigrette maraîchère

150 g de tomates
(centrifugeuse)
120 g de carottes
(centrifugeuse)
80 g de céleri (centrifugeuse)
1 c. à s. de ciboulette
1 c. à s. de vinaigre de xérès
1/2 c. à s. de moutarde
sel, poivre

Marinade à cru

3 c. à s. jus de pamplemousse
et/ou citron
1 c. à s. d'huile d'olive

sel, poivre
+ échalote ciselée
+ et/ou basilic
+ et/ou pointe d'ail

Vinaigrette au yaourt

+ cerfeuil + persil + ciboulette + estragon + basilic + menthe ⇒ **Vinaigrette aux herbes**
+ œuf dur + cornichons + persil + cerfeuil + estragon ⇒ **Vinaigrette gribiche**
+ oignons + câpres + persil + cerfeuil ⇒ **Vinaigrette ravigote**

10 REPAS « JE CUISINE »

Ne vous amusez pas à additionner les temps de préparation et de cuisson pour chaque menu. Certains plats seront préparés à l'avance, s'ils demandent un temps de repos. D'autres peuvent être préparés de façon fractionnée, en plusieurs fois. Quand vous êtes dans la cuisine, jouez au chef d'orchestre qui fait tout fonctionner en même temps. Les recettes, qui vont suivre, sont données de façon empirique, vous pouvez utiliser des légumes congelés, en conserve, des tomates déjà pelées... Quand vous devez utilisez le four, pensez à l'allumer à l'avance et préparez plusieurs plats qui serviront le jour même ou le lendemain. Doublez les quantités et congelez certains plats quand cela est possible.

Soir

Kcalories : 425
Protéines : 11
Lipides : 29
Glucides : 30

Flan de carottes au gingembre
Salade de mâche aux noix
Gâteau de semoule aux quetsches

Flan de carottes au gingembre

Pour 4 personnes
Temps de préparation : 10 minutes
Cuisson : 10 + 35 minutes
Ingrédients : 300 g de carottes, 1 petit oignon blanc, 1 cuillère à soupe d'huile d'olive, 1 cuillère à soupe de coriandre haché, 50 ml de jus d'orange, 1 cuillère à soupe de gingembre râpé, 2 œufs + 2 jaunes, 150 ml de crème fraîche allégée à 15 % de matière grasse, 1 cuillère à café de persil plat haché, sel, poivre, 25 g de persil haché, 1 cuillère à soupe d'huile d'olive

Peler les carottes et les couper en rondelles. Peler et émincer finement le petit oignon. Faire chauffer l'huile dans une casserole et ajouter les carottes et oignon. Faire étuver 2 minutes à feu doux, ajouter la coriandre, verser de l'eau à hauteur des légumes et laisser cuire jusqu'à ce que les carottes soient tendres. Égoutter les carottes et les passer au mixeur avec le jus d'orange, le gingembre et les œufs. Ajouter ensuite la crème et les herbes. Saler et poivrer. Préchauffer le four. Beurrer un moule rond et haut et verser la préparation. Faire cuire au bain-marie au four 35 minutes. Pendant ce temps, préparer le jus de persil : passer le persil au mixeur avec 4 cuillères à soupe d'eau. Ajouter l'huile d'olive, saler et poivrer. Mixer encore et filtrer. En fin de cuisson, laisser tiédir le flan avant de le démouler, puis le démouler et le couper en quatre et entourer les parts d'un cordon de jus de persil, décorer de coriandre fraîche.

Gâteau de semoule aux quetsches

Pour 4 personnes
Préparation : 15 minutes
Cuisson : 25 minutes
Ingrédients : 400 ml de lait, 1 gousse de vanille, 80 g de semoule, 2 œufs, 50 g de sucre, 20 g de beurre, 20 g de poudre d'amande, 400 g de quetsches, cannelle

Faire bouillir le lait avec la gousse de vanille fendue. Verser la semoule en pluie, tout en remuant. Laisser cuire 10 minutes en remuant souvent. Ajouter le

346

sucre. Hors du feu, incorporer les jaunes d'œufs, la moitié du beurre, la poudre d'amande, les blancs battus en neige. Avec le reste du beurre, beurrer un moule à couronne. Faire cuire au bain-marie au four 25 minutes à 230 °C. Cuire les quetsches dans un peu d'eau. Verser au centre de la couronne de semoule.

Soir

Kcalories : 570
Protéines : 29
Lipides : 26
Glucides : 55

Filets de poisson à la feta et aux tomates
Curry de légumes
Taboulé aux fruits

Curry de légumes

Pour 4 personnes
Temps : 15 minutes
Cuisson : 20 minutes
Ingrédients : 1 cuillère à soupe de graines de moutarde brune, 1 cuillère à soupe d'huile, 2 oignons hachés, 4 cuillères à soupe de pâte de curry douce, 300 g de tomates en boîte, 100 g de yaourt, 150 ml de lait de coco, 2 carottes émincées, 150 g de chou-fleur en bouquets, 2 aubergines finement émincées, 150 g de haricots verts, 100 g de brocolis, 1 courgette émincée, 80 g de petits champignons de Paris

Chauffer les graines de moutarde dans une poêle sèche jusqu'à ce qu'elles commencent à éclater. Ajouter l'huile et les oignons, cuire en remuant jusqu'à ce que les oignons soient tendres. Ajouter la pâte de curry et remuer une minute. Ajouter les tomates, le yaourt et le lait de coco, remuer à feu doux pour bien mélanger. Ajouter les carottes et laisser mijoter 5 minutes à découvert. Ajouter le chou-fleur et les aubergines, laisser mijoter 5 minutes. Incorporer le reste des ingrédients et prolonger la cuisson 10 à 12 minutes.

Taboulé aux fruits

Pour 4 personnes
Temps et cuisson : 20 minutes
Ingrédients : 1 cuillère à soupe d'amandes effilées, 100 g de couscous moyen précuit, 10 g de beurre, 2 kiwis, 1 orange, 1 pomme, menthe, 15 g de raisins secs

Faire dorer les amandes effilées à sec dans une poêle bien chaude. Porter de l'eau à ébullition et verser sur le couscous. Couvrir et laisser gonfler 5 minutes. Aérer le couscous en soulevant les graines avec une fourchette. Incorporer le beurre et laisser refroidir. Éplucher les kiwis, pommes et orange. Les couper en dés et en quartiers. Incorporer délicatement ces fruits ainsi que les raisins secs au couscous refroidi. Laver et ciseler la menthe. Parsemer d'amandes et de menthe. Servir frais.

Soir

Kcalories : 582
Protéines : 35
Lipides : 25
Glucides : 65

Betteraves rouges
Cabillaud en papillotes
Gratin de riz
Pommes fourrées

Gratin de riz

Pour 4 personnes
Temps : 15 minutes
Cuisson : 25 + 50 minutes
Ingrédients : 160 g de riz complet, 80 g de cheedar râpé, menthe fraîche hachée, oignons émincés, 1 poivron rouge haché, 1 grosse carotte râpée, 2 courgettes râpées, 50 g de maïs, 3 œufs battus, 1 demi-yaourt nature allégé, 1 cuillère à café de paprika

Préchauffer le four à 180 °C. Badigeonner d'huile un plat à gratin. Mettre le riz et l'eau et porter à ébullition, couvrir et laisser frémir 25 minutes. Transvaser le riz dans un récipient et laisser refroidir 5 minutes. Ajouter le reste des ingrédients, sauf le paprika dans le riz. Mettre dans un plat, saupoudrer de paprika et faire cuire au four 50 minutes. Laisser refroidir 5 minutes avant de servir.

Pommes fourrées

Pour 4 personnes
Temps : 10 minutes
Cuisson : 30 minutes
Ingrédients : 2 pommes, 30 g de biscuits à la cuillère, 50 g de crème fraîche à 15 % de matière grasse, 10 g d'amandes en poudre

Préchauffer le four à 200 °C. Laver et couper les pommes en deux dans l'épaisseur, enlever le cœur et les trognons. Émietter les biscuits dans la crème fraîche. Ajouter les amandes. Disposer les pommes dans un plat allant au four, les farcir avec la préparation. Cuire 30 minutes.

Soir

Kcalories : 534
Protéines : 18
Lipides : 22
Glucides : 66

Tarte à la ratatouille
Salade verte
Faisselle
Salade de fruits frais

Tarte à la ratatouille

Pour 4 personnes
Temps : 15 minutes
Cuisson : 20 + 7 minutes
Ingrédients : 1 pâte brisée toute prête, 3 aubergines, 3 tomates, 4 courgettes, 1 poivron jaune, 1 poivron rouge, 4 gousses d'ail, 1,5 cuillère à soupe d'huile d'olive, 1 pincée de thym, 3 jaunes d'œufs, 300 ml de lait, sel, poivre

Couper les tomates en quartiers, les aubergines en cubes et les courgettes en lamelles. Peler et haché l'ail. Émincer les poivrons en lamelles. Dans une sauteuse, faire chauffer l'huile, ajouter les légumes émincés, l'ail et le thym. Saler et poivrer. Faire revenir quelques minutes. Couvrir et laisser cuire 20 minutes. Égoutter les légumes s'il reste du jus. Mélanger les jaunes d'œufs et le lait, saler, poivrer et ajouter les légumes. Préchauffer le four (thermostat 6). Étaler la pâte et garnir un plat beurré. Piquer la pâte et cuire à blanc 7 minutes. Verser la préparation et cuire 30 minutes.

Soir

Kcalories : 682
Protéines : 45
Lipides : 34
Glucides : 49

Terrine brocolis chou-fleur
Escalope de poulet panée
Crème caramel
Poire pochée aux épices

Terrine de brocoli et chou-fleur

Pour 4 personnes
Temps : 20 minutes
Cuisson : 1 h 30
Ingrédients : 100 g de chou-fleur, 120 g de bouquets de brocolis, 75 ml de crème fraîche allégée, 50 g de jambon de dinde, 1 demi-avocat, 3 œufs, 10 g de beurre, sel et poivre, 75 ml de yaourt, 1 cuillère à soupe de crème fraîche, 1 demi-cuillère à café de pignons de pin, 1 bouquet de marjolaine, basilic

Préchauffer le four à 180 °C. Réserver 3 bouquets de brocolis et envelopper le reste dans l'aluminium ainsi que les bouquets de chou-fleur. Les cuire séparément 5 minutes à partir de l'ébullition. Blanchir les 3 bouquets de brocoli dans l'eau bouillante salée. Fouetter la crème. Mixer le jambon avec le chou-fleur. Mixer les brocolis avec l'avocat. Ajouter 3 œufs et la moitié de crème fouettée à chaque préparation. Saler, poivrer. Beurrer la terrine. La garnir de la moitié de purée de brocoli, lisser. Recouvrir avec la moitié de la purée de chou-fleur. Enfoncer légèrement les 3 têtes de brocoli dans la purée de chou-fleur. Répartir le reste de chou-fleur et terminer par la purée de brocoli. Couvrir d'aluminium. Cuire au bain-marie 1 h 30. Laisser refroidir. Préparer la sauce aromatique : mixer tous les ingrédients. Saler et poivrer. Servir frais avec la terrine coupée en tranches.

Poires poêlées aux épices

Pour 4 personnes
Temps : 10 minutes
Cuisson : 8 minutes
Ingrédients : 4 belles poires, le jus d'un citron, 10 g de beurre, 20 g de sucre, cannelle, quatre épices, gingembre en poudre, 1 gousse de vanille, le jus de 2 oranges

Peler les poires et les couper en deux dans le sens de la hauteur. Ôter le cœur à l'aide d'un petit couteau pointu. Arroser les demi-poires de jus de citron. Faire fondre le beurre dans une poêle. Faire dorer les demi-poires dans le beurre avec le sucre. Lorsqu'elles commencent à caraméliser, ajouter les épices et la gousse de vanille. Laisser cuire 8 minutes. Déglacer le jus de cuisson des poires avec le jus d'orange. Disposer 2 demi-poires caramélisées dans chaque assiette. Les arroser de sauce. Servir aussitôt accompagné d'un petit-suisse.

Soir

Kcalories : 481
Protéines : 35
Lipides : 13
Glucides : 56

Mijoté de boulgour aux légumes
Poulet rôti
Petit-suisse
Râpé de pommes aux épices

Mijoté de boulgour aux légumes

Pour 4 personnes
Temps : 20 minutes
Cuisson : 20 minutes
Ingrédients : 2 poireaux, 3 carottes, 2 oignons, 2 tomates, 25 g de champignons de Paris, 1 cuillère à soupe d'huile d'arachide, 200 g de boulgour cru, 1 cuillère à café de sarriette, sel, poivre

Éplucher et laver les légumes. Les couper en tout petits morceaux. Plonger les tomates quelques secondes dans l'eau bouillante, les rafraîchir, les peler, les couper en quatre, les épépiner. Couper le bout terreux des pieds des champignons et les laver à l'eau rapidement, puis les couper en quatre. Dans un cocotte, verser l'huile, puis mettre tous les légumes coupés, les champignons, le boulgour et 1 verre d'eau. Saler et poivrer. Laisser cuire pendant 20 minutes. Servir chaud, saupoudré de sarriette.

Râpé de pommes aux épices

Pour 4 personnes
Temps : 15 minutes
Cuisson : 35 minutes
Ingrédients : 4 grosses pommes, 1 citron, 2 œufs, 50 ml de lait, 10 g de sucre, 1/2 cuillère à café d'épices thaï

Préchauffer le four à 180 °C. Laver et peler les pommes. Les râper à la râpe à gros trous. Presser le citron et arroser les pommes. Séparer les blancs des jaunes d'œufs. Dans un saladier, battre les jaunes avec le lait et le sucre. Ajouter les pommes râpées (en garder 2 cuillères à soupe pour la décoration). Saupoudrer avec la moitié des épices et mélanger. Battre les blancs en neige et les incorporer délicatement à la préparation. Graisser un moule et verser la préparation aux pommes, parsemer de pommes râpées et saupoudrer le reste d'épices. Enfourner et cuire 35 minutes. Déguster tiède.

Soir

Kcalories : 476
Protéines : 23
Lipides : 19
Glucides : 57

Gratin de chou-fleur
œufs brouillés aux fines herbes
Gâteau de Savoie et fruits rouges

Gratin de chou-fleur sauce picarde

Pour 4 personnes
Temps de préparation : 15 minutes
Cuisson : 20 + 40 +15 minutes
Ingrédients : 1 beau chou-fleur, 20 g de beurre allégé, 3 cuillères à soupe de chapelure, sel, poivre, 500 g d'oignons, 2 cuillères à soupe de vinaigre, 1 pincée de sucre, 30 g de farine, 500 ml de lait, 10 cl de crème fraîche allégée
Faire cuire le chou-fleur à l'eau bouillante salée pendant 20 minutes. Préparer la sauce soubise : éplucher les oignons, les émincer et les blanchir 3 minutes à l'eau bouillante. Les égoutter et les mettre dans une casserole avec le vinaigre et le sucre. Couvrir la casserole et laisser étuver doucement 30 à 40 minutes. Les oignons ne doivent pas se colorer. Pendant ce temps, préparer une béchamel épaisse. Faire fondre le beurre dans une casserole, ajouter la farine. Bien mélanger. Verser le lait sans cesser de remuer, saler et poivrer. Laisser sur le feu jusqu'à épaississement en continuant de mélanger. Ajouter la crème fraîche en fin de cuisson. Incorporer cette sauce béchamel à la compote d'oignons et faites cuire encore 15 minutes. Verser la sauce soubise sur les bouquets de chou-fleur. Parsemer de chapelure. Mettre à gratiner 10 minutes à four très chaud (thermostat 8). Servir avec 100 g de pâtes par personne.

Gâteau de Savoie

Pour 4 personnes
Temps : 10 minutes
Cuisson : 25 minutes
Ingrédients : 50 g de farine, 50 g de sucre, 2 œufs
Préchauffer le four à 180 °C (thermostat 6). Beurrer un moule à génoise. Sépa-

rer les blancs des jaunes d'œufs. Mélanger aux jaunes d'œufs le sucre en le versant doucement en pluie. Mélanger jusqu'à obtenir un ruban au bout de la cuillère. Ajouter ensuite la farine petit à petit en mélangeant au fur et à mesure. Battre les blancs en neige et les incorporer à la préparation. Verser le tout dans le moule et cuire environ 20 à 25 minutes pour un gâteau de 4 personnes (30 minutes si plus gros...). Démouler et servir avec la salade de fruits.

Soir

Kcalories : 644
Protéines : 21
Lipides : 36
Glucides : 59

Terrine de thon au fromage
Gnocchis et salade verte
Salade d'orange à la cannelle

Terrine de thon au fromage

Pour 4 personnes
Temps : 10 minutes
Cuisson : 30 minutes
Ingrédients : 150 g de thon au naturel en conserve, 2 œufs, 2 cuillères à soupe de crème fraîche allégée à 5 % de matière grasse, 50 g de mimolette râpée ou fromage râpé, 1 cuillère à soupe de concentré de tomate, 1 cuillère à café de thym émietté, quelques gouttes de Tabasco, sel, poivre

Égoutter le thon et le passer au mixeur. Le mettre dans un saladier, ajouter tous les ingrédients, saler. Mélanger longuement avec une cuillère en bois pour que la farce soit homogène. Verser dans une terrine ou un moule à cake huilé et placer au centre du four à 180 °C (thermostat 6). Au bout de 30 minutes environ, surveiller la cuisson en plantant la lame d'un couteau dans la terrine. Prolonger de quelques minutes la cuisson si la lame ne ressort pas propre. Laisser tiédir et démouler.

Gnocchis

Pour 4 personnes
Temps : 20 minutes
Cuisson : 6 + 20 minutes
Ingrédients : 50 g de beurre, 100 g de farine, 15 g de beurre, 20 g de fromage râpé, 15 g de farine, 3 œufs, 200 ml de lait, muscade, sel, poivre

Faire bouillir 2 verres d'eau dans une casserole. Ajouter le beurre et saler. Verser la farine d'un seul coup. Ôter du feu et tourner vivement jusqu'à ce que le mélange soit lisse. Remettre sur le feu en remuant jusqu'à ce que la pâte se détache des parois de la casserole (environ 3 minutes). Verser dans un saladier. Ajouter le fromage râpé puis, lorsque la préparation est tiède, 1 œuf. Quand la pâte redevient lisse, ajouter un à un les autres œufs. Faire bouillir de l'eau dans une grande casserole. La saler. Mettre la pâte dans une poche à douille et couper-la en morceaux de 2 cm environ. Jeter les gnocchis 3 minutes dans l'eau bouillante. Écumer et mettre dans un plat allant au four. Préchauffer le four 10 minutes. Préparer la sauce. Dans une casserole, faire fondre le beurre. Ajouter la farine. Mélanger. Ajouter le lait froid. Laisser épaissir la sauce en tournant. Saler, poivrer, ajouter la noix de muscade, 30 g de gruyère râpé. Napper les gnocchis avec la sauce et le reste du fromage râpé. Faire gratiner 20 minutes.

Soir

Kcalories : 550
Protéines : 33
Lipides : 18
Glucides : 64

Concombres au yaourt
Boulettes de viande et riz sauce citron
Yaourt nature
Brochettes de fruits

Boulettes de viande et riz sauce citron

Pour 4 personnes
Temps : 15 minutes
Cuisson : 40 minutes
Ingrédients : 500 g d'escalope de dinde hachée, 200 g de riz long, 1 gros oignon haché finement, 1 gousse d'ail écrasée, 3 cuillères à soupe de persil frais haché, 1 cuillère à soupe de menthe fraîche hachée, 1 jaune d'œuf, sel, poivre, farine pour saupoudrer, 1 cuillère à soupe d'huile d'olive, 1 œuf battu, le jus d'1 citron

Mélanger la viande hachée, le riz, l'oignon, l'ail et les aromates dans un saladier. Ajouter le jaune d'œuf, sel, poivre. Bien malaxer et former des boulettes de 5 cm de diamètre et les saupoudrer de farine. Verser l'huile d'olive dans un poêlon profond. Y ajouter les boulettes, les recouvrir d'eau bouillante. Couvrir et laisser mijoter 35 à 40 minutes. Pour faire la sauce citron, battre les œufs et le jus de citron de façon à obtenir un mélange mousseux. Mouiller avec 2 cuillères à soupe de bouillon en battant fortement. Remettre sur le feu et remuer sans cesse jusqu'à épaississement. La sauce ne doit surtout pas bouillir. Disposer les boulettes de viande dans un plat et parsemer de persil frais haché.

Soir

Kcalories : 622
Protéines : 31
Lipides : 22
Glucides : 75

Potage de légumes au basilic
Papillote de saumon
Cheesecake
Compote de pommes

Cheesecake

Pour 4 personnes
Temps : 15 minutes
Cuisson : 50 minutes
Ingrédients : 80 g de petits-beurre, 20 g de beurre, 10 g de sucre roux, 1 pincée de sel, 300 g de petits-suisses ou de fromage blanc très égoutté, 1 demi-cuillère à café de sel, 40 g de sucre en poudre, le zeste et le jus d'un citron, 4 œufs

Écraser les petits-beurre au rouleau à pâtisserie. Faire fondre le beurre. Mélanger les miettes, le beurre et le sucre roux. Tapisser le fond d'un moule à manqué (avec fond amovible en tassant bien le mélange). Mettre au réfrigérateur pendant la préparation du gâteau. Ajouter un par un les 4 œufs aux petits-suisses, verser le sucre en poudre et le citron. Bien mélanger au fouet ou au batteur. Étaler cette crème sur la pâte sortant du réfrigérateur. Faire cuire à four préchauffé (thermostat 5) pendant 50 minutes. Démouler tiède et servir.

10 Repas « je ne cuisine pas »

On n'a pas toujours le temps de cuisiner, mais on a l'obligation de préparer des repas équilibrés. En deux temps, trois mouvements, vous servirez des repas harmonieux, en faisant un effort sur la présentation.

Soir 1

Kcalories : 577
Protéines : 26
Lipides : 21
Glucides : 71

Potage de légumes du commerce
Spaghettis carbonara (avec allumettes de bacon, crème)
Yaourt nature
Orange

Soir 2

Kcalories : 630
Protéines : 36
Lipides : 24
Glucides : 53

Crudités variées sous vide
2 tranches de jambon de pays

357

1 portion de fromage
1 pot de compote sans sucre ajouté du commerce

Soir 3

Kcalories : 525
Protéines : 23
Lipides : 29
Glucides : 43

Bouillon de vermicelles
2 œufs durs et salade verte
1 petit pot de fromage blanc
Abricots au sirop

Soir 4

Kcalories : 463
Protéines : 15
Lipides : 19
Glucides : 58

1/4 pizza surgelée champignons/jambon/fromage
Salade de mâche sous vide
1 yaourt aux fruits
2 clémentines

Soir 5

Kcalories : 592
Protéines : 29
Lipides : 21
Glucides : 58

Saumon cuit au micro-ondes
Purée de légumes surgelée
Crème dessert
1 poire

Soir 6

Kcalories : 540
Protéines : 34
Lipides : 20
Glucides : 56

Potage de légumes du commerce
Poulet cuit
Macédoine mayonnaise
Riz au lait
1 clémentine

Soir 7

Kcalories : 562
Protéines : 25
Lipides : 18
Glucides : 54

Potage de poireaux
Salade de thon, riz, haricots rouges
flan à la vanille du commerce
1 pomme

Soir 8

Kcalories : 471
Protéines : 30
Lipides : 15
Glucides : 54

Potage à la tomate
Salade composée avec surimi, tomates, maïs et salade verte
Faisselle
Cocktail de fruits

Soir 9

Kcalories : 507
Protéines : 35
Lipides : 19
Glucides : 49

1/2 pamplemousse
Rôti de porc
Poêlée de légumes du commerce
Petit-suisse aux fruits
Cake industriel

Soir 10

Kcalories : 487
Protéines : 27
Lipides : 23
Glucides : 43

Crêpe salée (une grande crêpe au sarrasin garnie avec une tranche de jambon, 20 g de gruyère et un œuf)
Salade verte
Ananas au sirop

10 Repas vite faits

Vite fait bien fait, cuisiner ne prend pas toujours le temps dont on ne dispose pas. Voici quelques exemples de menus, pour le midi et le soir, afin d'équilibrer une journée souvent bien remplie.

Midi

Kcalories : 430
Protéines : 24
Lipides : 13
Glucides : 55

Brochettes au paprika + tomates au four
Tagliatelles
Yaourt nature
Kiwi

Brochette au paprika

Pour 2 personnes
Temps : 10 minutes
Ingrédients : 200 g d'escalopes de poulet, 1 poivron moyen, 8 petits oignons blanc, 8 petits champignons de Paris, sel, poivre, 1 yaourt à 0 % de matière grasse, 1 cuillerée à café de paprika, cerfeuil haché

Mettre le gril à préchauffer. Découper les escalopes et le poivron en très fines lanières, lavez les champignons. Enfiler alternativement viande et légumes sur les brochettes. Saler et poivrer. Faire cuire dans le four sur la position gril. Servir en arrosant avec le yaourt battu avec les épices.

Soir

Kcalories : 575
Protéines : 28
Lipides : 25
Glucides : 58

Thon à la tomate + haricots verts
Riz au lait
Pruneaux au sirop

Thon à la tomate

Pour 2 personnes
Temps : 10 minutes
Ingrédients : 1 gros poivron, 100 g de tomates pelées au jus, en conserve au naturel, 250 g de thon en conserve au naturel, 1 cuillerée à soupe d'huile d'olive, fines herbes en poudre, sel, poivre

Laver, épépiner et couper le poivron en fines lanières. Couper la tomate en dés. Faire revenir le poivron émincé dans une poêle à revêtement antiadhésif contenant une cuillerée à soupe d'huile d'olive. Ajouter les tomates. Assaisonner, saupoudrer de fines herbes. Répartir le thon émietté. Faire mijoter à feu doux pendant 3 à 4 minutes.

Midi

Kcalories : 608
Protéines : 34
Lipides : 24
Glucides : 64

Concombre sauce au yaourt
Foie grillé au romarin
Pommes de terre à l'eau
1 portion de fromage
Poire cuite

Foie grillé au romarin

Pour 2 personnes
Temps : 10 minutes
Ingrédients : 200 g de foie (2 tranches), 1 cuillerée à café d'huile d'olive, 1 branche de basilic, 1 demi-citron, sel, poivre

Mettre le gril à préchauffer. Mélanger le jus du demi-citron avec la cuillerée d'huile d'olive. Badigeonner largement les tranches de foie. Saupoudrer chaque face de basilic ciselée. Faire griller les tranches de foie 3 à 4 minutes de chaque côté. Saler et poivrer. Servir chaud avec le reste de basilic ciselé.

Soir

Kcalories : 459
Protéines : 19
Lipides : 19
Glucides : 53

Potage de légumes
Croque-monsieur
Salade verte
Salade de fruits

Midi

Kcalories : 623
Protéines : 33
Lipides : 31
Glucides : 53

Chou râpé en salade
Escalope de veau normande
Carottes vapeur
1 portion de fromage
Mangue fraîche

Escalope de veau normande

Pour 4 personnes
Temps : 10 minutes
Ingrédients : 1 citron, 150 g de champignons de Paris émincés, 10 g de margarine, 1 cuillère à café d'huile, 4 escalopes de veau, 100 ml de crème fraîche à
15 % de matière grasse, sel, poivre

Presser le citron. Faire revenir les champignons dans une sauteuse avec la
margarine et le jus de citron pendant 6 minutes. Saler et poivrer. Réserver. Cuire
les escalopes dans l'huile, saler et poivrer et réserver. Déglacer le fond de cuisson
avec la crème fraîche. Faire chauffer à feu vif et laisser réduire pendant 2 minutes
Ajouter les escalopes et les champignons puis prolonger la cuisson pendant
2 minutes.

Soir

Kcalories : 584
Protéines : 27
Lipides : 28
Glucides : 56

Quiche lorraine du commerce
Salade de mâche
Fromage blanc
Compote pomme poire

Midi

Kcalories : 554
Protéines : 29
Lipides : 22
Glucides : 55

Rosace de tomates au basilic
Cordon-bleu minute
Purée de céleri
Pomme cuite à la cannelle

Rosace de tomates au basilic

Pour 4 personnes

Ingrédients : 400 g de tomates fraîches, 120 g de mozzarella, 1 cuillère à soupe d'huile d'olive, 10 feuilles de basilic frais, sel, poivre

Peler les tomates, les épépiner et les couper en rondelles. Couper aussi la mozzarella en rondelles. Sur les assiettes, disposer les rondelles de tomates et de mozzarella en rosace, en les faisant chevaucher légèrement. Assaisonner de sel et de poivre et arroser d'huile d'olive. Parsemer le tout de feuilles de basilic ciselé. Servir.

Cordon-bleu minute

Pour 2 personnes

Temps : 10 minutes

Ingrédients : 200 g d'escalopes de veau, 20 g de bacon en tranches fines, 30 g de fromage à pâte ferme allégée, 1 cuillerée à soupe de jus de tomate, 1 demi-cuillerée à café d'huile, 1 cuillerée à café de farine, sel, poivre du moulin.

Aplatir soigneusement chacune des escalopes puis les fariner légèrement. Saler et poivrer. Faire cuire dans une poêle à revêtement antiadhésif légèrement huilée. Après cuisson d'une face retourner les escalopes et déposer sur chacune des faces cuites une tranche de bacon et une tranche fine de fromage allégé. Terminer la cuisson et servir chaud.

Soir

Kcalories : 529
Protéines : 19
Lipides : 29
Glucides : 48

Omelette chinoise
Salade d'endives
1 portion de fromage
1 orange

Omelette chinoise

Pour 2 personnes
Temps : 10 minutes
Calories : 245
Ingrédients : 100 g de germes de soja, 3 œufs, 80 g de jambon maigre haché, 1 oignon moyen, ciboulette hachée, 1 cuillerée à soupe de nuoc-mâm, 1 demi-cuillère à café d'huile, sel, poivre

Dans une poêle à revêtement antiadhésif huilée au pinceau, faire revenir l'oignon haché, le jambon haché et les germes de soja. Assaisonner. Ajouter la ciboulette hachée et la cuillerée de nuoc-mâm. Battre les œufs, les ajouter dans une poêle et laisser cuire à feu très doux pendant quelques minutes. Servir très chaud.

Midi

Kcalories : 591
Protéines : 20
Lipides : 23
Glucides : 66

Salade de lentilles
Mignon de veau à la normande
Timbales de céleri-fenouil surgelé
Yaourt nature
Orange

Mignon de veau à la normande

Pour 2 personnes
Temps : 10 minutes
Calories : 140
Ingrédients : 200 g de mignon de veau, 1 petite pomme Golden, 1/2 verre de cidre brut, 2 cuillerées à soupe de crème allégée, persil haché, sel, poivre du moulin

Peler, épépiner et couper la pomme en quartiers, la faire blanchir dans une casserole d'eau bouillante. Pendant ce temps, émincer le mignon de veau. Le faire sauter dans une poêle à revêtement antiadhésif Ajouter les pommes égouttées, mouiller avec le cidre. Ajouter la crème allégée. Vérifier l'assaisonnement. Servir chaud, saupoudré de persil haché.

Soir

Kcalories : 454
Protéines : 30
Lipides : 14
Glucides : 52

Potage de légumes
Taboulé du commerce
Crème dessert

Midi

Kcalories : 498
Protéines : 27
Lipides : 22
Glucides : 48

Hamburger maison
Ratatouille congelée
Salade de fruits

Hamburger

Pour 4 personnes
Ingrédients : 4 steaks hachés, 80 g de gruyère, cornichons
Faire cuire les steaks dans une poêle sans matières grasses. Disposer sur chaque tranche de pain un steak, une tranche fine de gruyère et des cornichons coupés dans la longueur. Mettre quelques minutes au four pour que le gruyère fonde.

Soir

Kcalories : 617
Protéines : 22
Lipides : 37
Glucides : 49

Pot-au-feu de la mer
Salade verte
Tarte aux pommes

Pot-au-feu de la mer

Pour 4 personnes

Temps : 10 minutes

Ingrédients : 4 noix de Saint-Jacques, 2 poireaux, poivre, 1 rouget barbet, 500 g de lotte, 1,5 litre de fumet de poisson, 4 brins de cerfeuil, 1 filet de lieu noir, 2 filets de merlan, 4 carottes

Nettoyer et éplucher les poireaux et les carottes puis les émincer en petits bâtonnets. Verser le fumet dans un faitout, porter à ébullition, ajouter les légumes et laisser cuire 6 minutes. Ajouter les poissons détaillés en 4 parts et les coquilles Saint-Jacques, puis laisser cuire 6 minutes. Ajouter le cerfeuil et donner un tour de moulin à poivre. Servir bien chaud.

Midi

Kcalories : 541
Protéines : 44
Lipides : 21
Glucides : 44

Salade de bacon et sauce au fromage blanc
Quenelles de poisson
Haricots verts
1 portion de fromage
Banane

Salade de bacon et sauce au fromage blanc

Pour 4 personnes

Ingrédients : 2 petites pommes de terre précuites, 4 tomates, 100 g de bacon, 8 cornichons, 1 œuf, 1 demi-salade verte, 100 g de fromage blanc à 20 % de matière grasse, 2 cuillères à café de mayonnaise, le jus d'un demi-citron, sel, poivre

Couper les pommes de terre en cubes. Laver et couper les tomates en dés. Couper le bacon en allumettes et les cornichons en lamelles. Mélanger les pommes de terre, les tomates, le bacon et les cornichons. Cuire l'œuf dur. Préparer la sauce en mélangeant ensemble le fromage blanc, la mayonnaise et le jus de citron. Saler et poivrer. Dans chaque assiette, disposer des feuilles de salade verte, le mélange de légumes et bacon et un quart d'œuf dur. Napper avec la sauce et servir frais.

Quenelles de poisson

Pour 4 personnes
Temps : 10 minutes
Ingrédients : 2 œufs, 1 oignon, 2 cuillères à soupe de chapelure, 1 cube de court-bouillon, sel, poivre, 600 g de filets de poisson, 3 gouttes d'extrait d'amande amère, 1 boîte de sauce tomate au basilic

Préparer un court-bouillon en utilisant un cube court-bouillon prêt à l'emploi. Hacher les filets de poisson et les mélanger avec le second oignon émincé très finement. Ajouter les œufs, la chapelure, l'essence d'amandes amères et 1 demi-cuillère à café de sel fin. Former des quenelles que vous déposez dans le court-bouillon frémissant et laisser cuire 10 à 15 minutes. Sortir les quenelles et les égoutter. Arroser de la sauce tomate au basilic.

Soir

Kcalories : 504
Protéines : 26
Lipides : 16
Glucides : 64

Tomates farcies (traiteur ou surgelé)
Riz
Yaourt nature
Compote pomme rhubarbe

Midi

Kcalories : 674
Protéines : 38
Lipides : 22
Glucides : 81

Lasagnes farcies au poulet et épinards
Crème dessert
1 petite poire

Lasagnes farcies au poulet

Pour 4 personnes

Cuisson : 30 minutes

Ingrédients : 4 échalotes, 1 cuillère à soupe d'huile d'olive, quelques branches de persil, 4 blancs de poulet, 12 feuilles de lasagnes, 400 ml de coulis de tomates, 80 g de gruyère râpé, sel, poivre

Préchauffer le four à 180 °C. Peler et émincer les échalotes et les faire revenir dans 1 cuillère à café d'huile pendant 3 minutes. Laver et effeuiller le persil. Hacher ensemble le poulet, l'échalote et le persil. Saler et poivrer le mélange. Cuire les feuilles de lasagnes puis les égoutter. Huiler un plat à lasagnes, déposer 4 feuilles dans le fond, couvrir avec la moitié du hachis, poser sur chaque tas une autre feuille de lasagne, couvrir de l'autre moitié de farce et recouvrir avec les dernières feuilles. Arroser de coulis de tomates, saler, poivrer. Parsemer de gruyère râpé. Enfourner et cuire pendant 30 minutes.

Soir

Kcalories : 484
Protéines : 24
Lipides : 24
Glucides : 43

Potage de légumes
Salade de pommes de terre, yaourt et basilic
œufs brouillés
1 portion de fromage
Ananas en papillote

Salade de pomme de terre au yaourt et basilic

Pour 4 personnes

Ingrédients : 500 g de pommes de terre nouvelles (petites), 2 cuillères à soupe de jus de citron, 200 g de yaourt nature allégé, 1 gousse d'ail écrasée, 1 tasse de basilic frais haché, 1 demi-tasse de persil frais haché, poivre, 1 cuillère à soupe de pignons grillés

Gratter si besoin les pommes de terre et les faire cuire à la vapeur. Les couper encore chaudes en quatre et les arroser de jus de citron. Mélanger le yaourt, l'ail, le basilic, le persil et le poivre. Incorporer aux pommes de terre encore chaudes et remuer. Laisser refroidir et mettre au frais. Ajouter les pignons avant de servir.

Ananas papillote

Pour 4 personnes
Temps : 20 minutes
Ingrédients : 1 gros ananas, 20 g de sucre, 1 gousse de vanille, 60 g d'amandes entières, glace à la vanille

Éplucher soigneusement l'ananas. Le détailler en gros morceaux. Réserver. Préchauffer le four à 180 °C. Dans une casserole, verser 150 ml d'eau et le sucre. Ajouter la gousse de vanille fendue en deux et les amandes. Éteindre le feu. Mettre les dés d'ananas dans le sirop. Couvrir et laisser tiédir. Égoutter les morceaux d'ananas, la vanille et les amandes. Disposer le tout sur une feuille de papier d'aluminium. Refermer la papillote, enfourner et cuire 10 à 12 minutes Servir accompagné d'une boule de glace à la vanille.

Midi

Kcalories : 520
Protéines : 35
Lipides : 20
Glucides : 50

Salade de tomates
Brochettes de dinde tandoori
Boulgour
Fromage blanc
Abricots au sirop

Brochettes de dinde tandoori

Pour 4 personnes
À préparer 2 heures avant
Ingrédients : 400 g de blancs de dinde, 2 citrons, 2 cuillères à soupe de pâte tandoori, 3 yaourts nature, 1 demi-bouquet de menthe, 1 concombre, sel, poivre

Couper les blancs de dinde en cubes de 2 cm de côté. Mélanger la pâte tandoori avec un yaourt et la moitié du jus de citron, poivrer. Mettre les morceaux de dinde à mariner dans cette préparation pendant 2 heures, en les retournant plusieurs fois. Laver et effeuiller la menthe. Laver et essuyer le concombre, le couper en 4 dans le sens de la longueur, retirer les graines du centre, puis le détailler en cubes de même taille que ceux de dinde. Embrocher les morceaux de dinde, des feuilles et les cubes de concombre en les alternant. Faire cuire les brochettes sur un gril ou dans le four sur position gril. Saler. Hacher les feuilles restantes, couper le reste de concombre en dés, mélanger aux 2 yaourts restants, ajouter le reste du jus de citron, poivrer. Servir les brochettes avec le yaourt au concombre et à la menthe.

Soir

Kcalories : 394
Protéines : 22
Lipides : 17
Glucides : 40

Bricks aux épinards et à la feta
Salade verte
1 part de camembert
Petits fromages blancs aux fruits

Bricks aux épinards et à la feta

Pour 4 personnes
Temps : 20 minutes
Ingrédients : 150 g de feta, 10 cl de crème fraîche allégée, 1 gousse d'ail, 200 g d'épinards en branches surgelés, 4 feuilles de brick, 1 cuillère à café de graines de sésame, sel, poivre

Mélanger la feta et la crème. Saler et poivrer. Dans une poêle faire revenir dans 1 cuillère à soupe d'huile les gousses d'ail et les épinards préalablement décongelés. Cuire pendant 10 minutes et assaisonner. Ôter les gousses d'ail et réserver. Garnir chaque feuille de brick d'épinards et du mélange de feta. Plier la feuille de brick en cigare. Dorer avec un œuf battu au pinceau et parsemer de graines de sésame. Cuire au four 15 minutes à 180 °C. Servir aussitôt.

Petits fromages blancs aux fruits

Pour 4 personnes
Temps : 15 minutes
Ingrédients : 4 demi-pêches au sirop, 1 citron jaune, 1 pomme, 1 poire, 1 sachet de sucre vanillé, poivre noir du moulin, 4 fromages blancs en faisselle, 125 g de framboises, feuilles de menthe

Égoutter les demi-pêches. Conserver le sirop. Presser le jus de citron. Peler la pomme et la poire. Retirer le cœur et les pépins. Les couper en tranches. Faire chauffer le sirop des pêches en ajoutant le sucre vanillé et le jus de citron. Donner 2 tours de moulin à poivre. Porter à ébullition. Ajouter les tranches de pomme et poire. Faire pocher 10 minutes. Laisser égoutter sur du papier absorbant. Égoutter les petits fromages blancs en faisselle. Les démouler sur chaque assiette à dessert. Dresser autour les tranches de fruits. Décorer de framboises et de menthe fraîche.

Midi

Kcalories : 542
Protéines : 27
Lipides : 23
Glucides : 58

Salade de pâtes
Soufflé au thon
Wok aux légumes thaïs surgelés
1 portion de fromage
Orange

Soufflé au Thon

Pour 4 personnes
Préparation : 15 minutes
Cuisson : 30 minutes
Ingrédients : 40 g de beurre, 3 œufs, 30 g de farine de blé, 25 cl de lait demi-écrémé, 100 g de thon au naturel, sel, poivre

Égoutter le thon. Hacher grossièrement la chair du poisson à la fourchette. Préchauffer votre four à 180 °C. Beurrer votre moule. Faire fondre le reste de beurre sur feu doux. Ajouter la farine et délayer sur le feu pendant quelques secondes jusqu'à l'obtention d'une consistance mousseuse. Ajouter le jus de thon et le lait. Mélanger jusqu'à ce que le mélange devienne épais comme une crème. Laisser cuire à feu doux pendant 5 minutes. Séparer les jaunes des blancs d'œufs et monter ces derniers en neige ferme. Hors du feu, incorporer la chair de poisson, les jaunes d'œufs et les blancs battus en neige ferme. Verser la préparation dans votre moule et enfourner pendant 25 minutes environ.

Soir

Kcalories : 555
Protéines : 19
Lipides : 27
Glucides : 59

Tarte aux herbes et aux asperges
Salade d'endives
Yaourt nature
Salade de fruits frais

Tarte aux herbes et aux asperges

Pour 4 personnes
Temps : 15 minutes
Cuisson : 35 minutes
Ingrédients : 1 pâte brisée tout prête, 500 g d'asperges vertes fraîches ou 300 g d'asperges vertes en bocaux, 4 œufs, 300 ml de lait, 60 g de parmesan, 2 cuillères à soupe d'estragon ciselé, 1 cuillère à soupe de persil plat ciselé, 1 cuillère à soupe de cerfeuil ciselé, muscade, sel, poivre

Faire cuire les asperges dans l'eau bouillante salée 5 minutes si elles sont fraîches.

Couper les pointes des asperges en laissant 3 cm de queue et les disposer sur du papier absorbant. Préchauffer le four à 210 °C. Mettre le reste des queues dans un mixeur avec le lait et mixer pour obtenir une pâte lisse. Verser la purée d'asperges dans un saladier et ajouter les œufs battus, les fines herbes, le sel, poivre, muscade et mélanger. Mettre la pâte dans le moule. Couper le parmesan avec un économe en copeaux et en tapisser le fond de pâte. Répartir dessus les pointes d'asperges puis le préparation aux herbes. Enfourner et cuire 35 minutes Servir chaud.

5 Menus de fête

Comme je vous l'ai souvent répété, la cuisine c'est du plaisir et beaucoup d'amour. Voici donc quelques menus pour les grandes occasions. Que la fête commence !

Rouleau d'avocat au saumon
Aiguillette de canard aux deux pommes
Plateau de fromage
Charlotte aux marrons

Kcalories : 948
Protéines : 56
Lipides : 44
Glucides : 82

Rouleau d'avocat au saumon

Pour 4 personnes

Ingrédients : 4 tranches de saumon fumé, 1/2 avocat, 100 g de fromage blanc, 1 cuillère à café de jus de citron vert, 60 g de crème fraîche à 15 % de matière grasse, 1 piment, sel, poivre

Mixer la chair d'avocat avec le fromage blanc, le jus de citron, la crème fraîche, le sel, le poivre et le piment. Obtenir un mélange lisse. Répartir cette préparation sur les 4 tranches de saumon et former un rouleau. Placer au réfrigérateur. Décorer avec des rondelles de citron, des tomates et quelques œufs de poisson.

Aiguillette de canard aux deux pommes

Pour 4 personnes

Ingrédients : 600 g d'aiguillettes de canard, 1 cuillère à soupe d'huile, 2 oignons émincés, 80 ml d'eau, 4 pommes, 400 g de petites pommes de terre à chair ferme, sel, poivre

Faire revenir les aiguillettes avec l'huile 5 minutes à feu vif dans une Cocotte-Minute. Les retourner et les faire dorer de chaque côté. Saler et poivrer. Ajouter les oignons émincés, attendre 2 minutes et verser 100 ml d'eau. Réduire le feu. Fermer la cocotte et laisser cuire environ 15 minutes à partir de la rotation de la soupape. Éplucher les pommes et les couper en quartiers. Laver les pommes de terre, les éplucher mais les laisser entières. Les placer dans la cocotte, fermer à nouveau et laisser cuire encore 5 minutes Dans un plat de service disposer les aiguillettes entourées des deux pommes et servir aussitôt.

Charlotte aux marrons

Pour 4 personnes

Ingrédients : 200 g de marrons sous vide, 200 ml de lait, 1 sachet de sucre vanillé, 2 œufs, 100 ml de rhum brun, 100 ml d'eau, 10 g de sucre, 26 biscuits à la cuillère

Faire cuire 20 minutes à feu très doux les marrons dans le lait avec le sucre vanillé. Réduire en purée et laisser refroidir. Séparer les blancs des jaunes d'œufs. Monter les blancs en neige bien ferme. Quand la purée est tiède, ajouter les jaunes d'œufs puis ajouter les blancs délicatement. Mélanger l'eau avec le rhum et le sucre dans une assiette creuse. Tremper les biscuits rapidement et tapisser le fond d'un moule à charlotte. Verser un tiers de la mousse aux marrons. Ajouter une couche de biscuits trempés, puis le reste de mousse. Finir par une couche de biscuits. Poser une assiette dessus avec un poids pour appuyer et placer 12 heures au réfrigérateur. Au moment de servir, tremper le moule dans l'eau chaude et démouler sur une assiette.

Foie gras sur toast et salade de mâche
Papillote de Saint-Jacques à l'orange
Tagliatelles
Faisselle au coulis de fruits rouges
Vacherin glacé

Kcalories : 1009
Protéines : 48
Lipides : 45
Glucides : 103

Papillote de Saint-Jacques à l'orange

Pour 4 personnes
Ingrédients : 32 coquilles Saint-Jacques, 3 oranges, 6 cuillères à soupe de crème fraîche à 15 % de matière grasse, 1 cuillère à soupe de moutarde, ciboulette, sel, poivre

Préchauffer le four à 220 °C. Découper 4 feuilles de papier sulfurisé. Sur chacune d'elle déposer 4 noix de Saint-Jacques. Laver les oranges. Détailler la peau d'orange en zestes fins. Ôter les peaux et membranes pour avoir les fruits à vif. Répartir zestes et pulpe dans les papillotes. Mélanger la crème fraîche et la moutarde. Saler, poivrer et verser sur les 4 papillotes. Fermer ces dernières et mettre sur une plaque du four pendant 7 minutes. Au moment de servir, ouvrir les papillotes et décorer avec la ciboulette ciselée.

Vacherin glacé

Pour 4 personnes
Ingrédients : 2 œufs, 40 g de sucre, 1 cuillère à soupe de sucre vanille, 100 g de crème fraîche à 15 % de matière grasse, 30 g de meringue

Séparer le blanc des jaunes. Fouetter les jaunes avec le sucre. Ajouter la vanille et la crème fraîche. Battre les blancs en neige ferme. Mélanger délicatement les

377

deux préparations ensemble. Concasser les meringues. Dans un moule à charlotte, alterner une couche de crème et une couche de meringue. Finir par une couche de crème. Placer 6 heures au réfrigérateur.

Terrine de sole et saumon sauce verte
Rôti de veau roulé au jambon de parme
Pommes de terre au four
Plateau de fromage
Bûche pâtissière

Kcalories : 792
Protéines : 59
Lipides : 36
Glucides : 58

Terrine de sole et saumon sauce verte

Pour 4 personnes

Ingrédients : 200 g de filets de sole, 150 g de saumon frais, 1 blanc d'œuf, 80 ml de crème fraîche, 4 baies roses, sel, poivre, oignon, 1/3 poireau, 1 cuillère à café d'huile d'olive, 30 ml de lait, quelques feuilles de mâche

Préchauffer le four à 210 °C. Recouvrir une terrine en Pyrex de feuilles d'aluminium en les faisant chevaucher au fond et sur les côtés. Disposer les filets de soles par-dessus. Découper 6 bandes de saumon ; séparer le blanc du jaune d'œuf. Battre le blanc en neige ferme. Mixer le saumon restant. Incorporer délicatement les blancs, puis la crème fraîche de façon à obtenir un mélange crémeux. Écraser les baies roses et les ajouter. Saler et poivrer. Sur les soles, remplir la terrine en alternant la mousse et les bandes de saumon. Couvrir avec une feuille d'aluminium et cuire 45 minutes au four.

Préparer la sauce : émincer très finement l'oignon et le poireau. Les faire revenir dans l'huile 5 minutes. Prélever 1 cuillère à soupe de lait, ajouter le reste au poireaux ainsi que 50 ml d'eau. Délayer la Maïzena dans la cuillère à soupe de lait et verser dans la sauce. Saler, poivrer et cuire 25 minutes à feu doux. Équeuter les feuilles de mâche. Les mixer et hors du feu, les ajouter à la sauce. Servir la terrine tiède avec la sauce verte.

Bûche pâtissière

Pour 4 personnes

Ingrédients : 2 œufs, 50 g de farine, 50 g de sucre, 10 g de beurre, 250 ml lait, 2 jaunes d'œufs, 35 g de farine, 35 g de sucre

Chauffer le four et beurrer le couvercle servant de moule. Mélanger les jaunes

378

d'œufs et le sucre, travailler jusqu'à ce que la pâte fasse le ruban. Ajouter la farine puis les blancs d'œufs battus en neige. Terminer en mélangeant le beurre fondu. Verser la pâte dans le couvercle servant de plaque et cuire à four chaud (thermostat 5/6), 7 à 8 minutes. Pendant la cuisson, préparer un papier sulfurisé, le beurrer et saupoudrer de sucre. Lorsque le gâteau est cuit, le démouler sur le papier très rapidement, le garnir de crème pâtissière, le rouler. Crème pâtissière : mélanger les jaunes d'œufs et le sucre. Ajouter la farine puis mouiller avec le lait chaud parfumé à la vanille. Remettre sur le feu et faire épaissir.

Huîtres sur lit de gros sel
Poulet aux morilles
Pommes noisettes
Faisselle
Bûche glacée

Kcalories : 832
Protéines : 52
Lipides : 40
Glucides : 66

Poulet aux morilles

Pour 4 personnes

Ingrédients : 4 échalotes, 1 poulet fermier, 1 bouquet garni, 1 poignée de morilles séchées, 100 ml de vin blanc du jura, 10 g de beurre, 1 jaune d'œuf, 4 cuillères à soupe de crème fraîche épaisse, sel, poivre

Peler les échalotes, les couper en deux. Mettre le poulet dans une cocotte avec le bouquet garni et les échalotes. Saler, poivrer et couvrir d'eau. Faire cuire à feu moyen pendant une heure. Mettre les morilles à tremper dans le vin blanc pendant 30 minutes, les égoutter et réserver le vin blanc. Dans une poêle, faire revenir les morilles dans le beurre pendant 15 minutes. Les réserver. Sortir le poulet de la cocotte, faire réduire le bouillon de cuisson des morilles à feu vif. Découper le poulet en morceaux, les réserver au chaud. Dans une casserole, battre le jaune d'œuf dans le bouillon réduit et faire épaissir à feu doux. Ajouter le vin blanc et la crème, porter à ébullition et laisser épaissir sans cesser de remuer. Ajouter les morilles, saler et poivrer. Remettre les morceaux de poulet dans la cocotte, verser la sauce par dessus. Mélanger et faire chauffer 5 minutes à feu doux.

Terrine de foie de volaille
Tagliatelles aux fruits de mer
Plateau de fromage
Brochette de fruits au coulis de chocolat

Kcalories : 893
Protéines : 53
Lipides : 37
Glucides : 87

Terrine de foie de volaille

Pour 4 personnes

Ingrédients : 300 g de foies de volaille, 1 cuillère à soupe d'huile olive, 1 bouquet d'estragon, 150 ml de crème fraîche à 15 % de matière grasse, sel, poivre

Cuire les foies de volailles à feu vif dans une poêle avec l'huile d'olive. Saler et poivrer. Effeuiller l'estragon, le mettre dans un mixeur avec les foies et la crème fraîche. Mixer en purée. Verser le mélange dans une terrine et mettre au frais pendant 24 heures.

Tagliatelles aux fruits de mer

Pour 4 personnes

Ingrédients : 500 g de queue de lotte, 750 g de langoustines, 45 g de lardons fumés, 100 ml de crème fraîche à 15 % de matière grasse, 250 g de tagliatelles fraîches, 8 brins de ciboulette, sel, poivre

Couper la lotte en morceaux. Saler et poivrer. Faire cuire pendant 15 minutes dans le panier d'un cuit-vapeur ou d'un couscoussier. Pendant ce temps, faire cuire les langoustines à l'eau bouillante fortement salée en comptant 2 minutes si elles sont petites, 4 minutes si elles sont grosses. Les égoutter, les laisser tiédir puis les décortiquer. Dans une poêle, faire revenir les lardons à sec pendant 5 minutes. Dès qu'ils commencent à rissoler, ajouter les morceaux de lotte et les langoustines. Verser la crème fraîche. Saler, poivrer et réserver au chaud. Faire cuire les tagliatelles « al dente » dans un grand volume d'eau salée. Les égoutter et les mélanger aussitôt à la préparation précédente. Laver et ciseler la ciboulette, en parsemer la préparation, servir. Et bon appétit !

Quatrième partie

LES RICHESSES SECRÈTES DES ALIMENTS

Enfant, j'ai longtemps rêvé de boire la fameuse potion d'Astérix pour être le plus fort à la cour de récréation et imposer ma loi à tous mes camarades. Hélas, contrairement à Obélix, je n'étais pas tombé dedans lorsque j'étais petit et c'est plutôt de la soupe que mes parents essayaient vainement de me faire avaler, en me prétextant qu'elle faisait grandir.

Adolescent, dans les périodes d'examens, j'aurais tout donné pour disposer d'une substance magique qui m'aurait permis d'augmenter ma mémoire, de réviser et de mémoriser plus facilement. Cependant, après avoir essayé de nombreuses substances, sur les conseils de mes parents ou de notre pharmacien, il m'a fallu tout de même travailler.

Depuis la nuit des temps, combien de recettes magiques, de liqueurs de jouvence, d'élixirs thérapeutiques... sont vendus chaque jour pour améliorer la santé ou les performances d'un individu ? Ainsi, dans les recommandations du *Codux Guta-Sintram*, un texte médiéval qui réglait le quotidien des moines du XIIᵉ siècle, on peut déjà lire : « En mai, soigne-toi à l'aide de sangsues, prends une potion pour te purger, mange des aliments froids, des légumes froids et amers. Bois de l'absinthe, de l'agrémoine, de la mille-feuille et tu seras en bonne santé. »

Aujourd'hui, nous achetons des pilules, censées renfermer les ressources secrètes des aliments, pour rajeunir, avoir une peau de plus belle qualité, éviter de tomber malade, avoir du tonus...

Pourtant, je suis toujours aussi surpris de voir qu'il existe tant d'acheteurs pour ce type de produits, alors que les nutriments contenus à l'intérieur sont, la plupart du temps, naturellement présents dans les aliments et à des doses parfois supérieures à celles proposées dans les pilules.

On ne souligne jamais assez qu'il existe des risques importants de surdosage et que le fait de consommer ces produits, ajoutés à la consommation alimentaire, peut entraîner des désordres assez graves, inapparents au début mais pouvant déclencher de vraies maladies.

S'il est certain que nous connaissons à présent les rôles d'un certain nombre de nutriments, il est beaucoup moins sûr que nous en maîtrisions les mécanismes de surdosages ainsi que leurs associations aléatoires. Ainsi, dans certaines pilules, on trouve même des produits antagonistes.

Récemment, l'étude Suvimax a notamment montré que lorsque l'on donnait pendant huit ans, sous forme d'aliments, 6 mg de béta-carotène, soit 1 mg de vitamine A, 120 mg de vitamine C, 30 mg de vitamine E, 100 µg de sélénium, 20 µg de zinc, on pouvait constater, chez les hommes, une diminution de 31 % des cancers et de 37 % de la mortalité. Curieusement, le nombre de cancers évités était plus important chez les hommes que chez les femmes, ceci traduisant la réelle différence de qualité alimentaire entre les deux sexes, les femmes consommant de façon spontanée plus de fruits et de légumes pour des raisons liées notamment à la menace du surpoids. Pour être plus précis, l'ensemble de la littérature internationale sur le sujet, tout comme cette étude réalisée en France, ont montré qu'une consommation quotidienne de fruits et légumes d'au moins 400 g par jour réduisait de 7 à 31 % les risques de cancer.

Cette étude illustre parfaitement le nouveau champ d'exploration scientifique qui vient de s'ouvrir par l'étude des aliments, des combinaisons que l'on pouvait en faire pour obtenir des effets bénéfiques sur notre santé. Bien entendu, les extrapolations sont très nombreuses. Ainsi, entre les combinaisons positives qui pourraient nous permettre d'améliorer notre durée et nos conditions de vie et les combinaisons nocives qui seraient porteuses de certaines maladies, la recherche est très large et débouchera probablement, dans plusieurs années, sur des propositions extrêmement intéressantes.

Un soir, avec Myriam, nous avions décidé de chercher s'il existait des aliments particulièrement plus intéressants que les autres. Comme point de départ, le tableau décrivant la composition nutritionnelle de chaque aliment contenait environ 450 produits et une douzaine de renseignements pour chacun. Un océan de chiffres. Pourtant, loin de me décourager, j'ai d'abord entrepris de faire des moyennes par type de produit, puis de les confronter aux besoins journaliers, enfin d'essayer de les comparer les uns aux autres. Au final, j'ai obtenu un mur de chiffres qui, outre le fait de la difficulté de les vérifier, ne présentait aucun intérêt, car il était impossible de savoir si un aliment était supérieur à un autre.

Myriam, plus pratique que moi, comme à l'accoutumée, décida simplement de dresser un hit-parade des 50 meilleurs produits, ce qui semblait à la fois plus simple et plus rapide, puis de compter le nombre d'apparitions de chaque produit pour voir s'il en existait certains qui dominaient d'autres. Avec cette méthode, à notre grande surprise, il était possible de dresser une liste d'aliments aux valeurs nutritionnelles plus performantes que les autres. Ainsi, en ce qui concerne le hit-parade des « polyvitamines », nous avons retrouvé cinq fois le germe de blé, les huîtres, le jaune d'œuf, le foie de veau et... le pâté de foie. Sont nominés quatre fois l'abricot sec, le beaufort, le comté, l'emmenthal, le fenouil, le gouda, le foie de bœuf, le foie de volaille, les lentilles, les moules cuites, le maroilles, les noix, les noix de cajou, l'oseille, le parmesan, le persil, le pissenlit, les pistaches, le pont-l'évêque, le rouy, ainsi que le fromage des Pyrénées.

Comme ce petit jeu est passionnant, nous aurions pu continuer avec les minéraux et les oligoéléments, sauf que nous aurions versé dans ce que j'appelle « l'effet gourou », en fabriquant artificiellement des cocktails magiques à partir des aliments.

Néanmoins, lorsqu'on a le courage de lire les tableaux qui suivent, on peut constater l'inutilité de prendre certains comprimés enrichis en telle ou telle vitamine ou en tel ou tel oligoélément, alors qu'on peut tout simplement cuisiner chez soi des aliments qui contiennent ce type de produits. Comment ne pas s'empêcher de recommander à ceux qui veulent consommer du magnésium d'augmenter leur consommation en boulgour, en gingembre, en escargot ou... en chocolat !

Grâce à ces tableaux, vous arriverez à composer votre cocktail personnel de vitamines qui, apporté par les aliments, aura plus de chances d'être performant que tous les cachets que vous allez avaler. Alors, bonne lecture et à vous de devenir un apprenti-sorcier en même temps qu'un cuisinier du futur ! Vous trouverez les valeurs journalières recommandées dans le tableau des besoins nutritionnels de chaque âge.

Les protéines

Sans protéines, il n'y a pas de vie ! En effet, elles constituent l'élément architectural du corps humain. Leur caractéristique principale est de contenir de l'azote tandis que leur problème est parfois leur carence en acides aminés essentiels.

Il existe aussi des acides aminés dit non-essentiels. Les acides aminés essentiels sont nécessairement apportés par l'extérieur, c'est-à-dire par les aliments, car le corps ne sait pas les fabriquer. C'est à ce titre qu'ils sont indispensables à la vie. Les acides aminés dit non-essentiels sont, quant à eux, susceptibles d'être fabriqués par le corps, soit à partir des autres nutriments, soit à partir des acides aminés essentiels, ce qui en limite l'intérêt.

Le danger des systèmes de nourriture qui excluent les viandes ou les produits laitiers est d'exclure les protéines. Les régimes qui conservent les laitages, les fromages et les œufs ne sont pas carencés car les protéines que l'on peut consommer à partir de ces aliments contiennent suffisamment d'acides aminés essentiels pour couvrir les besoins du corps. Ce n'est pas le cas des régimes dits végétaliens, macrobiotiques... ou excentriques qui excluent toutes les protéines. Ici, le corps se retrouve en manque grave d'acides aminés essentiels. Pour assumer ses besoins, il sera obligé de les trouver soit à l'intérieur des végétaux, soit à l'intérieur du muscle en devenant « cannibale » ! C'est ce qui se passe d'ailleurs dans les grandes dénutritions. Il est exact que l'on peut vivre sans consommer de « protéines » autres que celles contenues dans les végétaux, mais la durée de vie est inférieure et la qualité de vie est beaucoup moins bonne car cela expose à de nombreuses infections, à la non-production de certaines hormones, à des déficits en anticorps, à des stérilités... toutes situations qui sont infiniment graves pour l'organisme.

Le tableau présente les apports en protéines de l'ensemble des classes d'aliments. On appelle protéines d'origine animale celles qui sont contenues dans les chairs animales : viandes, poissons, crustacés mais aussi les autres tissus animaux comme le lait, les fromages, les yaourts, les œufs... Bien entendu, par extension, on en trouve dans tous les produits qui contiennent les éléments que je viens d'énumérer. Ainsi, la charcuterie qui est fabriquée à partir de viande de porc ou de volaille en contient tout autant. C'est la mention que vous voyez dans les supermarchés au niveau protéines. Cependant, rien ne permet de distinguer les quantités d'acides gras aminés essentiels ou d'acides aminés non-essentiels. Cependant, on sait que dans les consommations alimentaires courantes, s'il existe une quantité suffisante de protéines absorbées, il n'y a pas de carence en acides aminés essentiels, sauf en cas d'exclusion des protéines d'origine animale.

J'en profite ici pour tordre le coup à deux légendes. Le lait de soja ne doit absolument pas figurer dans la catégorie des laitages, car, bien entendu, ce produit n'a rien de mammifère. De plus, il ne s'agit pas de lait, mais de jus. C'est une déformation du vocabulaire qui conduit à cette confusion qui d'ailleurs portera probablement préjudice à tous ceux qui se contentent de consommer du lait de soja en croyant avoir affaire à du lait. De la même manière, la récente rumeur visant à exclure le lait de l'alimentation des femmes est plus qu'une stupidité, mais quasiment un crime, en raison des méfaits que cela pourrait provoquer.

Au final, il n'y a pas d'impératif à faire une quête effrénée aux protéines. À l'heure actuelle, on peut même dire que la consommation de protéines est trop importante par rapport à ce qu'elle devrait être. Car, la plupart du temps, elles sont contenues dans des produits qui ont pour particularité d'amener des acides gras saturés, dont nous verrons plus loin pourquoi ils peuvent poser un problème.

Les glucides

Il existe deux catégories de glucides alimentaires : les glucides simples, comme le saccharose, le fructose et le glucose, qui sont responsables du goût sucré des aliments, et les glucides complexes, dans lesquels on inclut l'amidon et les fibres, c'est-à-dire la partie des aliments qui n'est pas digérée par le tube digestif.

Le corps humain vit essentiellement à partir du glucose, et notamment le cerveau qui en consomme un minimum 60 g par jour. Ainsi, lorsqu'on ne le lui donne pas, il l'obtient en dégradant progressivement les glucides complexes. Contrairement à ce que l'on peut raconter, il n'existe pas aujourd'hui de proportion particulière à conseiller entre les glucides complexes et les glucides simples. De la même façon, ce n'est pas la consommation de glucides qui entraîne le diabète, à l'inverse d'une croyance fortement ancrée. En revanche, un excès de consommation nuit clairement à l'appareil dentaire.

Nos réserves en glucides sont relativement faibles, de l'ordre de quelques centaines de grammes. On les trouve essentiellement dans le muscle et dans le foie. Voilà pourquoi, dans le cadre d'une bonne alimentation, nous avons besoin d'un apport régulier à chaque repas. C'est aussi la raison pour laquelle, chez les sportifs, c'est une préoccupation importante. Car, comme les réserves sont faibles, en cas d'efforts très prolongé et très intense, ils se retrouvent rapidement en hypoglycémie, ce qui nuit à leur endurance et à leur compétitivité. Cependant, le manque de glucose peut être pallié par le corps en dégradant d'autres produits comme les graisses ou les protéines. Mais ce mécanisme demande un peu plus de temps que le besoin immédiat. C'est sur ce facteur que fonctionnent les régimes sans sucre, qui en assurent la production à partir de la graisse de réserve, tout en provoquant un amaigrissement.

La tendance actuelle consiste à diminuer la consommation des produits contenant des sucres simples. En effet, comme le sucre est un élément goûteux, on a envie d'en manger régulièrement et une surconsommation entraîne un désir de surconsommation. Par ailleurs, de nombreux produits gras contiennent aujourd'hui des sucres ajoutés. Dès lors, la surconsommation de sucres simples peut s'additionner à ces sucres cachés et suffit à déséquilibrer nos rapports alimentaires.

En pratique, on préfère les sucres lents qui assurent une production d'énergie intéressante, en délivrant du glucose au corps de façon progressive, et entretiennent un effet d'harmonie qui semble plus intéressant.

Lorsque vous lirez sur certaines étiquettes la composition en glucides, vous découvrirez parfois la mention : glucides assimilables ou glucides non-assimilables. Les glucides non-assimilables doivent être indiqués car les fibres en contiennent. Cependant, comme elles ne sont pas digérées, elles ne sont pas comprises dans le bilan calorique. Il n'y a pas donc d'erreur de calcul sur les étiquettes, mais les glucides complexes de ces fibres n'ont aucune valeur.

Les lipides

Communément appelés graisses, leur particularité réside dans le fait que leur densité est inférieure à celle de l'eau. Comme pour les glucides, il existe deux catégories de lipides : les lipides complexes et les lipides simples. En fait, ces derniers sont des acides gras. Aujourd'hui, nous nous intéressons essentiellement à la répartition en trois catégories : les acides gras saturés, les acides gras mono-insaturés et les acides gras poly-insaturés. On retiendra simplement que les acides gras saturés sont des graisses de type animal que l'on trouve donc dans les chairs d'animaux ou dans les substances qui en sont issues. Les acides gras mono-instaurés ou poly-insaturés sont typiques des graisses végétales ou des graisses d'animaux marins.

À l'heure actuelle, deux notions ont pris le dessus. On sait que les acides gras saturés ont pour particularité de « s'empiler les uns sur les autres » et de boucher les artères, ce qui conduit aux maladies cardio-vasculaires. Il faut donc essayer de limiter leur consommation.

Corrélativement à cette notion, on sait également que certains acides gras poly-insaturés essentiels ont des fonctions extrêmement importantes dans le corps. Il s'agit de la famille des oméga 6 et des fameux oméga 3, dont on parle beaucoup ces derniers temps, bien qu'ils soient connus depuis un moment. Ainsi, on essaiera d'en proposer les meilleures quantités.

En France, nous consommons aujourd'hui environ 45 % d'acides gras saturés (les mauvais) alors que nous ne devrions en absorber qu'environ 25 %. Ce pourcentage explique les efforts qui sont faits pour tenter de réduire la consommation des ces acides gras saturés. Cette augmentation a eu lieu corrélativement à l'augmentation de la consommation de protéines et particulièrement animales comme la viande. Mais aussi, de fromage, comme nous le voyons dans l'évolution de la consommation depuis 40 ans.

Les lipides sont l'élément de référence pour les apports énergétiques en raison de leur valeur de 9 calories par gramme. Dès lors, dans l'alimentation, il est raisonnable d'en consommer dans une proportion de 30 à 35 %. Mais, surtout, on considère désormais que, entre les omégas 3 et les omégas 6, il est idéal de consommer un rapport de 1 pour 5. En fait, pour une fois, nous avons de la chance car les acides gras essentiels sont « les bons acides gras », c'est-à-dire les acides gras poly-insaturés.

Nous pourrions exclusivement nous contenter de consommer des acides gras poly-insaturés, mais il faudrait une quantité trop importante de végétaux pour assurer nos besoins. Dès lors, il est tolérable de consommer d'autres acides gras.

Pour l'anecdote, vous retiendrez que les acides gras saturés ont pour particularité de se figer au froid, c'est ce que vous observez dans la consistance de la margarine ou du beurre, alors que les acides gras poly-insaturés sont beaucoup plus fluides et arrivent difficilement à être figés.

Les vitamines

Les vitamines sont de substances essentielles à la vie, que le corps humain ne sait pas synthétiser, et dont la privation peut conduire à des symptômes de carence. Autrefois, les hommes se nourrissaient exclusivement avec des céréales, leur consommation en viande, légumes et fruits étant plutôt modérée. À cette époque, de simples variations de quantité pouvaient entraîner de graves carences en vitamines, leurs signes ou manifestations présentant des caractères parfois étonnant, comme le scorbut ou le rachitisme.

De nos jours, l'augmentation de la consommation alimentaire, notamment dans les pays occidentalisés, a permis de considérablement réduire ce risque. Cependant, l'extrême consommation de graisses et de sucre, substances quasi-vides de vitamines, en a diminué la consommation, rendant la prescription des vitamines un peu moins absurde aujourd'hui qu'elle ne l'était il y a encore quelques années.

Pour autant, pour plus de 95 % de la population, ce risque n'existe pas, car la variété et l'abondance alimentaire nous mettent largement à l'abri d'éventuels déficits. Il n'empêche que les fantasmes ont la vie dure et que tout syndrome de fatigue ou de sensation inexpliquée par une organisation psychique personnelle entraîne, la plupart du temps, la prise de vitamines.

Il faut dire que l'excès n'a jamais été stigmatisé jusqu'à présent et que l'on s'est bien gardé d'expliquer, les marchands de vitamines les premiers, qu'une surconsommation représentait un potentiel de risques non négligeable. Vous disposerez, dans le tableau des apports recommandés, des valeurs qui sont utiles au bon fonctionnement de notre organisme. Il est possible de les comparer à sa propre consommation alimentaire et évaluer de cette façon si on risque ou non une carence. De plus, vous disposerez du contenu en vitamine A, B9 (ou acide folique), C, D et E. En effet, en 2005, ce sont les vitamines pour lesquelles on pourrait se préoccuper d'un éventuel déficit.

Ces dernières années, nous n'avons pas suffisamment mis en évidence qu'au lieu de consommer des compléments alimentaires, il était tout à fait possible de corriger certains déficits par l'absorption régulière de certains produits riches en ces vitamines.

La vitamine A

On appelle vitamine A tous les composés qui peuvent se comparer biologiquement à une substance appelé le rétinol. Cette précision est importante car on considérera comme vitamine A, tout apport provenant soit du rétinol, soit de certains pigments dont le plus connu est le béta-carotène. Ainsi, on trouve cette vitamine dans des aliments aussi variés que le foie ou la carotte qui n'ont apparemment rien de comparable.

L'utilité : développement de l'embryon, croissance des cellules, développement des tissus, efficacité du système immunitaire, antioxydant (permet de limiter la nocivité de ce que l'on appelle les radicaux libres).

Signes de carence : le premier signe est la diminution de la vision en lumière crépusculaire, puis l'apparition de signes cutanés et sur les muqueuses. Sécheresse de la peau, petites éruptions cutanées, calculs urinaires. D'autres signes plus tardifs ne sont pas spécifiques, comme les retards de croissance ou de développement.

La vitamine A est indispensable à tous les âges de la vie. Son rôle primordial dans les mécanismes de la vision sont mis en évidence clairement. Elle participe donc à de nombreuses fonctions de l'organisme.

La vitamine B9 ou acide folique

L'acide folique ou vitamine B9 est très utile pour le métabolisme et l'activité des protéines et, par voie de conséquence, celui du matériel génétique (ADN et ARN). Ainsi, on s'en inquiète particulièrement au moment de la grossesse. Il joue également un rôle au niveau des cellules du cerveau et de celles des nerfs.

Signes de carence : une anémie, des troubles digestifs ou neurologiques, des problèmes de muqueuses (irritation des gencives, fragilité...).

Dans notre pays, le manque de cette vitamine est relativement rare, il touche essentiellement les femmes enceintes. On le trouve particulièrement dans les maladies du tube digestif.

La vitamine C

La vitamine C intervient dans la défense contre les infections virales ou bactériennes. Elle protège les parois de nos artères et de nos veines, permet d'assimiler le fer et présente également une action antioxydante. De la même façon, elle permet de détoxiquer des substances cancérigènes et facilite la cicatrisation.

Concernant sa carence, la maladie la plus connue est le scorbut. De plus, les besoins en vitamine C sont élevés dans certaines situations comme les fractures, les infections, les traitements anticancéreux. Cependant, ce qu'on oublie de dire régulièrement, c'est qu'en cas de consommation excessive d'alcool, de tabac ou en cas d'activité intense, il faut en augmenter sa consommation.

Attention toutefois aux excès d'absorption de vitamine C qui peuvent provoquer des brûlures gastriques ou une diarrhée. De même, ils peuvent être responsable de calculs urinaires et, en cas d'apports trop importants chez la femme enceinte, cela peut conduire à des demandes supérieures de la part du nourrisson. En revanche, chez le fumeur, il faut augmenter les rations de 20 %.

Les signes de carence : fatigabilité plus importante, augmentation de la fréquence des infections, mauvaise qualité de la circulation sanguine, diminution de la cicatrisation ou du temps de cicatrisation, anémie à un stade plus avancé ou très évolué, hémorragie récidivante.

Comme le plupart des vitamines, elle est très fragile à l'eau, à la chaleur, à l'air et à la lumière. Ainsi, la teneur en vitamines C d'un aliment peut parfois être perdue en 24 heures. Dès lors, il est intéressant de manger des légumes crus ou de fruits crus, qu'ils soient frais, surgelés ou en conserve.

La vitamine D

La vitamine D provient de deux origines. Elle est apportée par les aliments, tout en étant fabriquée par l'organisme, au niveau de la peau, sous l'influence des rayons du soleil. Ainsi, pour les personnes qui connaissent un faible ensoleillement, la vitamine D est un nutriment absolument indispensable. Son rôle est essentiellement d'augmenter les capacités d'absorption du calcium et du phosphore par l'intestin. Par voie de conséquence, elle augmente la minéralisation des tissus, particulièrement les dents, le os et, chez les enfants, le cartilage. Mais elle permet également de maintenir des taux de calcium et de phosphore dans le sang, de bonne qualité, indispensable pour l'équilibre général de chaque cellule, ainsi que pour les échanges entre les cellules. Notamment dans le cas du muscle.

Signes de carence : baisse du tonus musculaire, crise de tétanie, convulsion s'il y a également un manque de calcium, anémie. À un âge avancé, la carence en vitamine D est responsable d'une perte osseuse et donc de l'ostéoporose.

Il faut particulièrement se méfier des carences en vitamine D chez les nouveau-nés, les femmes enceintes et les personnes âgées. De plus, il devient important de se méfier de ces carences en cas de forte pigmentation cutanée, de régime alimentaire spécifique, comme les régimes végétariens ou macrobiotiques, et de toutes les maladies qui rendent défaillante la fonction d'absorption de l'intestin.

La vitamine E

Le rôle essentiel de la vitamine E est de se comporter comme un antioxydant. Depuis quelques années, on en parle beaucoup, car il semblerait qu'elle puisse protéger de l'oxydation certains produits essentiels au métabolisme des cellules. C'est ce rôle qui permet de la mettre en avant, comme si ses fonctions pouvaient avoir un effet protecteur et bénéfique à long terme sur le vieillissement et la résistance à certaines maladies, notamment le cancer. Même si elles semblent intéressantes à creuser, les recherches sont loin d'être terminées et ces hypothèses n'ont pas encore pour l'instant de socle certain.

En revanche, pour bien souligner l'importance des excès en vitamines, il convient de souligner qu'une consommation trop importante de vitamine E peut être nocive, de par sa capacité à former avec les métaux lourds, comme le fer ou le magnésium ou le calcium, des complexes inattaquables par les sucs digestives. En effet, il y a ici le risque d'entraîner une diminution de l'absorption de ces produits et, donc, la possibilité d'apparition de carences. Dès lors, il est conseillé de suivre strictement les apports recommandés, plutôt que s'amuser à en augmenter la teneur par sécurité. Toutefois, la vitamine E peut être particulièrement utile dans le cas d'un régime trop riche en calcium qui aurait entraîné des calculs urinaires, ainsi que dans les régimes trop riches en fer pour en limiter l'absorption. Voilà pourquoi ceux qui conseillent et recommandent, sans connaître l'état de santé de la personne, des compléments alimentaires contenant beaucoup de vitamine E prennent des risques considérables.

La vitamine B1

Cette vitamine intervient surtout dans les réactions concernant les transformations des hydrates de carbone (glucides complexes). On la connaît précisément pour les signes de carences qu'elle entraîne. En effet, en cas de manque, apparaissent des signes neurologiques qui se caractérisent par une fatigue et une lourdeur dans les jambes. Ainsi qu'une raideur musculaire avec une sensation de picotements, de paresthésies, de brûlures et de douleur sur certaines zones. Elle peut être responsable d'atteinte du système nerveux central avec une forme d'agitation, d'irritabilité, de tristesse, un manque d'initiative et de concentration. De plus, à un stade très évolué, on peut voir apparaître des signes cardiaques et même une forme d'œdèmes. Chez les personnes qui consomment une grande quantité d'alcool, sa carence est très fréquente entraînant une partie des signes décrits plus haut.

La vitamine B6

Elle contribue, avec les enzymes, à la synthèse des protéines. Aujourd'hui, on ne connaît pas vraiment de signes de carence, mais on sait que les besoins en vitamines B6 sont souvent accrus lors de la prise de contraceptifs oraux. On avance aussi, sans certitude, l'utilité de rechercher une carence en vitamine B6 devant l'installation d'un syndrome dépressif.

Pour les autres vitamines, comme les vitamines B2, B5, B7, B8, K... les risques de carences d'apport ou de signes cliniques de maladies sont tellement faibles que nous avons fait le choix de les négliger.

Les minéraux et oligoéléments

Voilà des noms que l'on entend sur toutes les lèvres et à propos desquels on parle régulièrement de carence. Désormais, vous allez disposer de l'ensemble des teneurs de chaque produit contenu dans les aliments. Cela vous permettra très facilement de corriger certains écarts et vous verrez qu'avec des aliments simples et d'usage courant vous arriverez rapidement à rectifier la situation.

Le calcium

Le calcium est le minéral le plus abondant de notre organisme. Il concourt à la formation et à la solidité des os et des dents. Il intervient également dans de nombreuses fonctions, comme la coagulation du sang, les contractions du muscle, la conduction de l'afflux nerveux, la libération des hormones et la contractilité cardiaque. Il permet aussi d'activer de nombreux systèmes enzymatiques. Cependant, son métabolisme est intimement lié à celui du phosphore que l'on oublie régulièrement.

Les signes de carence : ils se manifestent par des troubles neuro-musculaires que l'on regroupe dans la tétanie. Ce sont des contractions des muscles, parfois, à un stade supérieur, à des convulsions. On notera aussi la possibilité d'apparition d'anxiété, d'agressivité, d'insomnie, de maux de tête et, occasionnellement, de trouble de la peau ou de cataracte.

Aujourd'hui, la facilité qu'il y a à le doser dans le sang permet, bien entendu, de repérer les déficits en calcium beaucoup plus facilement qu'auparavant.

On élimine le calcium par les selles, les urines, la sueur et le lait chez les femmes. Ainsi, dans toutes les situations d'excès, comme la diarrhée, la surabondance d'élimination urinaires, une transpiration excessive, un allaitement maternel prolongé, les apports doivent être particulièrement surveillés. Ainsi, tous ceux qui s'évertuent à boire beaucoup plus d'eau que ce dont ils ont besoin risquent donc, si ce n'est pas de l'eau minérale, d'avoir des fuites de calcium trop importantes.

Attention, un déséquilibre entre l'apport de calcium et de phosphore pourrait conduire soit à l'inutilité d'en apporter, soit à un manque dont on ne saurait trouver l'explication.

Plus récemment, on a démontré l'intérêt de l'apport en calcium dans la réduction des risques de l'hypertension artérielle, de cancer du côlon et de la prostate. Avis, encore une fois, à tous ceux qui conseillent la limitation du lait dans l'alimentation pour d'obscures raisons.

Chez le sujet âgé, l'os poreux, vrai nom de l'ostéoporose, conséquence des défauts de fixation du calcium, se manifeste par le tassement des vertèbres et les fractures, notamment celles du fémur.

Les femmes, quant à elles, perdent plus leur calcium que les hommes. Entre 30 et 80 ans, elles en perdent 45 %, alors que chez l'homme la perte n'est que de l'ordre de 15 à 20 %. Ceci est en relation avec les sécrétions d'œstrogènes.

Enfin, outre l'apport en phosphore, l'activité physique régulière, des apports corrects en vitamine D et une réduction de la consommation du tabac et de l'alcool améliore considérablement les valeurs des taux de calcium dans le sang.

Le phosphore

Le phosphore constitue avec le calcium la trame minérale de l'os. Son rôle est essentiel dans le métabolisme de l'énergie, car il transforme les aliments absorbés pour fournir de l'énergie. Il a un rôle dans la constitution des cellules et se montre très utile dans les activités enzymatiques. Les hématies (globules rouges du sang) sont très riches en phosphore contrairement à leur teneur en calcium, d'où l'utilité d'en apporter.

Les signes de carence : des douleurs osseuses, une perte de l'appétit et une fatigabilité qui augmente.

Le taux de phosphore dans le sang est directement influencé par la vitamine D et, comme nous l'avons vu plus haut, il est très important d'avoir des apports en calcium et en vitamine D suffisants pour obtenir le meilleur effet dans le corps. En effet, l'élévation de la vitamine D entraîne une baisse du phosphore et permet donc l'élévation des taux de calcium avec sa fixation accrue sur l'os.

Dès lors, il convient de réaliser un apport en vitamine D, en calcium et en phosphore proportionnel et harmonieux, comme il est recommandé dans les différents tableaux que vous avez vus. Les déséquilibres entraînant la possibilité de manque en l'un des deux éléments. Ainsi, ce n'est pas par ordre d'importance, mais par ordre d'intérêt que j'ai associé le calcium au phosphore.

Le fer

Le fer joue un rôle essentiel dans de nombreuses fonctions. Il permet la fabrication de l'hémoglobine qui apporte l'oxygène aux tissus dans le sang. De plus, il rentre dans la composition de nombreux enzymes, notamment impliqués dans les fonctions de la respiration et de la libération de l'énergie.

Les signes de carence : l'anémie, dont les symptômes sont la pâleur, une augmentation de la fatigabilité à l'effort et un essouf-flement. On rencontre également souvent des troubles de la peau, des cheveux et des ongles.

Comme pour le calcium, la facilité de le doser et les circonstances dans lesquelles on en manque conduisent souvent à évoquer les carences. Certaines situations, comme les maladies digestives, la grossesse, les hémorragies ou les diarrhées trop importantes, doivent faire soupçonner une carence en fer le plus rapidement possible.

Les excès de fer sont liés à des maladies, comme l'hépatite, les anémies par destruction des globules et l'hémochromatose qui est une maladie régionale.

Le magnésium

Avec le fer, c'est un des produits dont on risque le plus la carence. En effet, on pense qu'une large partie de la population en est carencée. Son rôle s'exerce essentiellement au niveau des réactions chimiques. Le magnésium est impliqué dans les réactions enzymatiques ou dans les échanges cellulaires et il agit particulièrement au niveau du système nerveux central, du système neuro-musculaire, ainsi que du système cardio-vasculaire, comme le suggèrent ses propriétés.

Signes de carence : Au niveau du cerveau, ce sont les mêmes que ceux du calcium. Ainsi, une carence entraîne l'irritabilité avec une hyperexcitabilité. En effet le magnésium inhibe l'excitation neuro-musculaire. Une trop grande consommation de magnésium provoque d'ailleurs des effets sédatifs. Dès lors, on comprend mieux pourquoi on le suggère aux insomniaques.

Sur le système cardiaque, une trop forte élévation en magnésium peut être dangereuse, pouvant même conduire, à l'extrême, à un arrêt du cœur. Et les carences provoquent des troubles du rythme cardiaque identiques à ceux qu'on observe dans les excès de calcium.

Au quotidien, on prescrit du magnésium en cas d'hyperexcitabilité avec fatigue. On peut également le proposer dans les insomnies. En règle générale, il faut se garder d'en prendre de trop fortes doses, en raison des effets que cela pourrait provoquer.

L'iode

En France, bien qu'on en parle peu, il semblerait que 98 % de la population féminine soit en carence d'iode, en cas de malnutrition.

L'iode est un élément très important dans le corps humain car il rentre dans la constitution des hormones thyroïdiennes. Ces dernières règlent la vitesse des réactions enzymatique de l'organisme. Ainsi, elles accélèrent la combustion, la consommation d'oxygène et agissent sur le système nerveux, les muscles (particulièrement le cœur), ainsi que sur le tube digestif. La carence en iode entraîne une diminution de la fabrication des hormones thyroïdiennes et, de ce fait, par des mécanismes compliqués, est responsable de goitre. En fait, jusqu'à une certaine limite, le corps a pour particularité d'être capable de suppléer les carences en iode, mais cela entraîne des sécrétions qui auraient pu être évitables. Il s'agit donc d'un fonctionnement « non-physiologique ».

Le cuivre
Le cuivre constitue de nombreux enzymes. Il intervient aussi dans la synthèse des protéines, dans la production d'énergie, et se voit également responsable de la synthèse de l'hémoglobine dans le sang. Il faut noter la très importante richesse en cuivre du cerveau, particulièrement dans la substance grise.

Signes de carence : chez l'adulte aucune maladie de carence d'apports n'a été mise en évidence. Probablement parce que le cuivre intervient dans de nombreux mécanismes, mais la nécessité d'un apport est très importante pour pallier à tous risques, en raison de l'importance de cet élément.

C'est chez les nourrissons que l'on vérifie le plus les apports, notamment chez ceux qui ont une alimentation très prolongée à base de lait de vache frais, le manque risquant d'entraîner une anémie, des œdèmes ou des retards de croissance.

Le tableau, que vous trouverez plus loin, vous permet de calculer à peu près la consommation de cuivre que vous pouvez faire et d'éviter de tomber systématiquement dans les zones 0.

Le zinc
Le zinc entre lui aussi dans la constitution de nombreux enzymes, notamment dans le cadre de la production de l'énergie, de la libération de l'insuline et des fonctions de détoxication du foie.

Signes de carence : les ulcères de la peau, une chute des cheveux et, à un stade très élevé, chez les enfants, une forme de nanisme en raison de la diminution de la production d'hormones.

Les besoins sont régulièrement couverts par de très légers apports. Ainsi, vous pouvez éviter d'acheter des compléments à prix élevés, car vous trouverez ce qu'il vous faut de zinc dans votre alimentation. On note que certains problèmes comme la perte du goût, de l'odorat, de l'appétit et certains troubles de la vue lui sont imputés. Ainsi qu'une susceptibilité aux infections et une diminution des facultés intellectuelles. Pour autant, ces troubles ne sont pas suffisamment caractéristiques des carences en zinc pour qu'on puisse imaginer proposer d'en augmenter la ration.

Le sélénium

Grande star des années 2000, il est en réalité nécessaire au fonctionnement d'une enzyme particulière qui est en interaction avec les vitamine E. Il permet de détoxiquer les radicaux libres, mis en cause dans les phénomènes de vieillesse et la genèse des cancers. Il entraîne également la protection des membranes cellulaires, ainsi que des chromosomes, et participe aux réactions immunitaires contre les tumeurs, les virus ou les bactéries. Enfin, il intervient lors de la coagulation.

Signes de carence : atteinte du muscle cardiaque, anémie, plus grande fréquence des infections. On observe principalement ces symptômes, relativement rares, dans des pays dont les terres sont très pauvres en sélénium, ainsi que chez les gens extrêmement dénutris, qui suivent des régimes, végétariens ou végétaliens, ou en réanimation.

Aujourd'hui, tout ce qui se rapporte au sélénium revêt encore un caractère empirique. Cependant, vous trouverez, dans le tableau ci-joint, les aliments qui en contiennent le plus. En général, une consommation naturelle et modérée suffira largement à couvrir vos besoins.

Le sodium et le potassium

J'aurais encore pu vous parler d'un grand nombre d'éléments, mais, par souci de pragmatisme, j'ai choisi de ne pas les mettre en avant. Soit parce que leurs apports sont largement couverts par l'alimentation et que les risques de carence n'existent pas, soit parce que leur intérêt à l'égard de notre organisme sont mineurs ou encore inconnus par rapport aux autres produits, soit parce qu'on les a largement détaillés ailleurs. Ainsi, on trouve ici ce que j'appelle les produits classiques, comme le potassium ou le sodium.

En ce qui concerne le potassium, c'est parce que tous les aliments ou presque en sont extrêmement riches. En effet, on en trouve dans les légumes, les fruits, les légumes secs, les fruits secs, les viandes. De plus, le déficit en potassium n'est jamais dû à une carence alimentaire, mais, la plupart du temps, lié à des vomissements répétés, des diarrhées importantes, des abus de laxatifs ou des efforts physiques. Vous trouverez un petit tableau, signalant les aliments les plus riches en potassium, pour en augmenter la quantité si vous vous trouviez dans cette situation.

En ce qui concerne le sodium, à l'inverse, la quasi-totalité des aliments en sont pauvres, expliquant d'ailleurs l'appétit de l'homme et de l'animal pour la saveur salée. Le sodium est donc un besoin que nous tentons de compenser en en augmentant la consommation.

La plupart du temps, les apports en sel proviennent de l'adjonction de chlorure de sodium ou de sel de cuisine, qui est constitué à 60 % de chlore et à 40 % de sodium. Ainsi, 5 g de sel apportent environ 2 g de sodium.

Les déficits sont rarement de cause alimentaire et, aujourd'hui, on s'intéresse beaucoup plus à l'excès. Ce dernier est d'ailleurs beaucoup plus lié à la consommation de produits de nouvelle génération tout préparés, mis en conserve ou en salaison, qu'aux aliments eux-mêmes. Dès lors, il est important de regarder sur les étiquettes la teneur en sodium de chaque produit, notamment lors du besoin de suivre un régime sans sel.

En règle générale, on attribue à l'excès de consommation de sodium l'hypertension artérielle et les risques qui en découlent. Vous trouverez donc plus loin les aliments les plus riches en sodium, ce qui permettra à certains d'en limiter la consommation.

À côté de ces deux produits majeurs, vous trouverez un autre groupe d'éléments dont vous entendrez probablement bientôt parler dès lors que le marketing autour du sélénium, du cuivre ou du zinc aura lassé. Il s'agit du chrome, du manganèse, du cobalt, du fluor et, pour faire très chic, du molybdène, du vanadium, du silicium.

Aujourd'hui, nous n'avons pas de certitudes sur leur présence dans la composition des aliments, plus pour des raisons économiques que pour des raisons de savoir-faire. Cependant, nous savons qu'on a incriminé le manganèse dans des maladies comme la schizophrénie ou Parkinson. Le cobalt, quant à lui, pourrait être impliqué dans les troubles de la glande thyroïde et du foie. Le fluor, enfin, a été mis en avant pour la prévention des caries chez les enfants, mais on se méfie d'un enrichissement trop important. En ce qui concerne les autres produits, une meilleure connaissance et une descente de plus en plus profonde dans les arcanes de la biologie nous permettra sans doute bientôt de mieux les connaître et peut-être de les utiliser.

Teneur en protéines pour 100 g

Aliment	Teneur
Pigeon rôti	37
Parmesan	35,7
Lait écrémé en poudre	35,5
Macreuse braisée	34
Chevreuil	32,6
Ris de veau	31,6
Escalope de veau – Livarot	31
Bourguignon	30
Dinde – Emmental – Comté – Travers de porc – Oie rôtie – Lapin – Hollande – Filet de porc – Pot-au-feu	29,4
Filet de veau	28,4
Faux-filet	28,1
Rosbif – Côtelette de porc	28
Cœur de bœuf	27,9
Rôti de porc	27,8
Thon à l'huile	27,6
Gruyère	27,5
Cacahuète – Échine de porc	27
Beaufort	26,6
Poulet – Jambon de Bayonne – Saucisson sec	26,3
Beurre d'arachide	26,1
Lait entier en poudre – Cheddar	26
Poule	25,8
Thon naturel	25,6
Rognon	25,4
Foie de volaille	25,1
Rumsteck – Gigot d'agneau – Canard – Germe de blé	25
Gouda	24,9
Thon blanc – Edam	24,7
Entrecôte	24,3
Langue de bœuf	24,2
Lentille crue	24
Foie de bœuf – Morbier	23,6
Rouy	23,5
Pintade – Thon rouge – Saint-paulin	23,3
Graine de sésame – Côte première – Bacon – Sardine à l'huile – Cantal	23
Truite	22,8
Saint-nectaire	22,7
Côte d'agneau – Babybel	22,6
Haricot rouge cru	22,5
Pyrénnée (vache)	22,4
Foie de veau	22,3
Cabillaud	22,1

Teneur en protéines pour 100 g

Perche	22
Crevette cuite – Tome	21,8
Anchois à l'huile	21,7
Brochet	21,5
Haricot blanc cru – Cheval	21,4
Sanglier – Saumon fumé	21,3
Camembert	21,2
Pont-l'évêque	21,1
Épaule d'agneau – Jambon cuit supérieur – Merlan – Carré est – Chocolat en poudre	21
Jarret de veau	20,9
Brie	20,6
Anguille – Sole – Coulommiers	20,5
Carpe – Maroilles	20,4
Moule cuite – Bleu	20,2
Caille – Chorizo sec – Lieu noir – Crabe – Homard cuit	20
Chèvre	19,9
Reblochon	19,7
Fromage de tête	19,4
Munster	19,1
Tripes de bœuf – Carrelet – Bar – Esturgeon – Flétan – Saumon frais	19
Roquefort	18,7
Noix de cajou	18,6
Salami	18,5
Pistache – Côtelette de mouton – Andouillette – Jambon cuit – Espadon	18
Chaource	17,8
Féta	17,5
Hareng	17,3
Raie	16,8
Morue	16,7
Sardine à la tomate	16,2
Colin	16,1
Épaule – Merguez – Maquereau – Escargot cru – Jaune d'œuf – Son de blé	16
Coquillage cru	15,4
Saucisson à l'ail – Lard – Coquille Saint-Jacques – Écrevisse crue – Neufchâtel – Flocon d'avoine cru	15
Poisson pané	14,8
Noix – Rillettes – Blé soufflé	14,5
Carré frais	14,4
Pâté de campagne	14,3
Pignon – Boudin noir – Saucisse de Morteau – Mortadelle	14
Chipolata	13,5
Chair à saucisse	13

Teneur en protéines pour 100 g

Saucisse de Strasbourg – Surimi – Semoule crue	12,6
Oeuf cru entier – Pâtes alimentaires crues	12,5
Tofu	12,3
Galette de germe de blé	12,1
Cervelas – Biscotte complète – Pop-corn	12
Saucisse de Francfort	11
Millet cru	10,6
Pain grillé	10,1
Boudin blanc – Foie gras – Pâté de foie – Blanc d'œuf – Biscotte – Pain au lait	10
Brioche	9,9
Muesli	9,7
Petit suisse à 40 %	9,4
Noix de pécan	9,3
Grain de maïs	9,2
Triple crème à 75 % – Biscuit sec salé – Pain complet – Pain de campagne – Orge perlé cru – Biscuit cuillère – Pâte d'amande	9
Huître crue	8,9
Boulgour cru	8,7
Lait entier concentré sucré	8,4
Fromage blanc à 20 %	8,3
Petit beurre	8,2
Pain aux raisins – Pain viennois – Chocolat blanc	8,1
Noisette – Pain blanc – Pain de mie – Semoule de maïs crue	8
Haricot rouge cuit	7,8
Fromage fondu – Corn flakes	7,7
Lentille cuite – Boudoir	7,6
Fromage blanc à 0 % – Croissant – Chocolat au lait – Riz complet cru	7,5
Pain au chocolat	7,4
Génoise	7,2
Fromage blanc à 40 % – Sablé – Beurre à 41 %	7
Gaufre	6,9
Quenelle volaille – Biscuit diététique riche en Mg	6,8
Pain de seigle	6,7
Haricot blanc cuit – Riz blanc cru – Beignet	6,6
Barre biscuit/chocolat	6,5
Lait entier concentré	6,4
Mousse au chocolat – Éclair	6,3
Madeleine	6,1
Ail – Germe de soja – Petits pois – Petit suisse aux fruits – Moutarde	6
Crêpe	5,8
Chocolat aux noisettes – Barre aux céréales – Quatre-quarts	5,7
Lait de brebis – Barre chocolatée – Barquette à la confiture	5,6
Gâteau au chocolat	5,5

Teneur en protéines pour 100 g

Fève fraîche	5,4
Cake	5,1
Palmier – Crème dessert	5
Pâtes aux œufs cuites – Crème renversée	4,7
Barre de coco	4,6
Yaourt 0 % – Chocolat noir	4,5
Persil	4,4
Yaourt nature – Biscuit à la noix de coco	4,3
Yaourt entier – Pain noir	4,2
Lait de soja	4
Abricot sec – Pâtes alimentaires cuites	4
Pomme de terre frite	3,8
Lait fermenté	3,6
Yaourt aux fruits	3,5
Noix de coco – Lait de chèvre – Riz au lait	3,4
Lait écrémé	3,3
Figue séchée – Lait 1/2 écrémé – Lait entier – Tarte aux fruits	3,2
Entremets divers – Crème à 10 %	3,1
Châtaigne – Banane séchée – Brocoli – Glace esquimau – Pain d'épice – Épinards	3
Yaourt aromatisé	2,9
Chou vert	2,8
Champignon – Fenouil – Pissenlit	2,7
Raisin sec	2,6
Datte sèche – Pruneau sec – Riz complet cuit	2,5
Chou-fleur – Haricot vert – Topinambour	2,4
Lait 2ᵉ âge – Riz blanc cuit	2,3
Asperge	2,2
Artichaut – Bette – Cœur de palmier	2,1
Olive noire – Oseille – Poireau – Pomme de terre crue – Ketchup – Crème à 25 %	2
Échalote	1,9
Avocat – Gingembre	1,8
Betterave rouge – Céleri-rave – Chou rouge – Cresson – Pomme de terre bouillie	1,5
Datte fraîche – Salsifis	1,4
Cassis – Cerise – Olive verte – Oignon	1,3
Fruit de la passion – Laitue – Semoule cuite	1,2
Banane – Groseille – Kiwi – Poivron	1,1
Goyave – Grenade – Mûre – Orange – Banane plantain – Endive – Pâte de fruits	1
Figue fraîche – Aubergine – Navet – Sorbet	0,9
Abricot – Prune – Carotte – Potiron – Tomate – Bonbon – Jus de tomate	0,8

Teneur en protéines pour 100 g

Brugnon – Clémentine – Fraise – Kaki – Litchi – Melon – Pomelo – Cornichon – Beurre – Margarine à 41 % – Jus de carotte – Jus d'orange	0,7	▰▰▰▰▰▰▰
Framboise – Mangue – Myrtille – Raisin – Concombre – Courgette – Radis	0,6	▰▰▰▰▰▰
Papaye – Pastèque – Pêche – Tapioca cru	0,5	▰▰▰▰▰

Teneur en glucides pour 100 g

Sucre blanc	100
Sucre roux	97,6
Bonbons divers	94
Tapioca cru	85,7
Corn flakes	82,5
Riz blanc cru	78,3
Semoule de maïs crue	78,2
Boulgour cru	77,8
Orge perlé cru	75,7
Galettes au germe blé	75,5
Petit beurre – Miel	75
Riz complet cru	73,9
Biscotte	73,6
Boudoir	72
Grain de maïs	71
Pâtes alimentaires crues	70,9
Blé soufflé	70,7
Semoule crue	70,4
Pain d'épice	70
Datte sèche	69,5
Biscuit sec salé	69,2
Biscotte complète	68,4
Confiture – Sablé	68
Biscuit à la noix de coco	67
Barre aux céréales	66,6
Barre chocolatée	65,9
Raisin sec	65,8
Muesli	64,5
Banane séchée – Barre biscuit/chocolat	63
Pop-corn	62,9
Biscuit diététique riche en Mg	62,6
Palmier	61
Biscuit cuillère	60
Millet cru	59,2
Pain grillé	57,9
Chocolat noir	57,8
Haricot rouge cru – Flocon d'avoine cru	57,7
Figue séchée – Cake	57
Chocolat blanc	56,8
Chocolat au lait	56,5
Pain blanc	56
Barre de coco	55,5
Croissant	55
Pain de campagne	54,4

Teneur en glucides pour 100 g

Lait entier concentré sucré	53,1
Lentille crue – Pâte de fruits	53
Pain viennois	52
Pain de mie – Barquette à la confiture	50,3
Lait écrémé en poudre	49,5
Pain de seigle – Gaufre – Pâte d'amande	49
Chocolat aux noisettes	48
Pain au lait – Gâteau au chocolat	47
Pain au chocolat	46,4
Pain noir	46,1
Haricot blanc cru	45,5
Pain aux raisins	45
Pain complet	44,2
Génoise – Quatre-quarts	44
Beignet	42
Brioche	40,5
Abricot sec – Pruneau sec – Chocolat en poudre	40
Madeleine	39,9
Lait entier en poudre	37,5
Châtaigne	36,6
Mousse au chocolat	35,8
Germe de blé	35,7
Pomme de terre frite	33
Sorbet	31
Tarte aux fruits	30
Banane plantain	28,3
Riz au lait	28,2
Ail	27,5
Entremets divers	27
Datte fraîche	26,9
Riz blanc cuit	26,3
Ketchup	26
Riz complet cuit	24,6
Glace esquimau	24,5
Éclair	23,3
Pâtes aux œufs cuites	22,9
Pâtes alimentaires cuites	22,2
Banane	21,8
Crêpe	20,9
Noix de cajou	20,5
Haricot rouge cuit – Petit suisse aux fruits	20
Beurre d'arachide	19
Pomme de terre crue	18,5
Pignon – Pomme de terre bouillie – Yaourt aux fruits	18

Teneur en glucides pour 100 g

Lentille cuite – Crème dessert	17
Haricot blanc cuit	16,6
Quenelle de volaille	16,4
Raisin	16,1
Litchi	16
Figue fraîche	15,5
Son de blé	15,4
Cerise – Kaki – Poisson pané	15,3
Brugnon	15
Yaourt aromatisé	14
Mangue	13,9
Crème renversée	13,8
Grenade	13,7
Pistache	13,4
Prune – Échalote	12,6
Petits pois	12,3
Poire	12,2
Limonade	12
Pomme	11,8
Ananas	11,6
Myrtille	11,3
Noix	11,1
Soda	11
Semoule cuite	10,9
Clémentine	10,4
Pêche	10,3
Coca cola	10,2
Abricot – Kiwi – Fève fraîche – Vin cuit	10
Gingembre	9,8
Lait entier concentré	9,2
Cacahuète	9
Cassis	9
Orange	8,8
Jus d'orange	8,6
Fruit de la passion	8,5
Betterave rouge	8,4
Melon	8,1
Papaye	7,8
Artichaut	7,6
Oignon	7,1
Fraise – Framboise – Noisette	7
Jus de carotte	6,8
Carotte – Surimi	6,7
Pastèque	6,5

Teneur en glucides pour 100 g

Coing – Graine de sésame	6,3
Mûre	6,2
Pomelo	6
Noix de coco – Boudin blanc	5,9
Pissenlit	5,7
Goyave – Cœur de palmier	5,5
Yaourt 0 %	5,2
Groseille – Germe de soja – Salsifi – Lait de brebis – Yaourt entier – Moutarde	5
Lait fermenté	4,9
Yaourt nature	4,8
Chou rouge – Huître crue	4,7
Haricot vert – Lait écrémé – Lait 1/2 écrémé – Lait entier	4,6
Topinambour	4,5
Noix de pécan – Foie de veau – Lait de chèvre	4,4
Foie de bœuf – Lait de coco	4,2
Potiron – Crème à 10 %	4,1
Olive noire – Poireau – Jus de tomate	4
Chorizo sec – Fromage blanc à 0 %	3,7
Citron – Fromage blanc à 20 % – Fromage blanc à 40 %	3,6
Asperge – Aubergine – Chou-fleur – Poivron	3,5
Foie gras – Petit suisse à 40 %	3,3
Navet – Boudin noir	3,2
Moule cuite	3,1
Courgette – Radis – Coquille Saint-Jacques – Crème à 35 % – Bière	3
Bette – Crème à 28 %	2,9
Chou vert – Fenouil – Tomate	2,8
Pâté de foie	2,7
Pâté de campagne – Carré frais	2,6
Oseille – Cidre brut	2,5
Brocoli – Céleri-rave – Endive – Fromage fondu	2,4
Cornichon	2,2
Cresson – Escargot cru – Lait de soja – Vin blanc 11°	2
Salami	1,9
Concombre	1,8
Saucisson sec – Tofu – Gruyère	1,7
Coquillage cru	1,6
Persil – Saucisse de Francfort – Mortadelle – Féta	1,4
Épinards – Laitue	1,3
Jambon cuit	1,2
Foie de volaille – Saucisse de Strasbourg – Cervelas – Crabe	1,1
Sardine à la tomate – Beurre 41 % – Pastis pur	1
Saucisson à l'ail	0,8
Avocat	0,8

413

Teneur en glucides pour 100 g

Saucisse de Morteau	0,7
Champignon – Chair à saucisse – Chipolata – Merguez	0,6
Homard cuit – Beurre – Margarine 41 %	0,5
Sanglier – Jambon cuit supérieur – Lard – Margarine	0,4
Bacon – Jambon de Bayonne – Anchois à l'huile – Café noir	0,3
Fromage de tête – Vin rouge 11°	0,2
Andouillette – Rillettes – Chèvre – Pyrénnée (vache)	0,1
Olive verte – Entrecôte – Faux-filet – Rosbif – Rumsteck – Pot-au-feu – Bourguignon – Macreuse – Cheval – Escalope de veau – Filet de veau – Jarret de veau – Côte d'agneau – Côte première – Gigot d'agneau – Épaule d'agneau – Rôti de porc – Filet de porc – Échine de porc – Côtelette de porc – Travers de porc – Côtelette de mouton – Épaule – Cœur de bœuf – Langue de bœuf – Ris de veau – Rognon – Tripes de bœuf – Caille – Canard – Chevreuil – Dinde – Lapin – Oie rôtie – Pigeon rôti – Pintade – Poule – Poulet – Anguille – Brochet – Cabillaud – Carpe – Carrelet – Lieu noir – Sole – Maquereau – Merlan – Perche – Raie – Sardine huile – Saumon fumé – Thon blanc – Thon rouge – Thon à l'huile – Thon naturel – Truite – Bar – Colin – Espadon – Esturgeon – Flétan – Hareng – Morue – Saumon frais – Crevette cuite – Écrevisse crue – Œuf entier cru – Jaune d'œuf – Blanc d'œuf – Babybel – Beaufort – Bleu – Brie – Camembert – Cantal – Carré est – Chaource – Cheddar – Comté – Coulommiers – Edam – Emmental – Gouda – Maroilles – Morbier – Munster – Neufchâtel – Parmesan – Pont-l'évêque – Reblochon – Roquefort – Rouy – Saint-nectaire – Saint-paulin – Tome – Triple crème à 75 % – Hollande – Livarot – Graisse d'oie – Huile d'olive – Huile d'arachide – Huile de colza – Huile de foie de morue – Huile de maïs – Huile de noix – Huile de pépins de raisins – Huile de soja – Huile de tournesol – Huile de palme – Huile de germe de blé – Saindoux – Evian – Badoit – Perrier – Contrex – Vichy Célestin – Vichy Saint-Yorre – Hépar – Vittel – Thonon – Volvic – Quezac – Badoit – Rhum – Thé infusé – Whisky	0,00

Teneur en lipides pour 100 g

Beurre	83
Margarine	82,5
Noix de pécan	72
Noix	63,8
Pignon	62
Graine de sésame – Pistache	53
Cacahuète	50,5
Noix de cajou	49,3
Beurre d'arachide	47,8
Chorizo sec	45
Foie gras	44
Salami	42
Rillettes	41,9
Margarine à 41 %	41,5
Beurre à 41 %	41
Triple crème à 75 %	40
Boudin noir	38
Noisette – Pâté de foie	36
Noix de coco	35,1
Crème à 35 %	35
Saucisson sec	34,7
Chocolat blanc	34,6
Cheddar – Fromage fondu	33,5
Roquefort	32,8
Beaufort	32,7
Gruyère – Chocolat au lait	32
Chèvre	31,9
Chipolata	31,7
Comté	31,3
Jaune d'œuf	31
Cantal	30,5
Travers de porc	30,3
Olive noire – Chair à saucisse – Chocolat noir	30
Pyrénnée (vache)	29,5
Pâté de campagne – Saucisse de Morteau – Mortadelle – Bleu – Chocolat en poudre	29
Emmental	28,8
Maroilles – Munster	28,5
Morbier	28,1
Saucisse de Francfort – Cervelas – Crème à 28 %	28
Saint-nectaire	27,8

Teneur en lipides pour 100 g

Saucisse de Strasbourg	27,7
Brie	27,5
Gouda	27,4
Mousse au chocolat	27
Neufchâtel	26,8
Barre de coco – Parmesan	26,6
Rouy – Palmier	26,5
Lait entier en poudre	26,3
Merguez – Tome – Gâteau au chocolat	26
Reblochon	25,6
Carré est	25,5
Edam	25,4
Coulommier	25,1
Épaule – Hollande	25
Babybel	24,8
Barre biscuit/chocolat	24,6
Chaource	24,5
Épaule d'agneau – Lard – Pont-l'évêque – Pâte d'amande	24
Brioche – Quatre-quarts	23,3
Madeleine	22,8
Saint-paulin	22,7
Poule – Chocolat aux noisettes	22,4
Camembert – Livarot	22
Beignet	21,7
Glace esquimau	21,5
Maquereau	21
Féta – Pain au chocolat	20,7
Boudin blanc – Sablé	20
Barre chocolatée	19,3
Barre aux céréales	19,2
Andouillette	18
Langue de bœuf	17,9
Oie rôtie	17,5
Côte première	17,3
Croissant	17,2
Côtelette de mouton	17
Tarte aux fruits	16,9
Gaufre	16,5
Côtes d'agneau	16
Carré frais	15,4
Génoise	15,1

Teneur en lipides pour 100 g

Aliment	g
Pomme de terre frite – Rôti de porc – Échine de porc – Côtelette de porc	15
Hareng	14,9
Pain au lait	14,8
Avocat – Fromage de tête – Crêpe	14,2
Pot-au-feu – Gigot d'agneau	14
Cake	13,9
Sardine à l'huile	13,7
Saumon frais	13,6
Poulet – Anguille	13,5
Sardine à la tomate – Biscuit diététique riche en Mg	12,6
Olive verte	12,5
Poisson pané	12,2
Quenelle de volaille – Biscuit sec salé – Muesli – Pain aux raisins – Éclair	12
Entrecôte	11,8
Barquette à la confiture	11,4
Saumon fumé	11
Petit beurre	10,9
Crème à 10 %	10,5
Petit suisse à 40 %	10,1
Macreuse – Oeuf entier cru – Germe de blé – Moutarde	10
Jambon de Bayonne	9,5
Lait entier concentré sucré	9,1
Caille	9
Lapin	8,7
Bourguignon – Petit suisse aux fruits	8,5
Thon à l'huile	8,4
Anchois à l'huile – Fromage blanc à 40 %	8
Tofu – Lait entier concentré	7,5
Foie de volaille	7,2
Rognon	7
Pintade – Lait de brebis – Flocon d'avoine cru	6,4
Faux-filet – Foie de veau – Canard – Carpe	6
Cœur de bœuf – Biscotte complète – Biscuit à la noix de coco	5,7
Filet de veau	5,2
Esturgeon – Biscotte – Crème dessert	5
Thon rouge	4,9
Filet de porc – Chevreuil – Crème renversée – Entremets divers	4,8
Foie de bœuf	4,7
Cheval – Son de blé	4,6
Espadon	4,5

Teneur en lipides pour 100 g

Biscuit cuillère	4,4
Ris de veau – Bacon	4,3
Jambon cuit – Pop-corn	4,2
Rosbif	4,1
Thon blanc – Pain de mie	4
Millet cru – Boudoir	3,9
Truite – Lait de chèvre – Grain de maïs	3,8
Lait de soja	3,6
Lait entier – Yaourt entier	3,5
Tripes de bœuf – Fromage blanc 20 % – Lait fermenté	3,4
Lait 2ᵉ âge	3,1
Escalope de veau – Pigeon rôti – Jambon cuit supérieur – Pain d'épice	3
Dinde	2,9
Moule cuite – Riz complet cru	2,8
Châtaigne – Sanglier – Yaourt aux fruits	2,7
Fruit de la passion – Riz au lait	2,6
Rumsteck – Pain grillé – Galette de germe de blé	2,5
Jarret de veau – Fletan	2,3
Carrelet – Colin – Pain viennois	2
Crevette cuite – Homard cuit – Pain complet	1,8
Haricot blanc cru – Thon naturel – Crabe – Huître crue – Lait 1/2 écrémé	1,6
Gingembre – Haricot rouge cru	1,5
Germe de soja – Pâtes alimentaires crues – Boulgour cru – Orge perlé cru – Semoule de maïs crue	1,4
Yaourt aromatisé – Blé soufflé	1,3
Framboise – Figue séchée – Bar – Pâtes alimentaires cuites – Pâtes aux œufs cuites – Semoule crue	1,2
Yaourt nature	1,1
Banane séchée – Lentille crue – Cabillaud – Lieu noir – Sole – Perche – Raie – Escargot cru – Coquillage cru – Pain blanc – Pain de seigle	1
Brochet – Merlan – Pain de campagne – Pain noir – Sorbet	0,9
Saucisson à l'ail – Lait écrémé en poudre – Riz complet cuit	0,8
Raisin – Oseille – Petits pois – Pissenlit – Surimi	0,7
Kiwi – Abricot sec – Cœur de palmier – Riz blanc cru – Corn flakes	0,6
Cerise – Datte fraîche – Fraise – Groseille – Myrtille – Datte sèche – Raisin sec – Persil – Haricot blanc cuit – Haricot rouge cuit – Lentille cuite – Coquille Saint-Jacques – Écrevisse crue	0,5
Goyave – Grenade – Mûre – Brocoli – Salsifis – Topinambour – Ketchup – Lait de coco	0,4

Teneur en lipides pour 100 g

Banane – Cassis – Figue fraîche – Poire – Pomme – Pruneau sec – Bette – Carotte – Céleri-rave – Cresson – Épinards – Fenouil – Laitue – Poireau – Poivron – Fève fraîche – Morue – Yaourt 0 %	0,3 ▬▬▬▬▬▬
Ananas – Clémentine – Coing – Kaki – Mangue – Orange – Pastèque – Prune – Asperge – Banane plantain – Champignon – Chou rouge – Échalote – Haricot vert – Navet – Oignon – Fromage blanc 0 % – Lait écrémé – Riz blanc cuit – Tapioca cru – Miel – Jus d'orange	0,2 ▬▬▬▬
Abricot – Brugnon – Litchi – Melon – Papaye – Pêche – Pomelo – Ail – Artichaut – Betterave rouge – Concombre – Cornichon – Courgette – Endive – Potiron – Radis – Tomate – Pomme de terre crue – Pomme de terre bouillie – Semoule cuite – Confiture – Bonbons divers – Jus de carotte – Jus de tomate	0,1 ▬▬▬
Citron – Blanc d'œuf – Pâte de fruits – Sucre blanc – Sucre roux – Evian – Badoit – Perrier – Contrex – Vichy Célestin – Vichy Saint-Yorre – Hépar – Vittel – Thonon – Volvic – Quezac – Bière – Café noir – Cidre brut – Coca cola – Pastis pur – Rhum – Thé infusé – Vin blanc 11° – Vin cuit – Vin rouge 11° – Whisky – Limonade – Soda	0,00

Teneur en vitamine A µg / 100g

Huile de foie de morue	25000
Foie de veau	12500
Foie de volaille	12000
Foie de bœuf	11033
Pâté de campagne – Pâté de foie	4200
Jus de carotte	1963
Pissenlit	1400
Persil	1167
Carotte	1166
Anguille	1000
Foie gras	950
Huile de palme	943
Beurre	792
Abricot sec	783,3
Épinards	667
Thon rouge	655
Fenouil	617
Jaune d'œuf	590
Oseille	583
Mangue	521,6
Chou vert	500
Triple crème à 75 %	495
Cresson	483
Bettes	476
Chaource	450
Beurre à 41 %	420
Parmesan	419
Cheddar	412
Camembert	393
Brie	390
Neufchâtel	385
Gouda	359
Lait entier en poudre	357
Potiron – Crème à 35 %	333
Roquefort	309
Melon	291,7
Reblochon	283
Edam	282
Beaufort – Crème à 28 %	275
Comté	274
Emmental	265

Teneur en vitamine A µg / 100g

Aliment	Teneur
Rognon	260
Babybel	255
Coulommiers	254
Abricot – Morbier – Tome – Hollande	250
Pont-l'évêque	249
Saint-paulin	242
Féta	238
Kaki	236,7
Madeleine	233
Gruyère	231
Brioche – Quatre-quarts	230
Beignet	225
Cantal	220
Pyrénnée (vache)	219
Maroilles – Rouy	208
Oeuf entier cru	205
Saint-nectaire	201
Anchois à l'huile	200
Carré frais	200
Livarot	196
Sablé	191
Gâteau au chocolat	190
Carré est	188
Munster	183
Mousse au chocolat	161
Poule	160
Papaye	158
Génoise	151
Bleu – Tarte aux fruits – Crêpe – Éclair	140
Cake	135
Cornichon	133
Lait de soja	126
Petit suisse à 40 % – Palmier	120
Poivron	116
Lait entier concentré sucré	112
Gaufre	108
Brocoli	105
Tomate – Biscuit cuillère – Ketchup	100
Margarine	95
Fromage blanc à 40 %	93
Lait entier concentré	90

Teneur en vitamine A µg / 100g

Aliment	Teneur
Moule cuite – Lait 2ᵉ âge	84
Fruit de la passion – Pêche	83,3
Brugnon – Poireau	83
Crème dessert – Crème renversée	80
Pruneau sec – Huître crue – Boudoir	75
Crème à 10 %	74
Caille	73
Barre de coco	67
Grenade – Asperge	66,6
Petits pois	63
Grain de maïs – Semoule de maïs crue	62
Laitue – Entremets divers	60
Haricot vert	57
Clémentine	55,6
Petit beurre	55
Fromage blanc 20 %	52
Pastèque – Banane plantain – Maquereau	50
Lait entier – Lait de brebis	48
Carpe	44
Goyave	43,3
Saumon frais – Jus de tomate	42
Lait de chèvre – Yaourt aux fruits	40
Poulet	39
Côtelette de mouton – Épaule – Hareng	38
Sardine à l'huile – Sardine à la tomate	36
Lait fermenté – Barre biscuit/chocolat	34
Coing – Mûre	33,3
Concombre – Croissant	33
Flétan	32
Avocat	30,8
Prune – Olive verte – Truite – Yaourt entier – Pain d'épice	30
Germes de soja	26
Banane séchée – Chocolat blanc	25
Canard	24
Pistache	23,3
Lait 1/2 écrémé	23
Cassis	21,7
Orange – Courgette – Cheval – Quenelle de volaille – Pop-corn – Riz au lait	20
Datte fraîche	18,3
Endive – Chorizo sec	17

Teneur en vitamine A µg / 100g

Aliment	Teneur
Artichaut	16,6
Saucisse de Francfort – Saumon fumé – Chèvre – Barquette à la confiture	15
Figue séchée	13,3
Merguez – Yaourt nature – Pain au lait	13
Jus d'orange	12
Pomme	11,7
Cerise	11,5
Banane	11
Poire – Lentille crue – Filet de veau – Coquillage cru – Petit suisse aux fruits	10

Teneur en vitamine B9 µg / 100g

Foie de volaille	670
Foie gras	566
Germe de blé	350
Foie de veau	300
Foie de bœuf	254
Cresson	200
Épinards – Pissenlit	190
Persil	170
Cacahuète	168
Pâté de campagne	160
Noix	155
Oseille – Brie	150
Châtaigne	141
Jaune d'œuf	140
Muesli	111
Brocoli	110
Pâté de foie	103
Melon – Chou vert – Fenouil – Poireau	100
Pistache	97
Camembert	96
Carré est – Chaource	95
Bleu	94
Asperge	90
Betterave rouge	83
Laitue – Haricot blanc cuit – Haricot rouge cru	80
Haricot rouge cuit	74
Haricot vert – Petits pois – Rognon – Croissant	70
Coulommiers	65
Fraise	62
Lentille cuite – Oeuf entier cru	60
Pâte d'amande	55
Avocat	54
Mangue	51
Courgette – Endive – Radis	50
Féta – Roquefort	49
Papaye	45
Lait écrémé en poudre	43
Lait entier poudre	41
Cassis – Céleri rave – Pomme de terre frite – Riz complet cru	40
Kiwi	37
Cerise – Mûre	34
Flocon d'avoine cru	33
Blé soufflé	32

Teneur en vitamine B9 µg / 100g

Aliment	µg
Datte fraîche – Orange – Noix de coco – Artichaut – Carotte – Champignon – Chou-fleur – Canard – Chorizo sec – Jambon cuit supérieur – Jambon cuit – Écrevisse crue	30
Petit suisse à 40 %	29
Datte sèche – Pain au lait – Pâtes alimentaires crues	28
Moule cuite – Fromage blanc à 0 % – Pain de mie	27
Clémentine – Fromage blanc à 40 %	26
Framboise – Potiron – Reblochon	25
Pyrénnée (vache)	24
Banane – Pain blanc – Pain de campagne – Pop-corn – Semoule crue	23
Pain complet	22
Cantal – Gouda – Pain grillé	21
Aubergine – Échalote – Oignon – Poivron – Tomate – Crabe – Babybel – Cheddar – Morbier – Parmesan – Saint-nectaire – Saint-paulin – Tome – Riz blanc cru – Jus d'orange	20
Beignet	19
Poisson pané – Sardine à la tomate – Edam – Moutarde	18
Citron – Pêche – Navet – Entrecôte – Anchois à l'huile – Fromage blanc à 20 % – Pain de seigle	16
Raisin – Faux-filet – Thon blanc – Thon rouge – Homard cuit	15
Ananas – Pomelo – Rosbif – Saumon fumé – Biscuit sec salé – Petit beurre	14
Pomme – Abricot sec – Figue séchée – Pomme de terre bouillie – Sole – Sablé – Jus de tomate	13
Oie rôtie – Cabillaud – Sardine à l'huile – Blanc d'œuf – Maroilles – Munster – Pont-l'évêque	12
Kaki – Olive noire – Carrelet – Lait entier concentré sucré – Neufchâtel – Triple crème à 75 %	11
Goyave – Poire – Prune – Bourguignon – Truite – Riz complet cuit – Ketchup – Bière	10
Raisin sec – Dinde – Emmental – Barre chocolatée – Chocolat au lait	9
Caille – Pigeon rôti – Huître crue – Lait entier concentré – Cake	8
Abricot – Figue fraîche – Pruneau sec – Pot-au-feu – Lapin – Pintade – Poulet – Thon au naturel – Pâtes aux œufs cuites – Madeleine – Pain d'épice	7
Myrtille – Olive verte – Chocolat noir – Gaufre	6
Noisette – Langue de bœuf – Poule – Boudin noir – Lieu noir – Maquereau – Thon à l'huile – Crevette cuite – Lait de brebis – Beaufort – Comté – Pâtes alimentaires cuites – Thé infusé	5
Pastèque – Saucisson à l'ail – Anguille – Sorbet – Jus de carotte	4
Côte d'agneau – Gigot d'agneau – Épaule d'agneau – Bacon – Chair à saucisse – Chipolata – Fromage de tête – Merguez – Salami – Saucisse de Francfort – Saucisse de Morteau – Saucisson sec – Lait écrémé – Lait 1/2 écrémé – Lait entier – Yaourt aux fruits – Riz blanc cuit – Tarte aux fruits	3
Cœur de bœuf – Jambon de Bayonne – Rillettes – Saucisse de Strasbourg – Yaourt nature – Confiture	2
Ris de veau – Lait de chèvre	1
Riz au lait	0,9

Teneur en vitamine C mg / 100 g

Aliment	mg
Goyave	243
Cassis	200
Persil	170
Poivron	126
Oseille	125
Brocoli	110
Kiwi – Chou vert	80
Moutarde	75
Papaye	64
Fraise – Chou-fleur – Cresson	60
Ris de veau	58
Orange	53
Fenouil	52
Chou rouge – Épinards	50
Mangue	44
Clémentine	41
Framboise – Groseille	40
Bette – Jus d'orange	39
Citron – Pomelo	37
Pissenlit	35
Petits pois	32
Asperge	31
Litchi – Ail	30
Fruit de la passion – Fève fraîche	28
Melon	25
Brugnon	24
Radis – Foie de veau	23
Grenade – Mûre – Myrtille – Noisette – Banane plantain – Navet – Foie de bœuf	20
Ananas – Poireau – Tomate	18
Pomme de terre crue	17
Haricot vert	16
Coing – Datte fraîche – Foie de volaille – Ketchup	15
Jus de tomate	14
Jambon de Bayonne	13
Banane – Pomme de terre frite	12
Pastèque – Avocat – Jambon cuit sup. – Jambon cuit	11
Betterave rouge – Carotte – Rognon	10
Pomme de terre bouillie	9
Abricot sec – Artichaut – Céleri rave – Concombre – Laitue	8
Abricot – Kaki – Pêche – Pistache – Courgette – Oignon – Potiron – Jus de carotte	7
Cerise – Pâté de campagne – Lait écrémé en poudre	6
Lait 2ᵉ âge	5,6

Teneur en vitamine C mg / 100 g

Figue fraîche – Poire – Pomme – Prune – Aubergine – Champignon – Cornichon – Endive – Huître crue – Lait entier en poudre – Confiture	5
Raisin – Banane séchée – Raisin sec – Échalote – Germe de soja – Salsifis – Topinambour – Coquillage cru – Lait de brebis	4
Noix – Noix de coco – Lait entier concentré sucré	3
Noix de pécan – Pignon – Datte sèche – Pruneau sec – Cœur de bœuf – Foie gras – Lait de chèvre – Yaourt aux fruits – Yaourt à 0 % – Sorbet – Lait de coco	2

Teneur en vitamine D µg/100g

Huile de foie de morue	330
Hareng	22,5
Saumon fumé	19
Anchois à l'huile	14
Saumon frais	12,5
Sardine à la tomate	10
Maquereau – Margarine – Margarine à 41 %	8
Sardine à l'huile	6
Anguille – Thon blanc – Thon rouge – Huître crue – Jaune d'œuf	5
Thon au naturel	4
Thon à l'huile – Truite	3
Champignon – Oeuf entier cru	2
Lait 2ᵉ âge	1,4
Crème à 35 %	1,1
Foie de bœuf – Jambon de Bayonne – Pâté de campagne – Pâté de foie – Salami – Parmesan – Germe de blé – Pain au lait – Beignet – Biscuit cuillère – Boudoir – Brioche – Génoise – Madeleine – Mousse au chocolat – Palmier – Sablé – Beurre – Crème à 28 %	1

Teneur en vitamine E mg / 100 g

Huile de germe blé	154
Huile de tournesol	56
Huile de pépins de raisins	32
Huile de maïs	30
Huile de foie de morue	21,4
Noisette – Germe de blé	21
Huile d'arachide	17,2
Huile de colza – Huile de soja	15
Pâte d'amande – Huile d'olive	12
Pop-corn	11
Huile noix	10,8
Beurre à 41 % – Margarine	10
Huile de palme	9,9
Cacahuète	8,5
Beurre d'arachide	6,29
Fenouil – Margarine 41 %	6
Pistache	5,2
Palmier	4,8
Abricot sec	4,5
Noix	4,1
Mûre	4
Coquillage cru	3,9
Jaune d'œuf	3,6
Muesli	3,2
Noix de pécan	3,1
Petits pois – Salsifis	3
Épinards	2,5
Son de blé	2,42
Moule cuite – Barre aux céréales	2,4
Graine de sésame – Pruneau sec – Crabe	2,3
Persil	2,2
Sardine à la tomate – Thon à l'huile – Blé soufflé – Grain de maïs – Beurre – Graisse d'oie	2
Avocat	1,85
Mangue	1,8
Chou vert – Saumon fumé – Flocon d'avoine cru	1,7
Maquereau – Truite – Saindoux	1,6
Oseille – Crevette cuite – Homard cuit – Écrevisse crue – Barre chocolatée – Ketchup	1,5
Poivron – Saumon frais	1,4
Lentille crue – Sablé	1,3

Teneur en vitamine E mg / 100 g

Châtaigne – Cresson – Oeuf entier cru – Biscotte – Pain de seigle – Sorbet	1,2	
Cervelas	1,16	
Hareng – Pain d'épice	1,1	

Teneur en vitamine B1 en mg / 100 g

Germe de blé	2
Jambon de Bayonne	1,2
Barre aux céréales	1
Filet de porc – Jambon cuit supérieur – Jambon cuit – Pois secs	0,9
Bacon	0,7
Rôti de porc – Côtelette de porc – Chorizo sec – Saucisson sec – Son de blé – Haricot blanc sec	0,6
Échine de porc – Lard – Flocon d'avoine cru – Muesli – Lentille – Noix	0,5
Travers de porc – Rognon – Sanglier – Lait écrémé en poudre – Blé soufflé – Riz complet cru – Grain de maïs – Chocolat blanc	0,4
Foie de volaille – Canard – Pigeon rôti – Pâté de campagne – Salami – Saucisse de Francfort – Saucisse de Strasbourg – Carrelet – Lait entier en poudre – Croissant – Pain complet – Boulgour cru – Millet cru – Brioche	0,3
Thon rouge	0,24
Foie de bœuf – Foie de veau – Cœur de bœuf – Caille – Chevreuil – Andouillette – Chair à saucisse – Chipolata – Merguez – Saucisse de Morteau – Saumon fumé – Thon blanc – Jaune d'œuf – Pain au lait – Pain de mie – Pain de seigle – Pain grillé – Pop-corn – Pain noir – Tarte aux fruits	0,2
Ananas – Cheval – Escalope de veau – Côte d'agneau – Gigot d'agneau – Épaule d'agneau – Saucisson à l'ail – Cervelas – Mortadelle – Anguille – Cabillaud – Lieu noir – Maquereau – Merlan – Raie – Saumon frais – Homard cuit – Huître crue – Moule cuite – Lait entier concentré – Lait entier concentré sucré – Emmental – Maroilles – Biscuit sec salé – Pain blanc – Pain de campagne – Pâtes alimentaires crues – Riz complet cuit – Semoule crue – Orge perlé cru – Pain viennois – Semoule de maïs crue – Barre biscuit/chocolat – Barre chocolatée – Barre de coco – Beignet – Biscuit cuillère – Petit beurre – Boudoir – Cake – Chocolat noir – Chocolat au lait – Chocolat aux noisettes – Gaufre – Génoise – Madeleine – Mousse au chocolat – Pain d'épice – Pâte d'amande – Sablé – Chocolat en poudre – Biscuit à la noix de coco – Crème dessert – Beurre d'arachide – Moutarde – Jus de tomate	0,1

Teneur en vitamine B6 en mg / 100g

Aliment	mg
Son de blé	2,5
Germe de blé	2,2
Écrevisse crue	1,1
Saumon frais – Muesli	1
Foie de veau – Pigeon rôti	0,8
Foie de bœuf – Carré frais – Millet cru	0,7
Caille – Jambon de Bayonne – Saumon fumé	0,6
Foie de volaille – Lapin – Oie rôtie – Jambon cuit sup. – Carrelet – Maquereau – Thon à l'huile – Riz complet cru – Beurre d'arachide	0,5
Faux-filet – Rosbif – Cheval – Escalope de veau – Filet de veau – Rôti de porc – Filet de porc – Échine de porc – Travers de porc – Rognon – Dinde – Poulet – Bacon – Chorizo sec – Jambon cuit – Saucisson sec – Lieu noir – Raie – Thon blanc – Thon rouge – Thon au naturel – Truite – Flétan – Hareng – Jaune d'œuf – Grain de maïs	0,4
Entrecôte – Pot-au-feu – Bourguignon – Côtelette de porc – Canard – Poule – Pâté de campagne – Salami – Anguille – Cabillaud – Crabe – Camembert – Triple crème à 75 % – Croissant – Brioche – Miel	0,3
Côte d'agneau – Gigot d'agneau – Cœur de bœuf – Langue de bœuf – Chair à saucisse – Chipolata – Merguez – Saucisse de Morteau – Anchois à l'huile – Brochet – Carpe – Poisson pané – Sardine à l'huile – Sardine à la tomate – Morue – Homard cuit – Lait écrémé en poudre – Lait entier en poudre – Bleu – Brie – Carré est – Chaource – Coulommiers – Féta – Blé soufflé – Pain complet – Pain de seigle – Pop-corn – Riz blanc cru – Riz complet cuit – Pain noir – Petit beurre – Ketchup – Jus de carotte	0,2
Abricot – Ananas – Épaule d'agneau – Ris de veau – Fromage de tête – Pâté de foie – Quenelle de volaille – Rillettes – Saucisse de Francfort – Saucisse de Strasbourg – Crevette cuite – Huître crue – Oeuf entier cru – Fromage blanc à 0 % – Fromage blanc à 20 % – Fromage blanc à 40 % – Petit suisse à 40 % – Yaourt aux fruits – Babybel – Beaufort – Cantal – Cheddar – Comté – Edam – Fromage fondu – Morbier – Munster – Parmesan – Pont-l'évêque – Pyrénnée (vache) – Reblochon – Roquefort – Saint-nectaire – Saint-paulin – Tome – Biscotte – Biscuit sec salé – Flocon d'avoine cru – Pain blanc – Pain au lait – Pain de campagne – Pain grillé – Pâtes alimentaires crues – Pâtes aux œufs cuites – Riz blanc cuit – Semoule crue – Pain viennois – Barre biscuit/chocolat – Barre chocolatée – Barre de coco – Beignet – Biscuit cuillère – Boudoir – Cake – Chocolat noir – Chocolat au lait – Chocolat aux noisettes – Gaufre – Génoise – Madeleine – Mousse au chocolat – Pain d'épice – Palmier – Pâte d'amande – Sablé – Tarte aux fruits – Barquette à la confiture – Biscuit à la noix de coco – Crème dessert – Éclair – Quatre-quarts – Bière – Pastis pur	0,1

Teneur en calcium mg / 100 g

Lait écrémé en poudre	1301
Parmesan	1275
Emmental	1185
Beaufort	1040
Gruyère	1010
Cantal	970
Lait entier en poudre	950
Edam	890
Comté	880
Gouda	854
Maroilles	800
Saint-paulin	780
Hollande	777
Morbier	760
Cheddar	740
Bleu	722
Livarot	714
Babybel	659
Pyrénnée (vache)	635
Reblochon	625
Roquefort	600
Saint-nectaire	590
Rouy	500
Féta	483
Pont-l'évêque	470
Munster	430
Tome	403
Sardine à l'huile – Camembert	400
Chaource	388
Sardine à la tomate	360
Chocolat blanc	290
Lait entier concentré sucré	280
Lait entier concentré – Carré frais	255
Coulommiers	244
Carré est	220
Anchois à l'huile	210
Persil – Chocolat au lait	200
Lait brebis	183
Haricot blanc cru	180
Yaourt nature	173
Escargot cru	170
Pissenlit	165
Figue séchée – Cresson	160
Yaourt entier	155

Teneur en calcium mg / 100 g

Lait fermenté	150
Yaourt 0 %	148
Barre chocolatée	145
Jaune d'œuf	137
Pistache	135
Yaourt aux fruits	130
Fromage blanc à 0 %	126
Lait de chèvre	120
Lait entier	119
Fromage blanc à 20 % – Brie – Chèvre	117
Crevette cuite	115
Lait 1/2 écrémé – Yaourt aromatisé	114
Lait écrémé	112
Petit suisse à 40 %	111
Haricot rouge cru	110
Fromage blanc 40 %	109
Barre biscuit/chocolat	106
Épinards	104
Bette – Chocolat poudre – Vichy Célestin	103
Fromage fondu	102
Moule cuite – Crème à 10 %	101
Fenouil – Barre noix de coco	100
Triple crème à 75 %	98
Crabe	97
Tofu	96
Petit suisse aux fruits	95
Noix – Brocoli – Moutarde	93
Huître crue – Crème renversée	92
Pain de mie	91
Crème dessert	89
Lait 2e âge	88
Pain grillé – Riz au lait – Sucre roux	85
Pâte d'amande	84
Evian	78
Neufchâtel – Crème à 28 % – Crème à 35 %	75
Beurre d'arachide	74
Noix de pécan	73
Crêpe	69
Haricot blanc cuit – Éclair	65
Muesli	63
Cacahuète – Datte sèche	62
Olive noire	61
Cassis – Figue fraîche – Perche – Sablé	60
Homard cuit – Lait de soja – Pain complet	58

Teneur en calcium mg / 100 g

Chocolat aux noisettes	57
Haricot vert	56
Abricot sec – Oeuf entier cru – Germe de blé	55
Hépar	55
Chou vert – Salsifis – Flocon d'avoine cru	53
Pain au lait	52
Boudin blanc – Colin	51
Pruneau sec – Germe de soja – Boudin noir – Coquillage cru – Chocolat noir – Pain d'épice	50
Contrex	49
Artichaut	47
Brochet – Pain aux raisins	46
Barre aux céréales	45,2
Noisette – Cœur de palmier – Oseille – Gaufre	44
Céleri rave – Gingembre – Écrevisse crue – Son de blé – Brioche	43
Biscotte – Croissant	42
Datte fraîche	41
Orange – Châtaigne – Raisin sec – Carpe – Merlan – Entremets divers	40
Navet – Lentille crue	39
Noix de cajou – Ail – Haricot rouge cuit – Pâté de foie	38
Laitue – Quenelle de volaille – Saucisse de Strasbourg	37
Groseille – Olive verte – Mousse au chocolat	36
Graine de sésame – Chou rouge – Carrelet – Beignet	35
Clémentine	33
Esturgeon – Petit beurre – Cake	32
Poireau – Biscuit cuillère	31
Quezac	24
Vittel	20
Badoit	19
Perrier	14
Thonon	11
Vichy Saint-Yorre	9

Teneur en phosphore mg / 100 g

Son de blé	1240
Lait écrémé en poudre	1106
Germe de blé	971
Parmesan	782
Beaufort	755
Emmental	746
Lait entier en poudre	740
Comté	710
Chocolat en poudre	702
Ris de veau	685
Gruyère	600
Graine de sésame	592
Cantal	570
Maroilles	550
Jaune d'œuf – Morbier	520
Pistache	500
Gouda	490
Cheddar	470
Sardine à l'huile	468
Noix de cajou	466
Edam	457
Pyrénnée (vache)	450
Roquefort	445
Babybel	443
Saint-paulin	425
Flocon d'avoine cru	420
Rouy	417
Pont-l'évêque	414
Haricot rouge cru	406
Pigeon rôti	400
Beurre d'arachide	393
Pignon	392
Reblochon	390
Foie de bœuf	388
Cacahuète	387
Sardine à la tomate	380
Saint-nectaire	375
Carpe	373
Noix	359
Blé soufflé	355
Lieu noir – Bleu – Munster	350
Tome	349
Féta	335
Hollande	332

Teneur en phosphore mg / 100 g

Foie de veau – Chèvre	320
Boulgour cru	319
Foie de volaille	312
Haricot blanc cru – Muesli – Millet cru	310
Camembert	309
Chaource	304
Riz complet cru	303
Rognon – Pop-corn	300
Livarot	299
Noix de pécan – Filet de porc – Oie rôtie – Truite	290
Brochet	282
Carré est	276
Caille – Galette germe blé	275
Goyave	273
Chorizo sec	270
Travers de porc	260
Thon à l'huile	259
Grain de maïs	256
Carrelet – Sole – Maquereau – Saumon fumé	250
Bacon	244
Saucisson sec	242
Côtelette de mouton	241
Lentille crue – Faux-filet – Bourguignon – Raie	240
Jarret de veau – Mortadelle	238
Escalope de veau – Filet de veau	236
Moule cuite	235
Écrevisse crue	232
Chevreuil – Pâté de campagne – Madeleine	231
Noisette – Rosbif – Cœur de bœuf – Jambon de Bayonne – Anchois à l'huile – Anguille – Lait entier concentré sucré – Chocolat au lait – Pâte d'amande	230
Perche	227
Lard	224
Côtelette de porc – Brie – Biscotte complète	220
Dinde	217
Cheval	216
Crevette cuite – Fromage fondu	215
Lapin – Saumon frais	213
Jambon cuit sup.	212
Salami – Esturgeon	208
Rôti de porc	207
Carré frais	206
Coulommiers	205
Thon blanc – Homard cuit	204

Teneur en phosphore mg / 100 g

Canard – Moutarde	202
Lait entier concentré	201
Poule – Jambon cuit – Hareng – Crabe – Coquillage cru	200
Pain complet	195
Foie gras – Merlan	190
Orge perlé cru	189
Oeuf entier cru	188
Tofu – Barre aux céréales	186
Thon au naturel	182
Entrecôte – Gigot d'agneau – Chipolata	180
Côtes d'agneau	177
Saucisse de Morteau	175
Saucisse de Francfort – Saucisse de Strasbourg – Chocolat noir	173
Épaule d'agneau	172
Pot-au-feu – Échine de porc – Saucisson à l'ail	170
Pâtes alimentaires crues	167
Langue de bœuf – Huître crue	165
Cabillaud	164
Flétan	162
Andouillette – Brioche	160
Coquille Saint-Jacques	158
Espadon	156
Épaule – Cervelas	155
Pintade – Barre biscuit/chocolat	153
Morue	152
Barre chocolatée – Pain d'épice	150
Chocolat aux noisettes	146
Pâté de foie – Biscuit cuillère	145
Ail – Gingembre – Colin	144
Semoule crue	143
Fève fraîche	142
Lait de brebis	141
Haricot rouge cuit – Poulet – Barre à la noix de coco	140
Neufchâtel	136
Pain noir	134
Abricot sec – Mousse au chocolat	131
Biscotte	130
Petits pois	126
Champignon – Chair à saucisse – Pain au lait – Chocolat blanc	125
Croissant	124
Rillettes	122
Haricot blanc cuit – Sanglier	120
Yaourt 0 %	116
Pain de seigle – Éclair	114

Teneur en phosphore mg / 100 g

Yaourt entier	112
Yaourt nature	111
Poisson pané	110
Génoise	107
Boudoir	106
Noix de coco	104
Lait de chèvre – Crème dessert – Crêpe	103
Riz blanc cru – Cake – Crème renversée	102
Gâteau au chocolat	101
Lentille cuite – Yaourt aux fruits – Triple crème à 75 % – Pain grillé	100

Teneur en fer mg / 100 g

Aliment	mg
Boudin noir	22
Gingembre	14
Chocolat en poudre	12
Foie de volaille	10,4
Biscotte complète	9,3
Rognon – Millet cru	9
Moule cuite	7,9
Foie de bœuf	7,7
Lentille crue – Germe de blé	7,6
Cœur de bœuf	7,3
Pistache	7
Haricot rouge cru	6,9
Haricot blanc cru	6,7
Tofu	6,5
Pignon – Foie gras	6,4
Huître crue	6,3
Foie de veau	6
Pâté de campagne	5,7
Persil – Jaune d'œuf	5,5
Chevreuil	5,4
Côte première	5,3
Noix de cajou – Abricot sec	5,2
Pigeon rôti	5
Muesli	4,8
Boulgour cru	4,7
Blé soufflé	4,6
Flocon d'avoine cru	4,2
Caille	4
Macreuse – Cheval	3,9
Bourguignon – Oie rôtie	3,7
Rosbif – Pâté de foie – Escargot cru – Son de blé	3,5
Pot-au-feu – Côtelette de mouton – Barre aux céréales	3,4
Lentille cuite – Lard – Crevette cuite	3,3
Cresson – Pissenlit – Mortadelle	3,1
Graine de sésame – Datte sèche – Faux-filet – Coquillage cru – Gruyère – Hollande – Livarot – Grain de maïs	3
Pruneau sec – Rumsteck – Langue de bœuf – Chocolat noir	2,9
Anchois à l'huile – Galette au germe de blé	2,8
Bette – Épinards – Fenouil – Jarret de veau – Pop-corn	2,7
Entrecôte	2,6
Cacahuète – Noix – Figue séchée – Haricot blanc cuit – Sardine à l'huile – Sardine à la tomate – Chocolat blanc	2,5

Teneur en fer mg / 100 g

Aliment	mg
Noix de pécan – Raisin sec – Oseille – Haricot rouge cuit – Côte d'agneau – Pain de seigle	2,4
Noix de coco – Fève fraîche – Épaule – Tripes de bœuf	2,3
Gigot agneau – Salami – Pain grillé	2,2
Datte fraîche – Canard – Lapin – Biscuit cuillère – Boudoir	2,1
Escalope de veau – Ris de veau – Crabe – Écrevisse crue – Pain complet – Corn flakes – Orge perlé cru – Pain d'épice – Palmier – Pâte d'amande	2

Teneur en magnesium mg / 100 g

Son de blé	590
Boulgour cru	490
Cacao	420
Biscuit diététique riche en Mg	360
Noix de cajou – Amande	252
Escargot cru – Germe de blé	250
Galette au germe de blé	225
Cacahuète – Haricot blanc cru	180
Beurre d'arachide	178
Millet cru	170
Haricot rouge cru	163
Noix	159
Pistache	158
Gingembre	157
Flocon d'avoine cru	148
Riz complet cru	143
Noix de pécan	142
Blé soufflé	140
Pâte d'amande	128
Lait écrémé en poudre – Chocolat noir	112
Pop-corn	106
Oseille	103
Muesli – Chocolat aux noisettes	100
Tofu	92
Banane séchée	90
Lait entier en poudre	87
Chocolat en poudre	83
Pain complet	81
Lentille crue	77
Moutarde	76
Crevette cuite	69
Moule cuite	68
Bette	65
Figue séchée	62
Barre aux céréales	60,2
Chocolat au lait	60
Datte sèche – Épinards	58
Noisette – Biscotte complète	56
Pâtes alimentaires crues – Chocolat blanc	55
Abricot sec – Barre biscuit/chocolat	52
Comté	51
Maquereau	49
Espadon – Parmesan	46

Teneur en magnesium mg / 100 g

Haricot blanc cuit – Haricot rouge cuit – Coquille Saint-Jacques – Emmental	45
Huître crue – Edam – Barre de coco	44
Riz complet cuit	43
Anchois à l'huile	42
Beaufort	41
Pruneau sec – Fenouil – Persil – Petit suisse aux fruits – Maroilles – Rouy – Gruyère – Hollande – Livarot – Semoule crue – Barre chocolatée – Mousse au chocolat	40
Crabe – Homard cuit – Grain de maïs	38
Sardine à l'huile – Sardine à la tomate – Orge perlé cru	37
Noix de coco – Pissenlit – Saint-nectaire	36
Pomme de terre frite – Pigeon rôti – Riz blanc cru	35
Cabillaud	34
Châtaigne – Avocat – Banane plantain – Petits pois – Thon à l'huile – Pain de seigle	33
Perche – Truite	32
Raisin sec – Artichaut – Fève fraîche – Caille	31
Banane – Fruit de la passion – Lieu noir – Cantal – Morbier – Reblochon – Pain viennois – Pain d'épice – Lait de coco	30
Hépar	11
Quézac	9,5
Badoit	8,5
Contrex	8,4
Vittel	3,6

Teneur en iode µg / 100g

Aliment	µg
Moule cuite	313
Cabillaud	145
Soja – Hareng fumé	100
Colin	69
Huître crue	67
Chèvre	56
Roquefort	50
Oeuf entier cru	48
Maquereau – Rouy	47
Thon blanc – Edam	40
Beaufort – Livarot	37
Pyrénnée (vache)	35
Pont-l'évêque	34
Pâté de foie – Emmental	32
Hareng	31
Saumon frais – Munster – Saint-nectaire – Crabe – Langouste – Homard	30
Gouda	28
Chipolata – Bleu	27
Coulommiers	26
Merlan – Thon naturel – Comté	23
Maroilles	22
Raie – Camembert – Cantal – Triple crème à 75 %	21
Yaourt à 0 % – Brie – Saint-paulin	20
Reblochon	19
Lait fermenté	18
Rognon – Sardine	16
Petit suisse à 40 %	13
Lait 1/2 écrémé – Yaourt aromatisé – Moutarde	11
Lentille crue – Rumsteck	9
Pomme de terre frite – Fromage blanc à 40 % – Pain de seigle – Riz blanc cru	8
Oseille – Surimi – Fromage blanc à 0 % – Pain de mie	7
Navet – Persil – Jambon cuit – Pain blanc – Petit beurre – Crème dessert	6
Semoule crue	5
Aubergine – Côtelette de porc – Truite	4
Banane – Prune – Ail – Haricot blanc cuit – Lentille cuite – Côte d'agneau – Rôti de porc – Échine de porc – Côtelette de mouton – Épaule – Foie de veau	3
Mangue – Noisette – Asperge – Courgette – Épinards – Germe de soja – Oignon – Tomate – Escalope de veau – Lapin – Poulet – Café noir	2

Teneur en cuivre mg / 100 g

Foie de veau	5,7
Huître crue	4,9
Noix de cajou	3,7
Cacao	3,5
Café noir	2
Noisette	1,4
Lentille crue	0,73
Rognon	0,46
Foie de volaille	0,45
Noix de coco	0,42
Banane séchée	0,40
Champignon – Gingembre – Figue séchée	0,38
Pâté de foie – Datte sèche	0,31
Noix – Abricot sec	0,30
Ketchup – Salsifis – Lentille cuite	0,28
Châtaigne	0,25
Avocat	0,24
Croissant	0,22
Pomme de terre frite – Artichaut	0,20
Moule cuite – Olive verte – Oseille	<0,20
Ail – Pain de mie – Riz blanc cru	0,15
Chèvre – Cœur de palmier – Cornichon – Côte d'agneau – Pain blanc – Pain de seigle – Petit beurre – Petits pois – Pissenlit – Semoule crue – Semoule cuite – Surimi – Thon naturel – Abricot	<0,15
Asperge – Banane – Brioche – Cassis – Céleri rave – Cheval – Chipolata – Côtelette de mouton – Crème dessert – Épaule – Framboise – Fruit de la passion – Goyave – Grenade – Groseille – Hareng – Haricot blanc cuit – Kaki – Kiwi – Livarot – Mûre – Persil – Rumsteck – Thon blanc – Topinambour – Yaourt aux fruits – Betterave rouge	0,10
Bière – Cerise – Citron – Coing – Dinde – Épinards – Mangue – Moutarde – Myrtille – Poivron – Prune – Raisin – Raisin sec – Reblochon – Ananas – Aubergine – Beaufort – Bleu – Boudin noir – Brie – Brocoli – Cantal – Colin – Comté – Côtelette de porc – Coulommiers – Courgette – Cresson – Échine de porc – Edam – Emmental – Endive – Escalope de veau – Germe de soja – Gouda – Haricot vert – Jambon cuit – Jambon de Bayonne – Laitue – Lapin – Madeleine – Maquereau – Munster – Navet – Oeuf entier cru – Oignon – Pâtes aux œufs cuites – Poireau – Poisson pané – Pont-l'évêque – Poulet – Pyrénnée (vache) – Roquefort – Rôti de porc – Saint-paulin – Saint-nectaire – Saumon frais – Tomate – Tome – Triple crème à 75 % – Truite	<0,10

Teneur en zinc mg / 100 g

Huître crue	79,5
Tripes de bœuf	15,5
Macreuse – Comté – Reblochon	10
Maroilles	9
Beaufort	7
Jarret de veau	6,4
Pont-l'évêque	6
Rumsteck	5,9
Livarot	5,8
Entrecôte	5,4
Edam	5,2
Emmental – Saint-paulin	5
Gouda	4,6
Foie de volaille – Tome	4,2
Coulommiers – Pyrénnée (vache)	4
Munster	3,9
Rouy	3,8
Épaule d'agneau – Jambon de Bayonne – Saint-nectaire	3,4
Lentille crue – Faux-filet – Côtelette de mouton – Épaule	3,3
Foie de veau	3,2
Noix – Chipolata – Cantal	3
Gigot d'agneau – Surimi	2,9
Camembert – Roquefort	2,8
Rôti de porc – Bleu	2,7
Côte première	2,6
Escalope de veau	2,5
Noisette – Cheval	2,4
Côte d'agneau	2,3
Jambon cuit – Brie	2,2
Noix de cajou – Moule cuite	2,1
Rognon	2
Échine de porc	1,8
Côtelette de porc	1,7
Pâté de foie	1,6
Dinde	1,5
Lapin – Poulet	1,4
Lentille cuite – Triple crème à 75 %	1,3
Pissenlit – Maquereau	1,2
Oeuf entier cru – Pain de seigle – Moutarde	1,1
Ail – Petits pois – Hareng – Riz blanc cru – Semoule crue	1
Noix de coco – Brioche	0,9
Fruit de la passion – Chèvre – Croissant – Pain blanc – Petit beurre – Café noir	0,8
Haricot blanc cuit – Boudin noir – Thon blanc – Semoule cuite	0,7

Teneur en zinc mg / 100 g

Aliment	mg
Avocat – Cœur de palmier – Épinards – Persil – Pomme de terre frite – Merlan – Thon au naturel – Truite – Saumon frais – Pain de mie – Pâtes aux œufs cuites – Crème dessert	0,6
Banane séchée – Figue séchée – Artichaut – Champignon – Poisson pané – Raie – Colin – Petit suisse 40 % – Yaourt 0 % – Madeleine	0,5
Framboise – Grenade – Olive verte – Brocoli – Chou-fleur – Cresson – Cabillaud – Fromage blanc 0 % – Lait 1/2 écrémé – Lait fermenté – Yaourt aromatisé	0,4
Laitue	0,37
Lait 2e âge	0,35
Betterave rouge	0,34
Datte sèche – Asperge	0,32
Céleri rave – Chou vert – Cornichon – Courgette – Échalote – Germe de soja – Haricot vert – Fromage blanc à 40 %	0,3
Cassis	0,29
Figue fraîche	0,26
Fenouil	0,25
Groseille	0,24
Salsifis	0,22
Abricot – Coing – Goyave – Châtaigne – Abricot sec – Oignon – Oseille – Poireau – Poivron – Potiron – Radis – Yaourt aux fruits – Ketchup	0,2
Banane – Mûre	0,19
Concombre – Navet	0,17
Fraise – Banane plantain – Carotte	0,16
Cerise – Pêche – Endive	0,15
Tomate	0,14
Kiwi – Poire	0,12
Myrtille – Prune – Aubergine	0,11
Citron – Clémentine – Kaki – Mangue – Melon – Papaye – Pastèque – Raisin – Topinambour – Bière	0,1
Ananas	0,009
Orange – Pomelo – Pomme – Vin rouge 11°	0,00

Teneur en selenium μg / 100g

Rognon	133
Thon blanc	94
Thon naturel	63
Moule cuite	49
Raie	44
Foie de veau	42
Maquereau	41
Hareng	35
Huître crue	30
Cabillaud – Merlan – Colin	29
Rôti de porc	25
Saumon frais	23
Moutarde	20
Oeuf entier cru	19
Lapin	18
Truite	17
Lentille crue – Jambon de Bayonne – Pâtes aux œufs cuites	16
Echine de porc	14
Endive – Pâté de foie	13
Cheval	12
Côtelette de porc	11
Poivron – Dinde – Jambon cuit – Riz blanc cru	10
Poulet – Gouda – Saint-paulin – Livarot	9
Carotte – Courgette – Poireau – Escalope de veau – Edam	8
Beaufort – Emmental – Maroilles – Pyrénnée (vache) – Roquefort – Pain blanc – Café noir	7
Macreuse	6,8
Lentille cuite – Rumsteck – Côtelette de mouton – Épaule – Chipolata – Comté – Saint-nectaire	6
Champignon – Camembert – Cantal – Pont-l'évêque – Reblochon	5
Côtes d'agneau – Petit suisse à 40 % – Bleu – Brie – Munster – Triple crème à 75 % – Pain de mie	4
Entrecôte	3,4
Faux-filet	3,3
Pain de seigle – Petit beurre	3
Jarret de veau	2,8
Noisette – Chou vert – Radis – Fromage blanc à 0 %	2
Citron – Asperge – Épinards – Haricot vert – Persil – Fromage blanc à 40 % – Lait 1/2 écrémé – Lait fermenté – Yaourt 0 %	1

Teneur en sodium mg / 100 g

Anchois à l'huile	5500
Olive noire	3288
Jambon de Bayonne	2700
Chorizo sec	2300
Moutarde	2245
Saucisson sec	2100
Salami	1800
Vichy Saint-Yorre	1708
Olive verte	1609
Roquefort	1600
Crevette cuite	1595
Bacon	1555
Féta	1496
Cervelas	1260
Saumon fumé	1200
Vichy Célestin	1172
Bleu	1150
Ketchup	1120
Carré est	1110
Saucisson à l'ail – Biscuit sec salé	1100
Maroilles	1050
Lard	1021
Saucisse de Strasbourg	1000
Morbier	990
Cantal	940
Munster	930
Fromage de tête	929
Corn flakes	915
Parmesan	913
Jambon cuit – Merguez – Saucisse de Francfort	900
Boudin noir	860
Gruyère – Hollande – Livarot	850
Reblochon	840
Pyrénnée (vache)	824
Tome	808
Chaource	806
Camembert	802
Jambon cuit sup. – Pain de campagne	786
Babybel	748
Chipolata	747
Foie gras	740
Saucisse de Morteau	725
Crabe	720
Brie	717

Teneur en sodium mg / 100 g

Pâté de campagne	710
Boudin blanc	703
Cornichon – Surimi – Cheddar – Pain complet	700
Coulommiers	684
Lait écrémé en poudre	682
Pont-l'évêque	670
Mortadelle	668
Pâté de foie – Chèvre	660
Pistache – Fromage fondu – Pain blanc – Pain grillé	650
Andouillette	630
Gouda	620
Saint-paulin	610
Chair à saucisse – Pain au lait – Pain de mie	600
Saint-nectaire	590
Pain au chocolat	588
Homard cuit	560
Pain viennois	550
Quenelle de volaille	515
Brioche	495
Croissant	492
Pain aux raisins	489
Edam	485
Rouy	484
Sardine à l'huile	480
Pain de seigle	464
Rillettes	454
Beaufort	448
Palmier	431
Poisson pané – Thon naturel – Carré frais	415
Sablé	410
Sardine à la tomate – Lait entier en poudre	400
Neufchâtel	399
Moule cuite	386
Biscotte complète	380
Comté	367
Biscotte	350
Thon à l'huile	347
Biscuit à la noix de coco	346
Petit beurre	312
Triple crème à 75 %	300
Huître crue – Jus de tomate	280
Gaufre	277
Pain d'épice	270
Barre aux céréales	266

Teneur en sodium mg / 100 g

Quézac	255
Écrevisse crue	253
Rognon	250
Beignet	230
Emmental	226
Pain noir	220
Cake	215
Madeleine	211
Cabillaud	210
Coquillage cru – Muesli	200
Beurre à 41 %	190
Barre de coco	164
Blanc d'œuf – Biscuit cuillère	160
Coquille Saint-Jacques – Barre chocolatée	158
Badoit	150
Lait entier concentré	138
Oeuf entier cru	133
Génoise – Tarte aux fruits	129
Lait entier concentré sucré	128
Barre biscuit/chocolat	125
Crêpe	123
Oie rôtie – Sole – Barquette à la confiture – Beurre d'arachide	120
Margarine	118
Foie de bœuf – Boudoir	102
Céleri rave – Cœur de bœuf – Pigeon rôti – Carrelet – Esturgeon – Margarine à 41 %	100
Foie de volaille	95
Filet de veau	93
Lieu noir	92
Côte d'agneau – Travers de porc – Canard – Maquereau – Merlan	90
Poule – Colin	89
Fenouil	86
Hareng	82
Escalope de veau – Poulet – Anguille	80
Quatre-quarts	77
Pissenlit – Foie de veau	76
Raie	75
Pintade – Perche	73
Côtelette de porc	72
Truite	70
Rôti de porc	69
Bourguignon – Épaule d'agneau	68
Yaourt à 0 %	67
Ris de veau	66

Teneur en sodium mg / 100 g

Épinards – Rosbif – Filet de porc – Chevreuil	65
Dinde	63
Faux-filet – Gigot d'agneau – Échine de porc – Langue de bœuf – Morue	60
Betterave rouge – Lait fermenté – Yaourt nature	58
Navet	57
Brochet – Crème renversée	56
Caille – Carpe – Yaourt aux fruits – Éclair	55
Crème dessert	54
Cheval	53
Pot-au-feu – Chocolat en poudre	52
Saumon frais – Mousse chocolat	51
Entrecôte – Jaune d'œuf	50
Flétan – Lait de coco	47
Lait 1/2 écrémé	46
Lait écrémé – Lait entier – Lait de chèvre	45
Persil	44
Artichaut	43
Cresson	42
Carotte – Lait brebis – Sucre roux – Crème à 10 %	40
Thon blanc – Thon rouge	39
Crème à 28 % – Crème à 35 %	38
Lapin	37
Noix de coco – Jus de carotte	35
Gingembre – Fromage blanc à 0 % – Fromage blanc à 20 % – Riz au lait	33
Petit suisse à 40 % – Gâteau au chocolat	31
Petit suisse aux fruits	30
Fromage blanc à 40 %	29
Entremets divers	26
Raisin sec	23
Chou vert	20
Melon	18
Pâte d'amande	17
Confiture	16
Noix de cajou – Laitue – Chocolat noir – Sorbet	15
Abricot sec – Figue séchée – Chou-fleur – Hépar	14
Brocoli	13
Pruneau sec – Poireau – Radis – Chocolat blanc – Beurre	12
Fruit de la passion – Ail – Pomme de terre frite – Chocolat au lait – Chocolat aux noisettes	10
Châtaigne – Germe de blé – Perrier – Contrex – Volvic – Vin cuit	9
Champignon – Échalote	8
Goyave – Noix – Avocat	7
Oignon – Riz complet cru – Grain de maïs	6

Teneur en sodium mg / 100 g

Cacahuète – Salsifi – Tomate – Haricot blanc cuit – Pâtes alimentaires crues – Riz blanc cru – Evian – Vin blanc 11° – Vin rouge 11°	5
Kiwi – Orange – Pignon – Endive – Haricot vert – Pomme de terre bouillie – Flocon d'avoine cru – Blé soufflé – Pop-corn – Tapioca cru – Vittel – Bière	4
Cassis – Cerise – Clémentine – Figue fraîche – Framboise – Groseille – Mûre – Papaye – Pomme – Noisette – Datte sèche – Asperge – Aubergine – Haricot rouge cuit – Lentille cuite – Tofu – Millet cru – Orge perlé cru – Miel – Thonon – Cidre brut	3
Abricot – Ananas – Fraise – Kaki – Mangue – Myrtille – Poire – Raisin – Graine de sésame – Pâtes aux œufs cuites – Riz complet cuit – Son de blé – Saindoux	2
Banane – Citron – Pêche – Pomelo – Pâtes alimentaires cuites – Riz blanc cuit – Semoule crue – Pâte de fruits – Jus d'orange – Pastis pur – Rhum – Whisky	1

Teneur en potassium mg / 100g

Lait écrémé en poudre	1537
Abricot sec	1520
Son de blé	1390
Chocolat en poudre	1300
Lait entier en poudre	1200
Gingembre	1126
Pistache	1050
Pruneau sec	950
Germe de blé	871
Beurre d'arachide	820
Persil	800
Raisin sec	783
Figue séchée	770
Cacahuète	702
Pomme de terre frite	700
Datte sèche	677
Pignon	620
Noisette	600
Filet de porc	540
Épinards	529
Avocat	522
Truite	520
Châtaigne	500
Noix – Ketchup	480
Topinambour	478
Noix de cajou	464
Haricot blanc cuit – Escalope de veau	460
Ail	446
Muesli	440
Fenouil	430
Champignon – Pissenlit – Haricot rouge cuit – Lieu noir – Saumon fumé	420
Faux-filet – Rosbif – Côtelette de porc – Oie rôtie – Pigeon rôti	400
Oseille	390
Blé soufflé	389
Banane – Artichaut	385
Maquereau – Sardine à l'huile	380
Noix de coco	379
Sardine à la tomate	376
Filet de veau	375
Saumon frais	371
Cassis – Brocoli – Lait entier concentré sucré	370
Bacon	367
Chocolat noir	365

Teneur en potassium mg / 100g

Cheval	358
Chevreuil	355
Coquille Saint-Jacques	354
Banane plantain – Flocon d'avoine cru	350
Foie de bœuf	346
Ris de veau	342
Carpe	337
Betterave rouge	336
Côte d'agneau	333
Pomme de terre bouillie – Thon blanc – Grain de maïs	330
Rôti de porc	324
Potiron	323
Céleri rave – Chou-fleur – Salsifis – Entrecôte – Bourguignon – Travers de porc – Sucre roux	320
Foie de volaille	317
Barre de coco	316
Abricot	315
Flétan	312
Anchois à l'huile	310
Dinde	305
Cresson – Petits pois	304
Foie de veau – Pop-corn	301
Carotte – Poulet – Cervelas – Cabillaud – Merlan – Biscotte complète	300
Melon	297
Chou vert	293
Échine de porc – Brochet – Perche	290
Kiwi	287
Gigot d'agneau – Pâte d'amande	286
Lait de coco	282
Groseille – Jambon cuit sup. – Jambon cuit – Sole	280
Thon naturel	277
Lentille cuite	276
Colin – Jus de carotte	274
Thon à l'huile	267
Épaule d'agneau	265
Canard – Boulgour cru	262
Aubergine – Poisson pané	260
Poireau	256
Lapin	255
Écrevisse crue	254
Thon rouge – Hareng	252
Raisin – Pot-au-feu – Rognon – Jambon de Bayonne – Carrelet – Coquillage cru	250
Échalote	248

Teneur en potassium mg / 100g

Cerise – Pain au lait	246
Barre aux céréales	245
Haricot vert – Radis	243
Navet – Salami – Raie – Homard cuit – Chèvre – Barre chocolatée	240
Morue	237
Lard – Pâtes alimentaires crues	236
Laitue – Lait entier concentré	234
Pâté de campagne	233
Figue fraîche – Cœur de bœuf	232
Prune – Courgette – Esturgeon – Jus de tomate	230
Fruit de la passion	228
Cake	227
Tomate	226
Pain aux raisins – Pain complet	225
Riz complet cru	223
Crevette cuite	221
Framboise – Mûre – Huître crue	220
Caille	215
Papaye	214
Yaourt 0 %	211
Mortadelle	207
Moule cuite – Yaourt aux fruits	206
Endive	205
Éclair	204
Yaourt nature	203
Brioche	201
Asperge – Andouillette – Anguille – Barre biscuit/chocolat	200

Teneur en eau ml / 100 g

Concombre	96
Cornichon – Courgette – Endive – Laitue – Radis – Tomate – Jus de tomate – Lait de coco	94
Navet – Oseille – Potiron – Bière – Cidre brut	93
Pastèque – Asperge – Aubergine – Bette – Champignon – Épinards – Lait de soja	92
Citron – Brocoli – Chou rouge – Chou-fleur – Poivron – Lait écrémé – Jus de carotte – Vin rouge 11°	91
Cresson – Fraise – Melon – Pomelo – Cœur de palmier – Haricot vert – Poireau – Lait 1/2 écrémé	90
Papaye – Carotte – Oignon – Cola – Jus orange – Vin blanc 11°	89
Céleri rave – Chou vert – Fenouil – Blanc d'œuf – Lait entier – Lait fermenté – Lait de chèvre – Yaourt nature – Yaourt 0 % – Soda	88
Semoule cuite	87,5
Abricot – Ananas – Clémentine – Orange – Pêche	87
Betterave rouge – Germe de soja – Fromage blanc 0 % – Yaourt entier	86
Mûre – Poire – Pomme – Artichaut – Gingembre – Pissenlit	85
Coing – Framboise – Huître crue – Fromage blanc à 20 %	84
Brugnon – Goyave – Groseille – Kiwi – Mangue – Myrtille – Persil – Morue – Écrevisse crue	83
Prune – Échalote – Fève fraîche – Lait de brebis – Crème à 10 %	82
Cerise – Kaki – Litchi – Fromage blanc à 40 % – Yaourt aromatisé	81
Figue fraîche – Grenade – Colin – Coquille Saint-Jacques	80
Raisin – Salsifis – Topinambour – Raie – Bar – Escargot cru – Coquillage cru	79
Cassis – Pomme de terre bouillie – Carrelet – Sole – Tofu	78
Olive verte – Pomme de terre crue – Brochet – Merlan – Perche – Crabe – Homard cuit – Vin cuit	77
Fruit de la passion – Avocat – Jarret de veau – Cabillaud – Lieu noir – Surimi – Œuf entier cru – Petit suisse à 40 % – Crème renversée	76
Espadon – Flétan – Lait entier concentré – Moutarde	75
Banane – Petits pois – Sanglier – Esturgeon – Yaourt aux fruits	74
Cheval – Jambon cuit sup. – Carpe – Crevettes cuite – Moule cuite – Crème dessert	73
Lentille cuite – Jambon cuit – Thon naturel	72
Truite	71
Haricot blanc cuit – Caille – Thon blanc – Pâtes alimentaires cuites – Pâtes aux œufs cuites – Riz blanc cuit – Riz complet cuit	70
Haricot rouge cuit – Pintade	69
Datte fraîche – Bacon – Sardine à la tomate – Thon rouge	68
Banane plantain – Hareng – Saumon frais – Carré frais – Crème à 28 % – Ketchup – Rhum	67
Rosbif – Foie de veau – Dinde – Quenelle de volaille – Sorbet – Whisky	66
Escalope de veau – Filet de veau – Filet de porc – Cœur de bœuf – Foie de volaille – Rognon – Saumon fumé – Riz au lait	65

Teneur en eau ml / 100 g

Ail – Faux filet – Côtelette de mouton – Foie de bœuf – Canard – Petit suisse aux fruits	64
Boudin blanc – Fromage de tête	63
Entrecôte – Andouillette – Anguille – Thon à l'huile – Entremets divers	62
Bourguignon – Côte d'agneau – Ris de veau – Chevreuil – Lapin – Maquereau – Pastis pur	61
Gigot d'agneau – Sardine à l'huile – Crème à 35 %	60
Poulet	59
Côte première – Épaule – Pigeon rôti	58
Pot-au-feu – Langue de bœuf – Crêpe – Éclair – Margarine à 41 %	57
Rôti de porc – Échine de porc – Côtelette de porc – Jambon de Bayonne – Saucisse de Francfort – Saucisse de Strasbourg – Poisson pané	56
Chair à saucisse – Anchois à l'huile – Féta	55
Merguez – Camembert – Chaource – Neufchâtel	54
Épaule d'agneau – Saucisse de Morteau – Saucisson à l'ail	53
Châtaigne – Olive noire – Oie rôtie – Chipolata – Pâté de campagne – Coulommiers – Fromage fondu	52
Poule – Beurre 41 %	51
Jaune d'œuf – Brie – Carré est – Reblochon	50
Pâté de foie – Mortadelle – Munster	49
Cervelas – Babybel – Pont-l'évêque – Saint-paulin – Triple crème à 75 % – Glace esquimau	48
Pain noir – Tarte aux fruits	47
Pomme de terre frite – Maroilles – Rouy – Tome	46
Noix de coco – Bleu – Saint-nectaire	45
Morbier	44
Boudin noir – Pâte de fruits	43
Foie gras – Rillettes – Cantal – Chèvre – Edam – Gouda	42
Noisette – Pyrénnée (vache) – Roquefort – Hollande	41
Travers de porc	40
Pruneau sec – Gruyère	39
Emmental	38
Livarot	37
Beaufort – Cheddar – Comté – Pain complet – Pain de seigle – Pain viennois	36
Saucisson sec – Pain de mie – Génoise	33
Salami	32
Barquette à la confiture	31
Pain de campagne – Confiture – Mousse au chocolat	30
Parmesan – Pain blanc – Pain aux raisins	29
Banane séchée – Madeleine	28
Chorizo sec	27
Biscuit cuillère – Gaufre	26

Teneur en eau ml / 100 g

Figue séchée – Lait entier concentré sucré – Beignet – Quatre-quarts	25
Pain au lait	24
Abricot sec – Pain grillé	23
Brioche – Cake – Chocolat aux noisettes – Pain au chocolat	22
Biscuit à la noix de coco – Gâteau au chocolat	21
Pain d'épice	20

LA CONCLUSION DU NUTRITIONNISTE

Par Jean-Michel Cohen

À l'issue de ce livre, je réalise que son secret tient sans doute au fait que Myriam et moi avons chacun nos spécificités. Ainsi, je me suis rendu compte que j'étais beaucoup moins à l'aise qu'elle en ce qui concerne les enfants, alors que je me sentais totalement dans mon élément en compagnie des adolescents ou des adultes. En fait, je viens sans doute de réaliser la différence fondamentale entre un père et une mère, plus encore qu'entre un nutritionniste et une pharmacienne.

Dans notre société, l'éducation de l'enfant est souvent déléguée à la maman les premières années. Parce que c'est la période où la nourriture a le plus d'importance, parce que c'est le temps de la croissance et l'époque où se prennent les habitudes alimentaires déterminant notre manière de manger jusqu'à la fin de nos jours. Et ce n'est que plus tard, à l'adolescence et à l'âge adulte, que le rôle social du père acquerra plus d'importance, une fois les questions relatives à la nourriture presque toutes réglées.

Grâce à Myriam, j'ai eu le plaisir de revivre les débuts de notre vie de famille. Ainsi, devant l'écriture de cet ouvrage, de nombreux souvenirs me sont revenus à l'esprit, comme les situations parfois cocasses liées aux repas de mes enfants. Aujourd'hui, j'ai le sourire aux lèvres et un brin de nostalgie quand j'évoque mes trois filles, désormais grandes, et tout l'amour dont ma femme a fait preuve pour leur permettre de s'épanouir harmo-

461

nieusement, que ce soit au travers de la nourriture ou grâce à notre affection.

Dès lors, je constate que toutes les connaissances psychologiques et intellectuelles accumulées au cours d'une carrière de nutritionniste ne valent pas l'expérience personnelle que l'on recueille auprès de ses enfants. Rien ne remplace, en effet, le sentiment profond de la transmission tendre et affectueuse accomplie lors des repas de famille.

Bien entendu, mes émotions n'ont pas été mon seul guide. Mon métier m'a également apporté un côté technique, celui qui s'exprime en chiffres, en rapports et en quantité. Mais je l'avoue, avant de me lancer dans cette aventure, je n'appréciais pas à sa juste valeur le rôle pratique, aussi fondamental qu'ambitieux, qui est dévolu aux mamans dans les maisons.

Parfois, j'ai eu peur d'énoncer trop de chiffres ou d'accumuler et développer trop de données rationnelles, au risque de plonger le lecteur dans l'angoisse de vouloir tout contrôler. Néanmoins, ces outils m'ont semblé essentiels en une période où la nourriture joue un rôle de plus en plus important dans la prévention et le traitement des maladies, et où les supermarchés comme les professionnels de l'agroalimentaire utilisent chaque jour de nouveaux arguments pour vendre plus. Dès lors, si nous parvenons à mieux contrôler et rationaliser notre alimentation, nous aurons moins de chance de devenir les victimes du marketing des industriels.

Brisons enfin un mythe qui se répand de nos jours comme une traînée de poudre : sauf cas exceptionnel, on ne se soigne pas avec la nourriture. En revanche, on peut en devenir malade et pas seulement dans le cas particulier de l'obésité. C'est la raison pour laquelle il est important de consacrer du temps à la cuisine, afin de retrouver de bonnes règles alimentaires et nutritionnelles, ainsi que le bonheur de la table et des repas.

Personnellement, j'ai vécu de près, ces dernières années, la course aux informations nutritionnelles. Ainsi, après la déferlante des régimes, j'ai connu une période de repli, correspondant à un mécanisme de méfiance à l'égard de cet excès de privations. Puis, avec le concours de la presse et du public, j'ai investigué l'ensemble de l'alimentation de notre époque, ce que j'ai appelé le « savoir manger ».

Aujourd'hui, je ressens sincèrement la nécessité de revenir aux sources. Ainsi, selon mon point de vue, bien manger en famille consiste tout simplement à se nourrir sereinement avec des aliments de plaisir tout en respectant ce que l'on appelle, dans les livres de médecine, des règles hygiénodiététiques. À l'heure actuelle, j'ignore si cette façon de voir correspond à notre société, qui éprouve le besoin d'être tranquillisée et rassurée, mais, en ce qui me concerne, c'est tout ce que je lui souhaite. Car le repas en famille doit avant tout être un espace d'échanges, d'affection, de sensations et de bonheur partagé. Dès lors, quelle que soit votre famille, mon seul désir est que cet ouvrage vous ait aidé et vous aide encore à trouver le chemin de votre plaisir.

LA CONCLUSION DE LA MAMAN

Par Myriam Cohen

Quand j'ai entamé l'aventure de ce livre, aux côtés de Jean-Michel, beaucoup m'ont demandé pourquoi je le faisais et quelle légitimité je comptais mettre en avant. Aujourd'hui, je n'ai pas honte d'affirmer qu'être maman est un métier à part entière, car nourrir sa famille demande beaucoup de temps, d'attention, de patience, de vigilance, de soins, de bon sens, d'amour...

Je tenais également à réhabiliter l'expression « mère de famille », trop souvent stigmatisée ou présentée de manière péjorative. Pourtant, toute femme qui donne naissance à un enfant devient « mère de famille », qu'elle soit femme d'affaires ou reste à la maison. Ainsi, dans la majorité des cas, elle se voit accomplir son rôle de mère nourricière. Et il n'y a aucune honte à cela, bien au contraire.

Devenir mère est certainement l'un des voyages les plus bouleversants qu'une femme puisse entreprendre. C'est cependant aussi une responsabilité lourde dont on ne parle pas toujours et dont on mésestime souvent l'importance. Dans son rôle social, la femme reste méconnue, écartelée entre ses vies de couple, de famille et professionnelle. Alors que le métier de mère de famille, même s'il demande beaucoup, procure les plus belles récompenses. Aussi, bien que j'aie toujours combattu pour l'égalité des droits entre les hommes et les femmes, l'étiquette « mère de famille » ou « maman de trois enfants » me convient parfaitement.

Consciente qu'une alimentation saine et équilibrée doit commencer dès la plus tendre enfance, moi, Myriam, docteur en pharmacie, femme de nutritionniste et mère de trois jeunes filles, je vous ai invités à nous suivre dans cette formidable aventure autour de la nourriture, en vous proposant des recettes et des menus faciles à réaliser. Cependant, malgré mes multiples facettes, vous l'avez perçu, c'est mon cœur de maman qui s'est le plus exprimé dans ces pages.

Il ne faut, en effet, jamais oublier que l'éducation alimentaire est indissociable des besoins affectifs et des autres domaines éducatifs. Ainsi, en dépit de toutes les difficultés qu'elle présente, l'éducation des enfants est une source de joie toujours renouvelée, une aventure merveilleuse, aussi enrichissante pour ceux qui la donnent que pour ceux qui la reçoivent.

Votre enfant se forme et se développe grâce aux puissances de vie qui sont en lui et aux éléments physiques, affectifs, mentaux et spirituels qui lui sont fournis par son entourage familial et social.

Le plus souvent, l'enfant s'éduque par l'imprégnation, l'imitation et l'expérimentation. Dès lors, plus l'être est jeune, plus l'imprégnation est importante et risque de perdurer pendant toute l'enfance. Ainsi, il s'imprègne des modèles parentaux de sa mère, de son père, de la relation qu'ils ont entre eux et surtout de celle que l'un et l'autre établissent avec lui. Le processus d'imitation, quant à lui, le pousse à reproduire ces schémas intégrés ou à parfois s'y opposer. Cette dernière situation étant une autre manière d'en dépendre et un passage obligé pour se trouver soi-même. Dès lors, les parents ayant la responsabilité d'être pris comme modèle, il est important d'appliquer soi-même une bonne conduite alimentaire.

Heureusement, l'enfant, comme plus tard l'adolescent, n'a pas besoin de parents parfaits. Et, vouloir le devenir serait même une parfaite illusion. Enfants et adolescents ont juste besoin d'un père et d'une mère authentiquement eux-mêmes.

Aujourd'hui, on rencontre beaucoup de nouveaux pères, des papas poules, des pères absents, des papas modèles... et mille autres termes qualifiant ces aventuriers de la paternité qui, comme les femmes, s'efforcent de conjuguer vie familiale, professionnelle et amoureuse. Une position, parfois nouvelle pour certains, qu'ils doivent investir avec la bénédiction des mamans.

Nous le savons, la famille est au centre du processus éducatif. Avant l'école, pendant l'école, après l'école, il y a la famille. Les parents ont donc une responsabilité primordiale : conduire leurs enfants vers de bonnes habitudes alimentaires, puisque ce n'est pas la publicité ou les repas pris à l'extérieur qui les formeront à de bonnes pratiques nutritionnelles.

On ne le répétera jamais assez : il n'y a pas lieu de complexer en imaginant que l'on ne fait pas ce qu'il faut. Éduquer à bien se nourrir n'est ni excessivement difficile, ni extraordinairement facile. Chacun peut devenir un éducateur convenable pour ses propres enfants, mais chacun risque aussi d'être un mauvais guide s'il prend sa fonction à la légère. L'essentiel est donc de faire manger de tout en quantité raisonnable et de se fier à son bon sens.

Si vous avez donné de bonnes habitudes alimentaires au jeune enfant, l'alimentation de votre adolescent a de bonnes chances d'être plus équilibrée. Cependant, tous les parents doivent savoir que le jeune passera par une période d'opposition aussi inévitable que nécessaire. À eux de comprendre que ses accès d'humeur, parfois de révolte, font partie de leur apprentissage. À nous aussi de poser des limites et de négocier certains écarts.

On le voit, c'est aux parents d'éveiller les papilles. Ainsi, quand mes enfants étaient petits, je leur racontais des histoires de goût salé, sucré, amer... Tout comme je leur expliquais les différentes transformations que subissent les aliments avant d'arriver dans leur assiette.

Enfin, je ne voudrais pas que vous refermiez ce livre en confondant « diététique » et « régime ». Dans bon nombre de cas, comme nous l'avons vu, les régimes sévères ne sont pas nécessaires. En revanche, la diététique consiste, sans se priver, à apprendre à choisir ses aliments en fonction de sa morphologique. Ainsi, dans cet ouvrage, j'ai tenté de montrer que la diététique n'était pas forcément l'ennemie de la cuisine. Au contraire, il ne peut y avoir de diététique intelligente sans cuisine savoureuse et raffinée. Dès lors, comme notre corps est constitué de ce que nous mangeons, les aliments doivent lui être apportés dans des proportions équilibrées. Il est donc important de manger de tout, car, dans notre alimentation, seul l'excès et la répétition des erreurs peuvent être nuisibles.

Au final, apprendre à bien manger, c'est manger selon ses besoins des repas structurés et y trouver du plaisir. J'espère sincèrement que ce livre vous y aidera, tout comme il vous conseillera pour vivre plus sereinement l'apprentissage nutritionnel de vos enfants.

Recettes

470

471

Bien manger entre amis

À tous nos amis avec qui nous avons tant de bonheur à partager les plaisirs de la table et qui nous soutiennent avec constance (sauf que ça nous gêne que vous regardiez toujours dans nos assiettes).

À Thierry Billard, sans doute un des plus grands éditeurs de Paris qui sait faire travailler intelligemment ses auteurs avec simplicité, et a suscité cet ouvrage à quatre mains.

À Simone Bairamian et Guillaume Robert, pour leur coaching, leur efficacité et leur diplomatie... dans la chaleur.

À toute l'équipe Flammarion dont le professionnalisme pousse à la qualité.

À Patrick Serog et Françoise Baigts, amis de toujours et pour toujours !

À tous les journalistes dont la déontologie et la confiance nous obligent aux plus grandes sincérité et honnêteté, même dans la passion.

À nos potes qui sont en fait nos critiques objectifs Olivier W., Olivier L., Sophie D., Maryse B., Martine G., Macha B., Sophie R., Blanche R., Anne-Flo W., Nicolas B., Nathalie S., Corinne T., Pierrick H., Richard Z., Évelyne T., Carole W., Pierre Mathieu D., Henri et Nathalie G., Tony F. et sa victime Pascale, Jean-Michel G., Gilles et Véro G., Fatima C., Patrick et

Jeanne D., Philippe K., Georges et Gilberte R., Anita et Dominique, Patrick et Joëlle S.

Au cabinet médical Desfeux, microcosme de l'amitié et de la médecine avec toutes ses turbulences.

À nos potes médecins de toujours qui ne comprennent pas, malgré tous ces livres, comment nous faisons pour résister aux délices du golf (bande de fainéants !).

Et à Sophie F. qui a réussi à faire bugger les ordinateurs en pleines corrections...

À Karina, Héléna et Marilyn qui, tard le soir, tapent presque plus vite que nous dictons.

À Claire Mollard et Estelle Rollandeau.

À la mémoire de Jacques Villeret pour tant de tendresse et d'amour des autres dissimulés.

TABLE

Première partie
DE LA NAISSANCE À 9 ANS